Preuves d'amour

Lisa Gardner

Preuves d'amour

ROMAN

Traduit de l'anglais (États-Unis)
par Cécile Deniard

Albin Michel

COLLECTION « SPÉCIAL SUSPENSE »

Édition originale américaine parue sous le titre :
LOVE YOU MORE
Chez Bantam Books pour Random House à New York en 2011.

Prologue

QUI TU AIMES ?

C'est une question à laquelle n'importe qui devrait pouvoir répondre. Une question qui engage votre vie, façonne votre avenir, guide presque chaque instant de vos journées. Simple, élégante, synthétique.

Qui tu aimes ?

Il m'a posé cette question, et la réponse m'est venue du poids de mon ceinturon, du carcan de mon gilet pare-balles, du bord rigide de mon chapeau de police, bas sur le front. J'ai lentement descendu la main et mes doigts ont frôlé la crosse de mon Sig Sauer, à ma hanche.

« Qui tu aimes ? » a-t-il crié une nouvelle fois, plus fort, plus insistant.

Mes doigts se sont éloignés de mon arme de service pour se poser sur un passant de cuir noir qui maintenait mon ceinturon autour de ma taille. Le Velcro a crié quand j'ai détaché ce premier passant, puis le deuxième, le troisième, le quatrième. J'ai défait la boucle métallique et, libéré, mon ceinturon de dix kilos, avec tout le barda, arme de poing, Taser et matraque télescopique, s'est retrouvé suspendu entre nous.

« Voyons, non », ai-je soufflé, ultime tentative pour le ramener à la raison.

Il s'est contenté de sourire. « Trop tard.

– Où est Sophie ? Que s'est-il passé ?

– Ceinturon. Sur la table. Tout de suite.

– Non.

– PISTOLET. Sur la table. TOUT DE SUITE ! »

En guise de réponse, bien plantée sur mes jambes, je me suis carrée au milieu de la cuisine, le ceinturon toujours dans la main gauche. Quatre ans que je patrouillais sur les autoroutes du Massachusetts depuis que j'avais juré de défendre et protéger mes concitoyens. J'avais l'entraînement et l'expérience de mon côté.

Je pouvais essayer d'attraper mon pistolet. Y aller franco, dégainer et tirer.

Mais le Sig était placé à un angle malcommode dans l'étui, j'aurais perdu de précieuses secondes. L'autre me tenait à l'œil, guettait le moindre mouvement brusque. En cas d'échec, la punition serait terrible et impitoyable.

Qui tu aimes ?

Il avait raison. Tout se résumait à ça pour finir. Qui est-ce qu'on aime et qu'est-ce qu'on serait prêt à risquer pour eux.

« LE PISTOLET ! Tout de suite, merde ! »

J'ai pensé à ma fille de six ans, à l'odeur de ses cheveux, à la sensation de ses bras maigres noués autour de mon cou, au son de sa voix quand je la bordais dans son lit le soir. « Je t'aime, maman », chuchotait-elle toujours.

Moi aussi, je t'aime, chérie. Je t'aime.

Ses bras ont bougé, premier geste timide vers le ceinturon, vers mon arme dans son étui.

Toute dernière chance…

J'ai regardé mon mari dans les yeux. Le temps d'un battement de cœur.

Qui tu aimes ?

J'ai pris ma décision. J'ai posé mon ceinturon sur la table de la cuisine.

Et lui s'est jeté sur mon Sig et a ouvert le feu.

1

LE COMMANDANT D.D. WARREN se targuait d'être une excellente enquêtrice. Forte de ses douze ans d'expérience au sein de la police municipale de Boston, elle avait la conviction qu'étudier une scène de crime ne nécessitait pas simplement d'appliquer la procédure à la lettre, mais plutôt de se livrer à une immersion sensorielle. Elle tâtait le trou lisse qu'une balle de 22 brûlante avait vrillé dans un mur de placo. Elle écoutait les commérages des voisins de l'autre côté des fines cloisons parce que, si elle pouvait les entendre, eux avaient forcément entendu le drame qui venait de se dérouler dans cette pièce.

D.D. remarquait toujours comment un corps était tombé, si c'était vers l'avant ou vers l'arrière, légèrement de biais. Elle cherchait dans l'air ce goût âcre de la poudre qui flotte encore pendant une bonne trentaine de minutes après le dernier coup de feu. Et elle avait plus d'une fois estimé l'heure du décès rien qu'à l'odeur du sang – comme la viande fraîche, celui-ci a d'abord une odeur relativement anodine avant d'émettre des relents de plus en plus puissants et terreux au fil des heures.

Mais aujourd'hui, elle n'avait rien de tout cela au programme. Aujourd'hui, elle allait passer son dimanche matin à traîner en pantalon de jogging gris et grande chemise rouge à carreaux empruntée à Alex. Attablée dans la cuisine de ce dernier, elle se cramponnait à un gros mug en terre cuite rempli de café en comptant lentement jusqu'à vingt.

Elle en était à treize. Alex avait enfin rejoint la porte d'entrée. Il s'arrêta pour enrouler une écharpe bleu marine autour de son cou.

Elle arriva à quinze.

Il finit avec l'écharpe. Passa au bonnet de laine noir et aux gants de cuir doublés. La température extérieure venait à peine de franchir la barre des – 7°. Vingt centimètres de neige au sol et encore une quinzaine attendus d'ici la fin de la semaine. En Nouvelle-Angleterre, le mois de mars n'était pas synonyme d'arrivée du printemps.

Alex enseignait, entre autres, l'analyse de scène de crime à l'école de police. Aujourd'hui, il allait enchaîner les cours. Demain, ils seraient tous les deux en congé, ce qui n'arrivait pas souvent et serait certainement l'occasion de quelque divertissement encore à déterminer. Peut-être du patin à glace dans le parc de Boston Common. Une virée au musée Isabella Stewart Gardner. Ou une journée à paresser, pelotonnés dans le canapé en regardant des vieux films avec un grand saladier de pop-corn au beurre.

Les mains de D.D. se crispèrent autour du mug. D'accord, pas de pop-corn.

Elle comptait : dix-huit, dix-neuf...

Alex finit d'enfiler ses gants, ramassa sa vieille besace en cuir noir et s'approcha.

« Ne te languis pas trop de moi », dit-il.

Il l'embrassa sur le front. D.D. ferma les yeux, pensa « vingt » et commença à compter à rebours.

« Je vais t'écrire des lettres d'amour toute la journée, répondit-elle. Avec des petits cœurs sur les i.

– Dans ton journal intime de lycéenne ?

– Quelque chose comme ça. »

Alex s'écarta. D.D. arriva à quatorze. Son mug tremblait, mais Alex ne parut pas le remarquer. Elle prit une grande inspiration et serra les dents. *Treize, douze, onze…*

Un peu plus de six mois qu'Alex et elle sortaient ensemble. Ils en étaient au point où elle avait tout un tiroir rien qu'à elle dans la petite maison d'Alex, tandis que lui disposait d'un bout de placard dans son appartement du North End. Quand il enseignait, c'était plus commode d'être chez lui. Quand elle travaillait, plus commode d'être à Boston. Ils n'avaient pas d'organisation fixe, ce qui aurait impliqué de faire des projets et de cimenter une relation dont ils prenaient tous les deux grand soin de ne pas trop définir les contours.

Ils aimaient être ensemble. Alex respectait son emploi du temps délirant d'enquêtrice de la criminelle. Elle respectait ses talents culinaires d'émigré italien de la troisième génération. Autant qu'elle pouvait en juger, ils attendaient avec impatience les soirs où ils pouvaient se retrouver, mais survivaient aux autres. Deux adultes attachés à leur indépendance. Elle venait de fêter ses quarante ans, un cap qu'Alex avait franchi quelques années plus tôt. Plus vraiment deux ados rougissants dont chaque instant se serait consumé dans la pensée de l'autre. Alex avait déjà été marié. Quant à D.D., elle n'était pas tombée de la dernière pluie.

Elle ne vivait que pour son travail, et tant pis si les autres trouvaient ça malsain. Ça l'avait menée là où elle était.

Neuf, huit, sept…

Alex ouvrit la porte d'entrée, bomba le torse pour affronter la rigueur du matin. Un souffle d'air froid traversa le petit vestibule et vint frapper les joues de D.D. Elle frissonna et serra le mug plus fort.

« Je t'aime, dit Alex en sortant.

– Moi aussi, je t'aime. »

Alex referma la porte. D.D. arriva au bout du couloir juste à temps pour vomir.

Dix minutes plus tard, elle était encore affalée sur le sol de la salle de bains. Le carrelage datait des années soixante-dix, des dizaines et des dizaines de petits carreaux beiges, marron et dorés. Les regarder lui redonnait la nausée. Mais les compter était un exercice de méditation relativement efficace. Elle fit donc l'inventaire en attendant que ses joues rouges refroidissent et que ses crampes d'estomac se calment.

Son téléphone portable, posé par terre à côté d'elle, sonna. Elle le regarda, pas follement intéressée vu les circonstances. Mais quand elle vit qui appelait, elle décida de le prendre en pitié.

« Quoi ? »

Sa façon habituelle de saluer Bobby Dodge, ancien amant, aujourd'hui homme marié et enquêteur de la police d'État du Massachusetts.

« Pas beaucoup de temps. Écoute bien.

– Je ne suis pas d'astreinte, répondit-elle par réflexe. Les nouvelles saisines sont pour Jim Dunwell. Va lui casser les pieds. »

Puis elle se reprit. Bobby ne pouvait l'appeler au sujet d'une affaire. En tant qu'enquêtrice de la police municipale, elle prenait ses ordres du centre de commandement de Boston, pas de ses collègues de la police d'État.

Bobby fit la sourde oreille.

« C'est un beau merdier, mais je suis à peu près sûr qu'il va être pour notre pomme, alors il faut que tu m'écoutes. Les fédéraux sont à côté, les médias sur le trottoir d'en face. Pointe-toi par-derrière. Tu prends ton temps, tu notes *tout*. Je ne suis déjà plus bien placé pour observer et, crois-moi, D.D., sur ce coup-là, on ne peut pas se permettre de rater quoi que ce soit, toi et moi. »

D.D. comprenait de moins en moins.

« Mais qu'est-ce que tu racontes, Bobby ? Je ne sais absolument pas de quoi tu me parles, et d'ailleurs je suis en congé.

– Oublie. La police de Boston va vouloir qu'une femme prenne cette enquête et la police d'État va exiger qu'on mette un gars de chez nous dans la boucle, de préférence un ancien agent en tenue. Aux patrons de décider, mais notre tête est sur le billot. »

Elle entendit alors un autre bruit, en provenance de la chambre. Son biper, qui carillonnait à tout-va. Merde. Une convocation, comme quoi Bobby ne disait pas que des conneries. Elle se releva tant bien que mal, même si elle tremblait sur ses jambes et craignait de vomir encore. Le premier pas lui demanda un immense effort de volonté, mais la suite fut plus facile. Elle se dirigea vers la chambre – ce ne serait ni la première ni la dernière fois qu'elle perdrait un jour de congé.

« Qu'est-ce que j'ai besoin de savoir ? demanda-t-elle d'une voix plus claire maintenant, le téléphone coincé sur l'épaule.

– La neige, marmonna Bobby. Au sol, sur les arbres, les fenêtres... Merde. Les agents nous ont piétiné ça dans tous les sens...

– Vire-les, bordel ! C'est ma scène, vire-les tous. »

Elle trouva son biper sur la table de nuit (gagné : un message du centre d'opérations de Boston) et commença à retirer son pantalon de jogging.

« Ils ne sont pas dans la maison. Crois-moi, même les patrons ne sont pas assez bêtes pour contaminer une scène d'homicide. Seulement on ne savait pas que la fille avait disparu. Les gars ont bouclé la maison, mais ils ont laissé le jardin ouvert à tous les vents. Maintenant le terrain est labouré et je ne trouve pas de bon angle d'observation. Il nous faut un angle. »

D.D. s'attaqua à la chemise à carreaux d'Alex.

« Qui est mort ?

– Homme, blanc, quarante-deux ans.

– Qui a disparu ?

– Petite fille, blanche, six ans.

– Un suspect ? »

Long, long silence.

« Amène-toi, répondit sèchement Bobby. Toi et moi, D.D. Notre affaire. Notre problème. Il ne va pas falloir traîner. »

Il raccrocha. D.D. regarda le téléphone d'un œil noir et le jeta sur le lit pour finir d'enfiler sa chemise blanche.

Bon. Homicide avec disparition d'enfant. La police d'État était déjà sur place, mais l'affaire était du ressort de la police municipale. Dans ce cas, pourquoi est-ce que la police d'État...

Alors, fine enquêtrice qu'elle était, D.D. tira les conclusions qui s'imposaient.

« Et merde ! »

Elle n'était plus vaseuse. Elle était furax.

Elle attrapa son biper, sa plaque de police, son blouson d'hiver. Et, les instructions de Bobby encore dans l'oreille, se prépara à planquer aux abords de sa propre scène de crime.

2

QUI TU AIMES ?

J'avais rencontré Brian à un barbecue du 4 juillet. Chez Shane. Le genre d'invitation que j'avais l'habitude de décliner, mais j'avais récemment pris conscience que je devrais revoir cette attitude. Sinon pour moi, du moins pour Sophie.

Il n'y avait pas tant de monde que ça. Peut-être une trentaine de personnes, d'autres agents de la police d'État et des familles du quartier. Le lieutenant-colonel avait fait une apparition, petit moment de gloire pour Shane. Mais le barbecue avait surtout attiré des collègues en tenue. Je voyais quatre gars de la caserne à côté du grill, une bière à la main, qui charriaient Shane pendant que lui s'activait au-dessus de la dernière fournée de saucisses. Devant eux, deux tables de pique-nique avaient déjà été prises d'assaut par des épouses hilares qui préparaient margaritas sur margaritas tout en s'occupant de divers enfants.

D'autres s'attardaient dans la maison, mettaient la touche finale à leur salade de pâtes, regardaient les toutes dernières minutes d'un match. Papotaient en prenant une bouchée de ci, une gorgée de ça. Des gens, qui faisaient ce que font les gens par un samedi après-midi ensoleillé.

Je me trouvais à l'ombre d'un vieux chêne. À la demande de Sophie, je portais une robe bain de soleil avec des fleurs orange et ma seule paire de tongs chics, celles à paillettes dorées. Même désarmée, je me tenais quand même les pieds légèrement écartés, les coudes au corps, dos à l'arbre. On est policière ou on ne l'est pas.

J'aurais dû me mêler aux invités, mais je ne savais pas comment m'y prendre. M'asseoir avec ces dames, dont je ne connaissais aucune, ou bien aller là où je serais le plus à l'aise, traîner avec les mecs ? Je me sentais rarement à ma place avec les épouses et je ne pouvais pas me permettre d'avoir l'air de prendre du bon temps avec les maris – elles se seraient arrêtées de rire pour me trucider du regard.

Alors je suis restée à l'écart, avec une bière que je n'avais pas l'intention de boire, en attendant que la fête tire à sa fin et que je puisse poliment prendre congé.

Surtout, je regardais ma fille.

À cent mètres de là, elle riait comme une petite folle en dévalant un tertre recouvert de gazon avec une demi-douzaine d'autres enfants. Sa robe d'été rose vif était déjà tachée d'herbe et elle avait des traces de cookie aux pépites de chocolat sur la joue. Elle s'est relevée d'un bond au pied de la butte, a attrapé la main de la petite fille à côté d'elle et elles sont remontées à toute allure aussi vite que leurs petites jambes de trois ans le leur permettaient.

Sophie se faisait toujours des amies en un clin d'œil. Physiquement, elle me ressemblait. Mais pour ce qui était du caractère, elle avait une personnalité bien à elle. Extravertie, intrépide, audacieuse. Si elle avait pu choisir, elle aurait passé chaque instant de la journée en compagnie d'autres gens. Peut-être que le charme était un gène dominant hérité de son père ; en tout cas, elle ne l'avait pas pris chez moi.

L'autre fillette et elle sont arrivées au sommet de la butte. Sophie s'est couchée la première, avec ses petits cheveux bruns qui tranchaient sur un carré de pissenlits jaunes. Et puis, dans un tourbillon de bras potelés et de jambes qui battaient l'air, elle s'est mise à rouler, et ses rires résonnaient dans le ciel bleu immense.

En bas de la pente, elle s'est relevée, tout étourdie, et m'a surprise à la regarder.

« Je t'aime, maman ! » a-t-elle crié avant de remonter à toute allure.

Je l'ai regardée s'éloigner en courant et j'ai regretté, une fois de plus, de savoir tout ce qu'une femme comme moi doit savoir.

« Bonjour. »

Un homme s'était détaché du groupe pour m'aborder. Bientôt la quarantaine, un mètre quatre-vingt, quatre-vingt-dix kilos, des cheveux blonds à la coupe militaire, des épaules très musclées. Peut-être policier, lui aussi, vu le contexte, mais son visage ne me disait rien.

Il m'a tendu la main. Avec un temps de retard, j'ai fait de même.

« Brian. Brian Darby, s'est-il présenté avec un mouvement de tête vers la maison. J'habite dans la rue. Et vous ?

– Euh… Tessa. Tessa Leoni. Je connais Shane par la caserne. »

J'ai attendu les commentaires que font inévitablement les hommes quand ils rencontrent une policière. *Flic ? Mince, va falloir que je me tienne à carreau.* Ou alors : *Sans blague, et il est où, votre pistolet ?*

Et encore, ça, c'était dans le meilleur des cas.

Mais Brian s'est contenté de hocher la tête. Il avait une Bud Light dans une main et il a mis l'autre dans la poche de son bermuda beige. Il portait une chemise bleue avec un blason doré sur la poche, mais sous cet angle je ne voyais pas ce qu'il représentait.

« Il faut que je vous avoue quelque chose », a-t-il annoncé.

Je me suis crispée.

« Shane m'a dit qui vous étiez. Mais j'avais eu le mérite de lui poser la question. Une jolie femme, seule dans son coin. J'ai pensé que ce serait une bonne idée de me renseigner un peu.

– Et qu'a dit Shane ?

– Il m'a juré que je n'avais aucune chance avec vous. Alors évidemment j'ai mordu à l'hameçon.

– Shane dit souvent n'importe quoi.

– La plupart du temps. Vous ne buvez pas votre bière ? »

J'ai baissé les yeux comme si je découvrais l'existence de cette bouteille.

« Toujours pour me renseigner, a continué Brian avec décontraction. Vous avez une bière à la main, mais vous ne la buvez pas. Vous voudriez une margarita, plutôt ? Je pourrais aller vous en chercher une. Quoique, ajouta-t-il avec un regard vers le troupeau d'épouses qui avaient déjà bien entamé le troisième pichet et qui gloussaient en conséquence, j'aurais un peu peur.

– Ça va, ai-je répondu en détendant ma posture, en secouant les bras. Je ne bois pas vraiment.

– D'astreinte ?

– Pas aujourd'hui.

– Je ne suis pas flic, alors je ne vais pas faire semblant de savoir ce que c'est, mais je connais Shane depuis au moins cinq ans, alors ça me plaît de me dire que j'ai une petite idée du métier. Le boulot ne se résume pas à patrouiller sur l'autoroute pour coller des amendes. Pas vrai, Shane ? »

Brian avait haussé la voix pour faire résonner la complainte habituelle du policier d'État jusqu'à l'autre bout de la terrasse. Devant le barbecue, Shane a réagi en adressant un doigt d'honneur à son voisin.

« Shane n'est qu'un pleurnichard », ai-je dit en haussant également la voix.

Shane m'a aussi fait un doigt d'honneur. Plusieurs gars ont ri.

« Ça fait combien de temps que vous travaillez avec lui ? m'a demandé Brian.

– Un an. Je suis une bleue.

– Ah bon ? Et qu'est-ce qui vous a donné envie d'entrer dans la police ? »

J'ai haussé les épaules, de nouveau mal à l'aise. Une de ces questions que tout le monde pose et à laquelle je ne savais jamais répondre. « À l'époque, ça me paraissait une bonne idée.

– Moi, je travaille dans la marine marchande, a expliqué Brian. Sur des pétroliers. Deux mois en mer, deux mois à la maison et ainsi de suite. Ça fout en l'air la vie de famille, mais j'aime ce boulot. On ne s'ennuie jamais.

– La marine marchande ? Et qu'est-ce que vous faites, vous défendez le bateau contre les pirates, ce genre de choses ?

– Non. On fait la navette entre le détroit de Puget et l'Alaska. Pas beaucoup de pirates somaliens dans le secteur. De toute façon, je suis ingénieur. Je dois maintenir le bateau en état de marche. J'adore tout ce qui est câbles, engrenages ou rotors ; en revanche, les armes à feu me fichent une peur bleue.

– Je ne suis pas plus fan que ça non plus.

– Marrant, pour une policière.

– Pas tant que ça. »

Mes yeux s'étaient machinalement reposés sur Sophie, surveillance de routine. Brian a suivi la direction de mon regard. « Shane m'a dit que vous aviez une fille de trois ans. Mince, qu'est-ce qu'elle vous ressemble ! Aucun risque que vous vous trompiez de gamine en repartant.

– Shane vous a dit que j'avais un enfant et vous avez quand même mordu à l'hameçon ?

– C'est sympa, les enfants. Je n'en ai pas, mais ça ne veut pas dire que je sois contre. Il y a un père ? a-t-il demandé, comme en passant.

– Non. »

La nouvelle n'a pas semblé le satisfaire, plutôt le laisser pensif. « Ça doit être difficile. D'élever un enfant tout en travaillant à plein temps dans la police.

– On s'en sort.

– Je n'en doute pas. Mon père est mort quand j'étais petit. Ma mère s'est retrouvée seule avec cinq enfants. On s'en est aussi sortis et je l'admire sacrément pour ce qu'elle a fait.

– Qu'est-ce qui est arrivé à votre père ?

– Crise cardiaque. Qu'est-ce qui est arrivé au sien ? demanda-t-il en montrant Sophie qui semblait jouer à chat.

– Trouvé mieux ailleurs.

– Les hommes sont trop cons », a-t-il marmonné avec un tel accent de sincérité que je n'ai pas pu m'empêcher de rire et qu'il a rougi. « Je vous ai dit que j'avais quatre sœurs ? Voilà ce qui arrive dans ces cas-là. D'ailleurs, j'admire d'autant plus ma mère que non seulement elle a réussi à élever ses enfants seule, mais qu'elle a réussi à élever *quatre filles* seule. Le tout sans que je la voie jamais prendre quoi que ce soit de plus fort que de la tisane. Pas mal, hein ?

– Elle m'a l'air solide comme un roc.

– Si vous ne buvez pas d'alcool, vous marchez peut-être aussi à la tisane.

– Café.

– Ah, ma drogue préférée. Eh, Tessa, m'a-t-il demandé en me regardant dans les yeux, peut-être qu'un de ces après-midi, je pourrais vous emmener boire un café. Près de chez vous ou de chez moi, vous me direz. »

J'ai de nouveau observé Brian Darby. Yeux bruns chaleureux, sourire décontracté, épaules solides.

« Oui, me suis-je entendue répondre, ça me ferait plaisir. »

Vous croyez au coup de foudre ? Moi non. Je suis trop réfléchie, trop prudente pour ces sornettes. Ou peut-être que je ne suis pas si naïve.

J'ai retrouvé Brian pour un café. J'ai appris que, quand il était à terre, il était entièrement libre de son temps, de sorte qu'il était facile de faire des balades ensemble l'après-midi, une fois que j'avais récupéré de mon service de nuit et avant que j'aille chercher Sophie à la garderie à dix-sept heures. Ensuite, nous avons été voir un match des Red Sox un soir où je ne travaillais pas et, avant que j'aie eu le temps de dire ouf, Brian se joignait à Sophie et moi pour un pique-nique.

Sophie, elle, a eu le coup de foudre. Au bout de quelques secondes, elle grimpait sur le dos de Brian en disant « hue, dada ». Brian s'est docilement mis à galoper dans le parc avec une gamine de trois ans qui s'accrochait à ses cheveux en hurlant « Plus vite ! » d'une voix stridente. Quand ils ont eu fini, Brian s'est effondré sur la nappe de pique-nique pendant que Sophie partait sur ses petites jambes cueillir des pissenlits. Je croyais que les fleurs seraient pour moi, mais en fait elle s'est tournée vers Brian.

Dans un premier temps, Brian a hésité à prendre les pissenlits, mais il s'est littéralement illuminé quand il a compris que tout le bouquet fané était un cadeau pour lui.

Il est devenu plus simple, ensuite, de passer les week-ends dans sa maison, où il y avait un vrai jardin, plutôt que dans mon minuscule deux pièces. On préparait le dîner ensemble pendant que Sophie courait dans tous les sens avec le chien de Brian, un vieux berger allemand qui s'appelait Duke. Brian a acheté une petite piscine en plastique pour la terrasse, accroché une balançoire au vieux chêne.

Un week-end où je ne m'en sortais pas, il est venu remplir mon frigo pour que Sophie et moi passions la semaine. Et un après-midi où j'avais travaillé sur un accident de la route dans lequel trois enfants étaient morts, il a fait la lecture à Sophie pendant que je regardais fixement le mur de la chambre en essayant de me remettre les idées en place.

Plus tard, alors que j'étais blottie contre lui dans le canapé, il m'a raconté des anecdotes sur ses quatre sœurs, notamment la fois où, l'ayant trouvé endormi sur le canapé, elles l'avaient couvert de maquillage. Il avait passé deux heures à faire du vélo dans le quartier avec du fard à paupières bleu scintillant et du rouge à lèvres rose vif avant d'apercevoir son reflet dans une vitre. J'ai ri. J'ai pleuré. Ensuite il m'a serrée plus fort et nous n'avons plus rien dit du tout.

L'été a filé. L'automne est arrivé et, en un clin d'œil, le moment est venu où il devait embarquer. Il serait absent huit semaines et rentrerait à temps pour Thanksgiving, m'a-t-il promis. Il avait un bon copain qui s'occupait toujours de Duke. Mais, si je voulais…

Il me tendait les clés de sa maison. On pouvait rester. Et même apporter une touche féminine si on avait envie. Pourquoi ne pas repeindre la deuxième chambre en rose, pour Sophie. Mettre des cadres au mur. Des canards princesses en caoutchouc dans la salle de bain. Tout ce qu'il faudrait pour que nous soyons à l'aise.

J'ai déposé un baiser sur sa joue, remis les clés dans sa main.

Sophie et moi allions très bien. Ça avait toujours été comme ça, ce serait toujours comme ça. À dans huit semaines.

Mais Sophie a pleuré toutes les larmes de son corps.

Deux mois, essayais-je de lui expliquer. Presque rien du tout. À peine quelques semaines.

La vie était plus terne sans Brian. Une routine sans fin – se lever à une heure de l'après-midi, aller chercher Sophie à la garderie à cinq heures, m'occuper d'elle jusqu'à son coucher à neuf heures, avec Mme Ennis qui arrivait à dix pour que je puisse patrouiller de onze à sept. Une vie de mère célibataire active. À compter le moindre sou, à caser d'innombrables démarches dans des journées déjà chargées, à m'efforcer de satisfaire mes supérieurs tout en répondant aux besoins de ma petite fille.

Je pouvais y arriver, me répétais-je. J'étais forte. J'avais vécu ma grossesse seule, j'avais accouché seule. J'avais enduré vingt-cinq longues semaines de solitude à l'internat de l'école de police, où Sophie m'avait manqué à chaque instant, mais où j'étais déterminée à ne pas craquer parce que rentrer dans la police d'État était la meilleure chance que j'avais d'assurer l'avenir de ma fille. J'avais la permission de rentrer retrouver Sophie tous les vendredis soir, mais il fallait que je la laisse en pleurs avec Mme Ennis tous les lundis matin. Semaine après semaine après semaine, au point que j'avais cru hurler sous la pression. Mais j'avais réussi. N'importe quoi pour Sophie. Toujours pour Sophie.

Tout de même, je me suis mise à consulter ma messagerie plus souvent parce que, quand Brian était en escale, il nous envoyait un petit mot, ou bien il joignait une photo rigolote d'un orignal au beau milieu d'une grand-rue en Alaska. La sixième semaine, je me suis rendu compte que j'étais plus heureuse les jours où il écrivait, plus tendue les autres. Pareil pour Sophie. Tous les soirs, on se blottissait l'une contre l'autre devant l'ordinateur, deux minettes qui attendaient des nouvelles de leur homme.

Et puis enfin, le coup de fil. Le bateau de Brian était à quai à Ferndale, dans l'État de Washington. Il serait libéré le surlendemain et prendrait le vol de nuit pour Boston. Est-ce qu'il pouvait nous emmener dîner au restaurant ?

Sophie a choisi sa robe bleu marine préférée. Je portais la robe bain de soleil orange du barbecue du 4 Juillet, avec un gilet, eu égard à la fraîcheur du mois de novembre.

Sophie, qui faisait le guet à la fenêtre, a été la première à l'apercevoir. Elle a poussé un petit cri de joie et elle a descendu les escaliers de l'immeuble à une telle vitesse que j'ai cru qu'elle allait tomber. C'est tout juste si Brian a pu l'arrêter au bout de l'allée. Il l'a prise dans ses bras, l'a fait tournoyer. Elle riait à n'en plus finir.

Je me suis approchée plus calmement, en prenant le temps de remettre une dernière fois mes cheveux derrière mes oreilles, de boutonner mon gilet léger. J'ai franchi la porte de mon immeuble. Je l'ai soigneusement refermée derrière moi.

Et je me suis retournée pour observer Brian. Je l'ai bu des yeux, à trois mètres de moi. Jusqu'à la dernière goutte.

Brian a arrêté de faire tourner Sophie. Il était au bout de l'allée, mon enfant encore dans les bras, et il m'observait aussi.

Nous ne nous sommes pas touchés. Nous n'avons pas dit un mot. C'était inutile.

Plus tard, après le dîner, après qu'il nous avait ramenées chez lui, après que j'avais couché Sophie dans la chambre de l'autre côté du couloir, je suis entrée dans sa chambre. Debout devant lui, je l'ai laissé me retirer mon gilet, ma robe. J'ai posé mes mains sur son torse nu. J'ai goûté le sel au creux de son cou.

« Huit semaines, c'était trop long, a-t-il murmuré d'une voix rauque. Je te veux ici, Tessa. Bon sang, je veux savoir que je te retrouverai toujours en rentrant. »

J'ai pris ses mains pour les poser sur mes seins, en me cabrant sous la caresse de ses doigts.

« Épouse-moi, chuchotait-il. Je suis sérieux, Tessa. Je veux que tu sois ma femme. Je veux que Sophie soit ma fille. Vous devriez vivre ici avec Duke et moi. On devrait former une famille. »

J'ai encore goûté sa peau. Glissé mes mains le long de son corps, plaqué toute ma peau nue contre sa peau nue. Frissonné à ce contact. Mais cela ne suffisait pas. De le sentir, de le goûter. J'avais besoin de lui contre moi, sur moi, en moi. J'avais besoin de lui partout, maintenant, tout de suite.

Je l'ai attiré vers le lit, j'ai noué mes jambes autour de sa taille. Alors il s'est glissé en moi et j'ai gémi, ou alors c'était lui, mais cela n'avait plus vraiment d'importance. Il était là où j'avais besoin de lui. Au dernier moment, j'ai pris son visage entre mes mains pour le regarder dans les yeux quand la première vague déferlerait sur nous.

« Épouse-moi, a-t-il répété. Je serai un bon mari, Tessa. Je prendrai soin de toi et de Sophie. »

Il a bougé en moi et j'ai répondu : « Oui. »

3

Brian Darby était mort dans sa cuisine. Trois balles, en pleine poitrine. La première idée de D.D. fut que l'agent Leoni devait prendre ses séances d'entraînement au sérieux parce que ce tir groupé aurait pu figurer dans un manuel. Comme on l'apprenait aux nouvelles recrues à l'école : ne jamais viser la tête et ne jamais tirer pour blesser. Le torse est la zone qui offre le meilleur pourcentage de réussite, or, si on ouvre le feu, il y a intérêt à ce que ce soit pour défendre sa vie ou celle d'un tiers. Donc on tire pour tuer.

Leoni n'avait pas raté son coup. Mais qu'est-ce qui avait bien pu se passer pour qu'une policière en vienne à abattre son propre mari ? Et où était la gamine ?

Pour l'heure, l'agent Leoni était enfermée dans le jardin d'hiver à l'avant de la maison, où les ambulanciers soignaient une vilaine entaille au front et un œil au beurre noir encore plus vilain. Son représentant syndical était déjà à ses côtés, un avocat arrivait.

Dehors, une douzaine de ses collègues, raides comme la justice, serraient les rangs sur le trottoir et regardaient avec des yeux de zombis leurs homologues de la police de Boston qui traitaient la scène et les journalistes surexcités qui couvraient l'événement.

Ce qui laissait la plupart des gradés de la police municipale et de la police d'État à se chamailler dans le poste de commandement mobile, une fourgonnette blanche garée dans l'école primaire voisine. Le responsable de l'unité criminelle envoyé par le procureur du comté de Suffolk arbitrait sans aucun doute la rencontre, rappelant au commissaire divisionnaire de la police d'État qu'il n'était pas envisageable que celle-ci se charge d'une enquête mettant en cause un de ses agents, et à celui de la police municipale qu'il était parfaitement légitime que l'État veuille qu'un des siens assure une liaison.

Entre deux séances de marquage de territoire, ces honorables sommités avaient trouvé le temps de déclencher une alerte-enlèvement pour Sophie Leoni, six ans, brune, les yeux bleus, environ un mètre quinze, vingt-trois kilos, un trou à la place des deux dents de devant. Sans doute vêtue d'un pyjama rose à manches longues avec un motif de chevaux jaunes. Aperçue pour la dernière fois la veille au soir, à vingt-deux heures trente, heure à laquelle l'agent Leoni affirmait avoir jeté un œil à sa fille avant de partir assurer sa patrouille de vingt-trois heures.

D.D. avait beaucoup de questions à poser à Tessa Leoni. Malheureusement, l'accès lui était interdit : l'agent Leoni était en état de choc, avait bramé le représentant syndical. L'agent Leoni avait besoin de toute urgence de soins médicaux. L'agent Leoni avait droit à l'assistance d'un avocat. Elle avait déjà fourni une déclaration initiale au premier agent arrivé sur les lieux. Toute autre question allait devoir attendre le moment que son avocat jugerait opportun.

L'agent Leoni avait beaucoup de besoins, se disait D.D. Est-ce que l'un d'eux n'aurait pas dû être de collaborer avec la police de Boston pour retrouver son enfant ?

Pour l'instant, D.D. avait renoncé. Sur une scène où régnait une telle animation, bien d'autres questions réclamaient son attention immédiate. Elle avait une nuée de policiers de quartier dans tous les coins, des enquêteurs de la criminelle qui relevaient les indices, divers agents en tenue qui menaient l'enquête de voisinage, sans compter que (l'agent Leoni ayant abattu son mari avec son Sig Sauer de service) une enquête interne avait automatiquement été déclenchée, ce qui rajoutait au caractère hétéroclite du personnel policier présent sur la petite propriété.

Bobby avait raison : pour employer un terme du jargon officiel, cette affaire était un beau merdier.

Et c'était elle qui avait gagné le gros lot.

Elle était arrivée depuis une demi-heure. Elle s'était garée à six rues de là, sur la trépidante Washington Street plutôt que dans une petite rue tranquille. Allston-Brighton était un des quartiers les plus densément peuplés de Boston. Outre des étudiants du Boston College, de la Boston University et de la Harvard Business School, il accueillait essentiellement des universitaires, des familles avec enfants et des membres du personnel administratif. La vie y était chère, ce qui était paradoxal puisque les étudiants et les universitaires sont rarement très argentés. Résultat : rue après rue, les mêmes immeubles défraîchis, chacun divisé en plus d'appartements que le précédent. Les familles s'entassaient et les petites épiceries ouvertes vingt-quatre heures sur vingt-quatre et autres laveries automatiques poussaient comme des champignons pour répondre à la demande continue.

C'était ça, la jungle urbaine, pour D.D. Pas de balustrade en fer forgé ni de briques décoratives comme à Back Bay ou Beacon Hill. Ici, on payait une fortune pour avoir le plaisir de louer un appartement étriqué strictement fonctionnel dans un immeuble étriqué strictement fonctionnel. Pour se garer, c'était premier arrivé, premier servi, si bien que la multitude passait la moitié de son temps à tourner en cherchant une place. Il fallait se battre pour aller au travail, se battre pour rentrer chez soi et on finissait la journée en avalant un plat réchauffé au micro-ondes dans une cuisinette où l'on ne pouvait se tenir que debout, le tout avant de s'endormir sur un micro-futon.

Quartier bien situé, cela dit, pour qui travaillait dans la police d'État. Accès direct au Mass Pike, la grande autoroute à péage qui coupait l'État en deux. Vers l'est, le Pike croisait la I-93, et le tronçon ouest vous emmenait vers la 128. Bref, en l'espace de quelques minutes, Leoni pouvait rejoindre les trois principaux terrains de chasse d'un agent en patrouille. Malin.

La maison aussi plaisait à D.D., un pavillon individuel sans chichi en plein cœur d'Allston-Brighton, flanqué d'un côté par un alignement propret d'immeubles de trois étages et de l'autre par les bâtiments tentaculaires d'une école primaire en briques. Dieu merci, on était dimanche et l'établissement était fermé, ce qui avait permis aux forces de l'ordre arrivées en nombre de s'approprier le parking et leur avait évité le psychodrame de parents paniqués qui auraient envahi les lieux.

Une journée paisible dans le quartier. Du moins, avant ça.

Le petit pavillon ancien de l'agent Leoni se trouvait à flanc de colline et une partie, éclairée par des lucarnes blanches, avait été construite au-dessus d'un double garage en briques rouges. Un escalier en ciment montait depuis l'allée, de plain-pied avec la rue, et conduisait à la porte d'entrée et à l'un des plus grands jardins que D.D. ait jamais vu dans le centre-ville de Boston.

Chouette maison pour une famille. À l'intérieur, deux chambres et juste ce qu'il fallait de place pour élever un enfant, à l'extérieur une pelouse parfaite pour un chien et une balançoire. Même à cet instant, en traversant le terrain en plein cœur de l'hiver, D.D. pouvait imaginer les barbecues, les jeux avec des petits camarades, les soirées de détente sur la terrasse.

Tant de choses pouvaient bien se passer dans une maison pareille. Alors qu'est-ce qui avait mal tourné ?

Elle se dit que la réponse se trouvait peut-être dans le jardin. Vaste et complètement ouvert à tous vents au milieu de cette zone surpeuplée.

Il suffisait de passer par le parking de l'école pour y accéder. Ou de sortir par l'arrière d'un des quatre immeubles. On pouvait arriver chez les Leoni par la petite rue de derrière, comme D.D., ou en gravissant l'escalier en ciment depuis la rue de devant, comme la plupart des policiers d'État l'avaient manifestement fait. Que ce soit par l'arrière, l'avant, la droite ou la gauche, il était facile de pénétrer dans la propriété et plus facile encore d'en ressortir.

Tous les agents en tenue jusqu'au dernier avaient dû s'en apercevoir parce qu'au lieu de contempler une étendue de neige d'une blancheur virginale, D.D. avait sous les yeux la plus grande collection de traces de bottes jamais rassemblée sur un hectare.

Elle se voûta un peu plus dans son blouson d'hiver et exhala avec frustration un nuage glacé. Bande d'abrutis.

Bobby Dodge sortit sur la terrasse, sans doute toujours en quête du bon angle d'observation. À voir sa grimace devant ce gâchis de neige, il pensait la même chose que D.D. Quand il l'aperçut, il ajusta son chapeau à bord noir pour se protéger de la froidure de ce début mars et descendit les escaliers vers le jardin.

« Tes agents ont piétiné ma scène, lui lança D.D. de loin. Je m'en souviendrai. »

Il haussa les épaules et s'approcha en mettant ses mains dans son manteau de laine noir. Ancien tireur d'élite, Bobby se déplaçait encore avec l'économie de mouvement héritée des longues heures passées dans une immobilité parfaite. Comme beaucoup de tireurs, il était plutôt petit et sa carrure robuste et nerveuse s'accordait avec ses traits anguleux. Personne n'aurait dit de lui qu'il était beau, mais beaucoup de femmes le trouvaient fascinant.

D.D. avait autrefois été l'une d'elles. Ils avaient d'abord été amants avant de s'apercevoir qu'ils s'entendaient mieux comme amis. Et puis, il y avait deux ans de cela, Bobby avait rencontré et épousé Annabelle Granger. Le mariage avait été un choc pour D.D. ; la naissance de leur fille lui avait porté un deuxième coup.

Mais D.D. avait Alex maintenant. La vie lui souriait. Non ?

Bobby s'arrêta devant elle.

« Les agents en tenue sont là pour protéger des vies, lui rappela-t-il. Les enquêteurs, pour protéger des indices.

– Tes agents m'ont saboté ma scène. Je ne pardonne rien. Je n'oublie rien. »

Bobby sourit enfin.

« Toi aussi, tu m'as manqué, D.D.

– Comment va Annabelle ?

– Bien, merci.

– Et le bébé ?

– Carina fait déjà du quatre-pattes. Je n'en reviens pas. »

D.D. non plus. Merde, ils se faisaient vieux.

« Et Alex ?

– Bien, bien. »

D'une main gantée, elle balaya ces mondanités.

« Bon, qu'est-ce qui s'est passé, tu crois ? »

Bobby haussa de nouveau les épaules et prit son temps pour répondre. Alors que certains enquêteurs ressentent le besoin d'agir sur leurs scènes de crime, Bobby aimait étudier les siennes. Et alors que beaucoup avaient tendance à jacasser, Bobby parlait rarement quand il n'avait rien d'utile à dire.

D.D. éprouvait pour lui un immense respect, mais elle se gardait bien de lui dire.

« À première vue, on dirait une scène de ménage, finit-il par répondre. Le mari l'agresse avec une bouteille de bière, l'agent Leoni se défend avec son arme de service.

– Des appels pour violence conjugale dans le passé ? »

Bobby fit signe que non ; D.D. hocha la tête. L'absence d'appels ne voulait rien dire. Les policiers ont horreur de demander de l'aide, surtout à des collègues. Si Brian Darby battait sa femme, elle avait très certainement supporté la situation en silence.

« Tu la connais ? demanda D.D.

– Non. J'ai arrêté de patrouiller pas longtemps après son arrivée. Elle n'est dans la police que depuis quatre ans.

– Réputation ?

– Bon élément. Jeune. En poste à la caserne de Framingham. Elle faisait les nuits et rentrait dare-dare retrouver sa gamine, donc pas le genre qui socialise.

– Elle ne fait *que* des nuits ? »

Bobby haussa le sourcil, amusé.

« Il y a de la concurrence entre agents pour le planning. Les nouveaux passent toute une année à faire les nuits avant de pouvoir prétendre à d'autres horaires. Et même là, les créneaux sont attribués en fonction de l'ancienneté. Quatre ans de service ? À vue de nez, elle en avait encore pour un an avant de voir la lumière du jour.

– Moi qui croyais que c'était galère d'être enquêtrice.

– Les policiers municipaux sont tous des petites natures.

– Je t'en prie, au moins on n'est pas assez cons pour piétiner la neige d'une scène de crime. »

Il grimaça. Ils se remirent à contempler le jardin foulé aux pieds.

« Combien de temps qu'ils étaient mariés ?

– Trois ans.

– Donc elle était déjà dans la police et elle avait déjà la gamine quand elle l'a rencontré. »

Bobby ne répondit pas, ce n'était pas une question.

« En théorie, il savait dans quoi il s'engageait », continua D.D. à voix haute en essayant de se faire une première idée de la dynamique familiale. « Une femme qui serait absente toute la nuit. Une petite fille qui aurait besoin qu'on s'occupe d'elle matin et soir.

– Quand il était à la maison.

– Comment ça ?

– Il travaillait dans la marine marchande. »

Bobby sortit un calepin et chercha une note qu'il y avait griffonnée.

« Il s'embarquait pour soixante jours d'affilée. Soixante jours en mer, soixante jours à la maison. Un des gars connaissait leur organisation parce que l'agent Leoni en avait parlé à la caserne. »

D.D. haussa un sourcil.

« Donc, la femme a un emploi du temps délirant. Le mari a un emploi du temps délirant. Intéressant. Costaud, le type ? »

Vu son estomac délicat, D.D. ne s'était pas attardée au-dessus du corps.

« Un mètre quatre-vingts ; cent cinq, cent dix kilos. Du muscle, pas du gras. Culturisme, je dirais.

– Capable de mettre du poids dans un coup de poing.

– À côté de ça, l'agent Leoni fait un mètre soixante-cinq, soixante kilos. Net avantage au mari. »

D.D. hocha la tête. Les agents étaient formés au combat rapproché, bien sûr. Mais une femme menue contre un homme baraqué, ça restait quand même une grosse cote. Surtout si c'était le mari. Beaucoup de policières apprennent sur le terrain des techniques qu'elles ne mettent jamais en pratique à la maison ; le coquard de l'agent Leoni ne serait pas le premier que D.D. verrait sur une collègue.

« Les faits se sont produits alors que l'agent Leoni rentrait tout juste du travail, continua Bobby. Elle était encore en tenue. »

D.D. s'étonna, prit le temps d'analyser l'information.

« Elle portait son gilet ?

– Sous son chemisier, c'est le règlement.

– Et son ceinturon ?

– Elle a pris le Sig Sauer directement dans l'étui.

– Merde. Mauvais, ça. »

Pas une question, alors Bobby ne répondit pas non plus.

La tenue, sans parler de la présence d'un ceinturon, changeait tout. Pour commencer, cela signifiait que l'agent Leoni avait son gilet pare-balles sur elle au moment de l'agression. Même un homme de cent dix kilos aurait eu du mal à porter des coups efficaces contre ce type d'armure. Deuxièmement, un ceinturon de policier comportait bien d'autres accessoires plus appropriés qu'un Sig Sauer pour se défendre. Une matraque télescopique, par exemple, ou encore un Taser, une bombe lacrymogène ou même les menottes métalliques.

Apprendre à évaluer rapidement le niveau de la menace et y répondre avec la force appropriée était une dimension essentielle de la formation des agents. On vous hurle dessus : vous ne dégainez pas. On vous frappe : vous ne dégainez pas nécessairement.

Mais l'agent Leoni l'avait fait.

D.D. commençait à comprendre pourquoi le délégué syndical tenait tant à ce que Tessa Leoni soit assistée par un avocat, pourquoi il insistait tellement pour qu'en aucun cas elle ne parle à la police.

D.D. soupira et se massa le front.

« Je ne pige pas. Un syndrome de la femme battue, d'accord. Il la frappe une fois de trop, elle finit par craquer et faire en sorte que ça s'arrête. Ça expliquerait le cadavre dans la cuisine et les soins que lui donnent les ambulanciers dans le jardin d'hiver. Mais la gamine ? Où est la petite fille ?

– Peut-être que la dispute de ce matin a débuté hier soir. Le beau-père a commencé à cogner. La fille s'est enfuie. »

Ils regardèrent la neige, où toute trace de petits pieds avait été totalement effacée.

« On a contacté les hôpitaux ? demanda D.D. L'enquête de voisinage est lancée ?

– C'est une alerte-enlèvement et, non, nous ne sommes pas des abrutis. »

Elle lança vers la neige un regard éloquent. Bobby ne répondit pas.

« Et le père biologique ? s'avisa D.D. Si Brian Darby est le beau-père, où se trouve le père biologique de Sophie et qu'est-ce qu'il aurait à nous dire sur cette affaire ?

– Pas de père biologique.

– Scientifiquement impossible, il me semble.

– Pas de nom sur l'acte de naissance, pas de type dont elle aurait parlé à la caserne et pas d'homme qui serait passé un week-end sur deux, explicita Bobby avec un haussement d'épaules. Pas de père biologique.

– Parce que Tessa Leoni ne voulait pas de lui dans sa vie ou bien parce que lui ne voulait pas en faire partie ? Et, tiens, imagine que ces derniers temps cet équilibre se soit brusquement modifié ? »

Nouveau haussement d'épaules de Bobby.

Les lèvres pincées, D.D. commençait à entrevoir tout un éventail de possibilités. Un père biologique déterminé à revendiquer des droits sur l'enfant. Ou bien une famille débordée qui essayait de concilier deux carrières exigeantes et un enfant en bas âge. Dans le premier scénario, il était possible que le père biologique ait kidnappé sa propre fille. Dans le deuxième, l'enfant était morte sous les coups du beau-père (ou de la mère biologique).

« Tu crois qu'elle est morte ? demanda Bobby.

– Strictement aucune idée. »

D.D. n'avait pas envie de penser à la petite fille. Une femme qui dézingue son mari, d'accord. Une disparition d'enfant... Cette affaire allait être pénible.

« Impossible d'enterrer un cadavre, réfléchit-elle à voix haute. La terre est trop gelée pour creuser. Alors si la fille est réellement morte... Le plus probable est que ses restes ont été dissimulés quelque part dans la maison. Garage ? Grenier ? Combles ? Vieux congélo ? »

Bobby fit signe que non.

D.D. le crut sur parole. Elle n'était pas allée plus loin que la cuisine et le jardin d'hiver, mais vu le nombre d'agents qui ratissaient les cent mètres carrés de la maison, ils auraient sans doute pu démonter la baraque planche par planche.

« Je ne pense pas que ça ait le moindre rapport avec le père biologique, indiqua Bobby. S'il était revenu faire des siennes, ç'aurait été les premiers mots de Tessa Leoni : *Allez donc voir mon ex, ce salaud, il menace de me prendre ma fille.* Elle n'a rien dit de tel...

– Parce que le délégué syndical l'a fait taire.

– Le délégué syndical ne veut pas qu'elle fasse des déclarations qui l'incrimineraient. En revanche, ce serait bienvenu d'incriminer des tiers. »

Rien à redire à ce raisonnement, pensa D.D.

« D'accord, oublions un instant le père biologique. Apparemment, la famille telle qu'elle était avait déjà bien assez de problèmes comme ça. À voir le visage de l'agent Leoni, Brian Darby battait sa femme. Peut-être qu'il frappait aussi sa belle-fille. Elle en est morte, l'agent Leoni l'a trouvée sans vie en rentrant et ils ont tous les deux paniqué. Le beau-père avait commis un crime abominable, mais l'agent Leoni ne l'en avait pas empêché et ça faisait d'elle une complice. Ils emmènent le corps faire une balade en voiture et ils s'en débarrassent. Ensuite, ils rentrent, se disputent et, le stress aidant, Tessa pète un câble.

– L'agent Leoni aurait aidé à se débarrasser du corps de sa fille avant de tuer son mari en rentrant à la maison ? »

D.D. le regarda droit dans les yeux. « Ne jamais présumer de rien, Bobby. Tu es bien placé pour le savoir. »

Il ne répondit pas, mais soutint son regard.

« Je veux la voiture de patrouille de Leoni, dit D.D.

– Je crois que les gradés sont en train d'arranger ça.

– La voiture du mari, aussi.

– Une GMC Denali de 2007. Ta brigade l'a déjà.

– Beau modèle, s'étonna D.D. On gagne tant que ça dans la marine marchande ?

– Il était ingénieur. Les ingénieurs gagnent toujours bien leur vie. Je ne pense pas que l'agent Leoni ait fait du mal à son enfant, ajouta Bobby.

– Ah bon ?

– J'ai parlé avec certains de ses collègues. Ils n'avaient que du bien à dire d'elle. Mère aimante, dévouée à sa fille et je t'en passe.

– Sans rire ? Ils sont aussi au courant que le mari la prenait pour un punching-ball ? »

Bobby ne répondit pas tout de suite, ce qui en disait assez long. Il en revint à la scène. « Ça pourrait être un enlèvement, s'entêta-t-il.

– Un jardin sans clôture, au milieu d'une rue peuplée de quelques centaines d'inconnus… C'est clair, s'il n'y avait que la disparition de la petite, j'essaierais bien de voir ce que ça donne au rayon des pervers, reconnut D.D. Mais quel pourcentage de chances qu'un inconnu se soit introduit dans la maison le soir ou le matin même où le couple avait une dispute mortelle ?

– Ne jamais présumer de rien », répéta Bobby, sans toutefois paraître plus convaincu qu'elle.

D.D. reprit sa contemplation du jardin labouré, qui avait peut-être recélé des empreintes en rapport avec leur présente conversation, mais qui n'en contenait plus. Elle soupira : quelle tristesse de voir ainsi massacrer de beaux indices.

« On ne savait pas, murmurait Bobby à côté d'elle. L'appel signalait un agent en détresse. C'est à ça que les agents ont répondu. Pas à une demande d'intervention pour homicide.

– Qui a passé cet appel ?

– J'imagine que c'est elle…

– Tessa Leoni.

– L'agent Leoni. Sans doute à un copain de caserne. Le copain a rameuté la cavalerie et la demande d'intervention a été reprise par le centre opérationnel. À ce moment-là, la plupart des agents se sont rendus sur site, avec le lieutenant-colonel Hamilton en queue de peloton. Mais quand il est arrivé…

– Il a compris qu'il ne s'agissait plus tant de gérer une crise que de faire un peu de ménage.

– Hamilton a eu le bon réflexe et informé le centre de commandement de Boston, puisque c'était de votre ressort.

– Tout en faisant venir ses propres enquêteurs.

– Il joue sa tête, chérie. Que veux-tu que je te dise ?

– Je veux les transcriptions.

– Je ne sais pas pourquoi, mais en tant qu'officier de liaison de la police d'État, j'ai comme l'impression que ce ne sera que la première d'une série de choses que j'irai te chercher.

– Officier de liaison, c'est ça. Parlons-en. Tu es l'officier de liaison, je suis la chargée d'enquête. D'après moi, ça veut dire que je décide et que tu exécutes.

– Parce qu'il t'arrive de travailler autrement ?

– Maintenant que tu le dis, jamais. Donc, mission numéro un : tu me trouves la fille.

– J'aimerais bien.

– Parfait. Mission numéro deux : tu me donnes accès à l'agent Leoni.

– J'aimerais bien, répéta Bobby.

– Voyons, tu es l'officier de liaison de la police d'État. Elle acceptera sûrement de te parler.

– Le délégué syndical lui conseille de se taire. Son avocat, quand il arrivera, lui tiendra sûrement le même discours. Bienvenue dans le monde de l'omerta policière, D.D.

– Mais, moi aussi, je suis policière ! »

Bobby regarda ostensiblement son gros blouson et son écusson de la police municipale. « L'agent Leoni ne le verra pas de cet œil-là. »

4

J'EFFECTUAIS MA PREMIÈRE PATROUILLE en solo depuis deux bonnes heures quand j'ai reçu ma toute première demande d'intervention pour querelle conjugale. Violences verbales, disait le central : en clair, les occupants du 25B se disputaient tellement bruyamment que ça empêchait les voisins de dormir. Voisins énervés, coup de fil à la police.

À priori, rien de bien excitant. L'agent se pointe, les occupants du 25B se taisent. Et déposent sans doute un sac de crottes enflammé devant la porte de leurs voisins le lendemain matin.

Mais à l'école de police, on nous avait bien enfoncé ça dans le crâne : une intervention de routine, ça n'existe pas. Soyez vigilants. Soyez prêts. Soyez prudents.

Je n'ai pas arrêté de transpirer dans ma tenue bleu marine en me rendant au 25B.

Pendant leurs douze premières semaines, les nouvelles recrues sont supervisées par un tuteur expérimenté. Ensuite, on patrouille seul. Pas de partenaire pour vous tenir compagnie, pas de coéquipier pour couvrir vos arrières. Au lieu de ça, tout tourne autour du central. Dès l'instant où vous montez dans votre voiture, où vous en descendez, où vous vous arrêtez pour prendre un café, où vous vous rangez sur le bas-côté pour pisser, vous le signalez au central. Le centre opérationnel, c'est votre assurance vie et quand ça tourne au vinaigre, c'est lui qui envoie la cavalerie (les collègues de la police d'État) à la rescousse.

Sur les bancs de l'école, ça m'avait paru un bon plan. Mais à une heure du matin, en descendant de voiture dans un quartier que je ne connaissais pas, en marchant vers une maison que je n'avais jamais vue pour parler à deux personnes que je n'avais jamais rencontrées, d'autres paramètres me venaient à l'esprit. Le fait, par exemple, qu'il y a environ mille sept cents agents d'État, mais qu'à chaque instant il n'y en a que six cents en patrouille. Et que ces six cents agents couvrent tout l'État du Massachusetts. Autrement dit, nous sommes complètement dispersés. Autrement dit, quand les choses tournent mal, ça ne se règle pas en trois minutes.

Nous formons une grande famille, mais nous sommes quand même très seuls.

Je me suis approchée de l'immeuble comme on me l'avait appris, coudes à la ceinture pour protéger mon arme de service, épaules légèrement de biais pour faire une cible plus étroite. Je me suis écartée de l'axe des fenêtres et je suis restée sur le côté de la porte pour ne pas me trouver dans la ligne de tir.

Le principal motif des demandes d'intervention reçues par un agent est : situation inconnue. À l'école, on nous recommandait de toujours agir comme si c'était le cas. Le danger est partout. Tout le monde est suspect. Tous les suspects mentent.

C'est une façon de travailler. Pour certains policiers, ça devient aussi une façon de vivre.

J'ai monté trois marches jusqu'à un petit perron et je me suis arrêtée pour respirer un bon coup. Me donner de la prestance. J'avais vingt-trois ans, j'étais de taille moyenne, et jolie, pour mon malheur. Il y avait des chances que l'individu qui allait ouvrir la porte soit plus âgé, plus baraqué et plus brutal que moi. Il fallait quand même que je domine la situation. Pieds écartés.

Épaules droites. Menton relevé. Comme disaient les autres nouveaux pour rigoler : ne jamais leur laisser voir qu'on transpire.

Je me suis tenue sur le côté. J'ai frappé à la porte. Et j'ai bien vite rentré les pouces dans la ceinture de mon pantalon bleu marine pour empêcher mes mains de trembler.

Aucun bruit de dispute. Aucun bruit de pas. Mais il y avait de la lumière ; les occupants du 25B ne dormaient pas.

J'ai frappé encore. Plus fort.

Aucun mouvement, aucun signe des habitants.

J'ai tripoté mon ceinturon en réfléchissant à la suite des opérations. On m'avait demandé d'intervenir, donc il allait falloir que je fasse un rapport, donc il fallait que j'établisse un contact. Alors je me suis grandie et j'ai frappé, mais alors pas de main morte. *BAM. BAM. BAM.* J'ai martelé la méchante porte en bois à coups de poing. J'étais agent d'État, nom d'un chien, je n'allais pas me laisser traiter par le mépris.

Cette fois-ci, bruits de pas.

Trente secondes plus tard, la porte s'ouvrait en silence.

La femme qui vivait au 25B ne m'a pas regardée. Elle regardait par terre pendant que le sang dégoulinait sur son visage.

Comme je l'ai appris cette nuit-là, et lors de bien des nuits depuis, les principaux gestes à faire en cas de violence conjugale sont toujours les mêmes.

D'abord, l'agent sécurise les lieux, première inspection rapide pour identifier et supprimer tout danger potentiel.

Qui d'autre se trouve dans la maison ? Est-ce que je peux faire le tour ? Est-ce que c'est votre arme de service ? Je vais devoir la prendre. Y a-t-il d'autres armes à feu dans la propriété ? Je vais également avoir besoin de votre ceinturon. Enlevez-le, sans mouvements brusques... Merci. Je vais vous demander de retirer votre gilet pare-balles. Vous avez besoin d'aide ? Merci. Je vais prendre ça maintenant. Je vais vous demander de passer dans le jardin d'hiver. Asseyez-vous là. Ne bougez pas. Je reviens.

Une fois les lieux sécurisés, l'agent examine l'individu de sexe féminin pour évaluer les blessures. À ce stade, il ne présume de rien. L'individu n'est ni suspect ni victime. C'est simplement une femme blessée et il la traite donc comme telle.

La femme présente une plaie à la lèvre, un œil au beurre noir, des marques rouges sur la gorge et des lacérations au front, côté droit.

Souvent, les femmes battues vous expliqueront que ça va. Pas besoin d'une ambulance. Fichez le camp et foutez-leur la paix. Ça ira très bien demain matin.

L'agent bien formé ne tient pas compte de ce genre de déclarations. Il y a lieu de penser qu'il y a eu délit, ce qui met en branle les rouages de la justice pénale. Peut-être que la femme battue est la victime, comme elle le prétend, et qu'elle refusera en fin de compte de porter plainte. Mais peut-être qu'elle est l'auteur du délit... peut-être qu'elle a reçu ces blessures alors qu'elle rouait de coups un individu X. Dans ce cas, elle serait coupable et il faudrait garder la trace de ses blessures et de ses déclarations en prévision des poursuites que pourrait engager ledit individu X. Là encore, ne présumer de rien. L'agent informera le central de la situation, demandera des renforts et fera venir une ambulance.

D'autres personnes commenceront à arriver. Des agents en tenue. Du personnel médical. Des sirènes se feront entendre à l'horizon, des véhicules de police s'enfileront dans le mince goulot des rues de la ville pendant que les voisins se masseront à l'extérieur pour profiter du spectacle.

Les lieux deviendront très animés et il sera d'autant plus important pour le premier intervenant de consigner, consigner, consigner. Il se livrera à une inspection visuelle plus détaillée, procèdera aux constatations et prendra les premières photos.

Cadavre de sexe masculin, proche de la quarantaine, environ un mètre quatre-vingt, cent cinq à cent dix kilos. Trois plaies par balle au milieu de la poitrine. Trouvé sur le dos, soixante centimètres à gauche de la table de la cuisine.

Deux chaises de cuisine en bois, renversées. Tessons de verre vert sous les chaises. Une bouteille verte cassée (étiquetée Heineken) quinze centimètres à gauche de la table de cuisine.

Sig Sauer semi-auto découvert sur table en bois ronde. Cartouche retirée et chambre vidée par l'agent. Ensaché et étiqueté.

Salon, rien.

Deux chambres et salle de bain de l'étage, rien.

D'autres agents en tenue viendront prêter main-forte, interrogeront les voisins, sécuriseront le périmètre. La femme restera enfermée dans une pièce à l'écart de l'agitation et le personnel médical s'occupera d'elle.

Une ambulancière prend mon pouls, tâte doucement mon orbite et ma pommette, cherche une fracture. Elle me demande de dénouer ma queue de cheval pour mieux soigner mon front. Se sert d'une pince à épiler pour retirer le premier tesson vert, qui sera ensuite comparé avec la bouteille de bière brisée.

« Comment vous sentez-vous, madame ?

– Mal à la tête.

– Est-ce que vous avez le souvenir de vous être évanouie ou d'avoir perdu connaissance ?

– Mal à la tête.

– Est-ce que vous avez la nausée ?

– Oui. »

J'ai un haut-le-cœur. J'essaie de ne pas perdre pied, même si j'ai mal, l'esprit confus, même si je suis de plus en plus désorientée, ça ne peut pas être en train d'arriver, ça ne devrait pas être en train d'arriver…

L'ambulancière continue d'examiner ma tête, trouve la bosse en train de grossir à l'arrière de mon crâne.

« Qu'est-ce qui est arrivé à votre tête ?

– Quoi ?

– L'arrière de votre tête. Vous êtes sûre que vous n'avez pas perdu connaissance, que vous n'êtes pas tombée ? »

Je regarde l'ambulancière, absente. « Qui tu aimes ? » dis-je tout bas.

L'ambulancière ne répond pas.

Étape suivante, recueillir une première déposition. Un bon agent notera à la fois ce que dit le sujet et *comment* il le dit. Les personnes réellement en état de choc ont tendance à bafouiller, à fournir des bribes d'information, mais sans pouvoir reconstituer un tout cohérent. Certaines victimes font un épisode de dissociation mentale. Elles parlent d'une voix monocorde, saccadée, d'un événement qui déjà dans leur esprit ne leur est pas arrivé. Et puis il y a les as du mensonge – ceux qui font semblant de bafouiller ou d'être victime d'une dissociation.

Tout menteur finira par se couper. Donner un peu trop de détails. Paraître un peu trop posé. C'est là que le bon enquêteur peut lui sauter dessus.

« Vous pouvez me dire ce qui s'est passé, agent Leoni ? » Un enquêteur du commissariat de quartier livre le premier round. Pas tout jeune, les tempes grisonnantes. Il a l'air gentil, choisit de me traiter en collègue.

Je n'ai pas envie de répondre. Il faut que je réponde. Mieux vaut l'enquêteur de quartier que l'enquêteur de la brigade criminelle qui lui succédera. La tête me lance, mes tempes, ma joue. J'ai le visage en feu.

Envie de vomir. Je lutte contre la sensation.

« Mon mari… », murmuré-je. Je baisse les yeux par inadvertance. Je m'aperçois de mon erreur, me force à lever les yeux, à regarder l'enquêteur en face. « Parfois… quand je rentrais tard du travail… mon mari se mettait en colère. » Une pause. Ma voix, plus forte, plus assurée. « Il m'a frappée.

– Où vous a-t-il frappée ?

– Au visage. À l'œil. À la joue. »

Mes doigts passent d'un endroit à l'autre, ravivent la douleur. Dans ma tête, je ne cesse de revivre un instant précis.

Lui, menaçant au-dessus de moi. Moi, tremblante sur le lino, réellement terrifiée.

« Je suis tombée, récité-je pour l'enquêteur. Mon mari a pris une chaise. »

Silence. L'enquêteur attend que j'en dise davantage. Que j'invente un mensonge, que je dise la vérité.

« Je ne l'ai pas frappé », continué-je tout bas. J'en ai recueilli assez, de ces dépositions. Je sais comment ça se passe. Nous le savons tous. « Quand je ne résistais pas, dis-je comme un automate, il se lassait, il partait. Quand je résistais… c'était toujours pire au bout du compte.

– Votre mari a pris une chaise, agent Leoni ? Où étiez-vous à ce moment-là ?

– Par terre.

– Où dans la maison ?

– Dans la cuisine.

– Quand votre mari a pris la chaise, qu'avez-vous fait ?

– Rien.

– Qu'a-t-il fait ?

– Il l'a lancée.

– Dans quelle direction ?

– Vers moi.

– Est-ce qu'il vous a touchée ?

– Je… je ne me souviens pas.

– Ensuite, que s'est-il passé, agent Leoni ? »

L'enquêteur se penche en avant, me dévisage plus attentivement. L'inquiétude se lit sur son visage. Mon regard ne va pas ? Mon récit est trop détaillé ? Pas assez ?

J'ai perdu mes dents, mes dents de devant. Mais pourtant maman, je les brossais souvent.

La comptine résonne dans ma tête. J'ai envie de rire bêtement. Je me retiens.

Maman, je t'aime. Je t'aime.

« Je lui ai renvoyé la chaise, dis-je à l'enquêteur.

– Vous lui avez renvoyé la chaise ?

– Il s'est… encore plus énervé. Alors j'avais bien dû faire quelque chose, non ? Puisqu'il s'est encore plus énervé.

– Vous portiez votre tenue complète à ce moment-là ? »

Je croise son regard. « Oui.

– Vous aviez votre ceinturon ? Et votre gilet pare-balles ?

– Oui.

– Avez-vous essayé de prendre quoi que ce soit dans votre ceinturon ? De faire un geste pour vous défendre ? »

Je le regarde toujours dans les yeux. « Non. »

L'enquêteur m'observe d'un air intrigué. « Que s'est-il passé ensuite ?

– Il a pris la bouteille de bière. Il me l'a cassée sur le front. J'ai... j'ai réussi à le repousser. Il a reculé, vers la table. Je suis tombée. Contre le mur. Dos au mur. Il fallait que je trouve la porte. Il fallait que je m'en aille. »

Silence.

« Agent Leoni ?

– Il avait le tesson de bouteille, murmuré-je. Il fallait que je m'en aille. Mais... piégée. Par terre. Contre le mur. Je le regardais.

– Agent Leoni ?

– J'ai eu peur de mourir, soufflé-je. Je sentais mon pistolet à ma hanche. Il m'a foncé dessus... J'ai eu peur de mourir.

– Agent Leoni, que s'est-il passé ?

– J'ai tiré sur mon mari.

– Agent Leoni... »

Je croise son regard une dernière fois. « Et je suis partie à la recherche de ma fille. »

5

LE TEMPS que D.D. et Bobby fassent le tour jusqu'à l'avant de la propriété, les ambulanciers sortaient un brancard de l'arrière d'une ambulance. D.D. jeta un coup d'œil dans leur direction, puis reconnut l'agent posté à l'extérieur du ruban jaune avec le registre de scène de crime. Elle alla d'abord le voir.

« Salut, Fiske. Vous avez noté tous les agents jusqu'au dernier qui sont entrés dans la baraque ? demanda-t-elle en montrant le calepin où il consignait le nom de toute personne qui franchissait le ruban.

– Quarante-deux agents, répondit-il sans sourciller.

– Punaise. Est-ce qu'il reste encore un policier en patrouille dans tout Boston ?

– Pas sûr. »

Un gamin jeune et sérieux. D.D., rêvait-elle, ou bien est-ce qu'ils étaient de plus en plus jeunes et sérieux à mesure que les années passaient ?

« Bon, voilà le problème, agent Fiske. Pendant que vous prenez les noms ici, d'autres policiers entrent et sortent par l'arrière de la propriété et ça me fait vraiment chier. »

Fiske ouvrit des yeux comme des soucoupes.

« Vous avez un petit camarade ? continua D.D. Demandez-lui par radio d'attraper un calepin et de se poster à l'arrière de la maison. Je veux noms, grades, numéros de matricule, le tout par écrit. Et pendant que vous y serez, tous les deux, faites passer le message : tout agent d'État qui s'est pointé à cette adresse est tenu de passer au QG de la police municipale d'ici ce soir pour qu'on prenne l'empreinte de ses bottes. Corvée de paperasse immédiate pour ceux qui n'obtempéreront pas. Vous le tenez de l'officier de liaison lui-même », conclut-elle en montrant Bobby, qui levait les yeux au ciel derrière elle.

« D.D...

– Ils ont piétiné ma scène. Je ne pardonne rien. Je n'oublie rien. »

Bobby se tut. D.D. aimait ça chez lui.

Ayant ainsi sécurisé sa scène de crime et versé un peu d'huile sur le feu, D.D. se dirigea vers les ambulanciers, qui, aux deux bouts du brancard, se préparaient à monter l'escalier raide jusqu'à la porte d'entrée.

« Un instant ! »

Les ambulanciers, un homme et une femme, s'arrêtèrent en voyant D.D. approcher.

« Commandant D.D. Warren. Je suis chargée de ce cirque. Vous venez pour emmener l'agent Leoni ? »

À l'avant du brancard, une femme robuste confirma d'un signe de tête en se retournant déjà vers les escaliers.

« Holà, holà, holà, intervint D.D. Laissez-moi cinq minutes. J'ai deux-trois questions à lui poser avant qu'elle prenne le large.

– L'agent Leoni a subi un sérieux traumatisme crânien, répondit la femme avec autorité. On l'emmène à l'hôpital pour un scanner. Vous faites votre boulot, on fait le nôtre. »

Encore un pas vers les escaliers. D.D. se mit en travers.

« Est-ce que l'agent Leoni court le risque de se vider de son sang ? » insista-t-elle. Elle regarda le badge de son interlocutrice, ajouta avec un temps de retard : « Marla. »

Marla resta de marbre. « Non.

– Est-ce qu'il y a un danger immédiat pour sa santé ?

– Œdème cérébral, hémorragie cérébrale..., énuméra l'ambulancière.

– Dans ce cas, on va la tenir éveillée et lui faire réciter son nom et la date. C'est bien comme ça que vous faites en cas de commotion, non ? Compter de un à cinq et inversement, nom, grade, numéro de matricule et tout le tintouin. »

À côté d'elle, Bobby soupira. D.D. marchait clairement sur une corde raide. Elle resta focalisée sur Marla, qui avait l'air encore plus exaspérée que Bobby.

« Commandant..., commença Marla.

– Un enfant a disparu, l'interrompit D.D. Une petite fille de six ans, Dieu sait où elle est et quel danger elle court. J'ai juste besoin de cinq minutes, Marla. C'est peut-être beaucoup vous demander, à vous avec votre boulot et à l'agent Leoni avec ses blessures, mais je ne crois pas que ce soit trop demander pour une petite fille de six ans. »

D.D. était douée. Elle avait ça dans le sang. Marla, quarante-cinq ans, qui devait avoir au moins un ou deux enfants à la maison et sans doute un nombre indéterminé de jeunes neveux ou nièces, céda.

« Cinq minutes, dit-elle avec un regard vers son collègue. Ensuite, que ça vous plaise ou non, on l'embarque.

– Ça marche, convint D.D. en gravissant les escaliers quatre à quatre.

– Tu as mangé du lion, ce matin ? marmonna Bobby sur ses talons.

– Tu es jaloux, c'est tout.

– Pourquoi je serais jaloux ?

– Parce que je m'en sors toujours avec de beaux discours.

– Plus dure sera la chute », murmura Bobby.

D.D. poussa la porte d'entrée. « Pour la petite Sophie, espérons que non. »

L'agent Leoni était toujours dans le jardin d'hiver. D.D. et Bobby durent traverser la cuisine pour y accéder. Le cadavre de Brian Darby avait été emporté, laissant derrière lui un parquet taché de sang, une collection de plots de signalement et une épaisse couche de poudre à empreintes digitales. Les reliquats classiques d'une scène de crime. D.D. se boucha le nez et la bouche en rasant le mur. Elle avait encore deux pas d'avance sur Bobby et espérait qu'il n'aurait rien remarqué.

Tessa Leoni leva les yeux à leur arrivée. Elle tenait un sac de glace contre une moitié de son visage, ce qui ne parvenait pas à masquer sa lèvre sanguinolente ni l'entaille qui suintait sur son front. Lorsque D.D. entra dans la pièce, la policière baissa le sac et découvrit un œil violacé et gonflé qu'elle ne pouvait déjà plus ouvrir.

Malgré elle, D.D. éprouva un choc. Qu'elle se fie ou non aux premières déclarations de Leoni, il ne faisait aucun doute que la policière avait été brutalisée. D.D. jeta un bref coup d'œil aux mains de la policière pour y chercher des blessures de défense. Surprenant son regard, l'agent Leoni posa le sac de glace sur ses doigts.

Les deux femmes restèrent un instant à s'observer. D.D. trouva que l'agent Leoni avait l'air jeune, surtout dans sa tenue bleue réglementaire. Longs cheveux bruns, yeux bleus, visage en forme de cœur. Jolie malgré les traces de coups qui lui donnaient l'air peut-être plus vulnérable encore. D.D. se crispa immédiatement. Les jolies filles vulnérables mettaient presque toujours sa patience à rude épreuve.

D.D. examina les deux autres personnes présentes dans la pièce.

Debout à côté de Leoni, un policier d'État d'un gabarit impressionnant, le torse bombé pour se donner le plus possible des airs de gros dur. Inversement, assis en face d'elle, un monsieur d'un certain âge, format de poche, costume gris, avec un bloc-notes jaune posé délicatement en équilibre sur le genou. Délégué syndical debout, conclut D.D. Avocat engagé par le syndicat assis. Le gang au complet.

Le délégué syndical fut le premier à prendre la parole.

« L'agent Leoni ne répondra à aucune question », affirma-t-il avec un coup de menton.

D.D. lut son badge.

« Agent Lyons…

– Elle a fait une première déclaration, continua-t-il avec raideur. Toutes les autres questions devront attendre qu'elle ait reçu les soins d'un médecin. »

Il regarda la porte derrière D.D.

« Où sont les ambulanciers ?

– Ils prennent leur matériel, dit D.D. d'une voix apaisante. Ils seront là dans une minute. Les blessures de l'agent Leoni sont naturellement une priorité. Nous ne voulons que le meilleur pour une collègue. »

D.D. se décala vers la droite pour faire de la place à Bobby à côté d'elle. Front commun de la police municipale et de la police d'État. L'agent Lyons ne se démonta pas.

L'avocat s'était levé. Il tendit la main. « Ken Cargill. Je représenterai l'agent Leoni.

– Commandant D.D. Warren, dit D.D. avant de présenter Bobby.

– Ma cliente ne répondra à aucune question dans l'immédiat. Lorsqu'elle aura reçu les soins médicaux appropriés et que nous connaîtrons l'ampleur exacte de ses traumatismes, nous vous le ferons savoir.

– Je comprends. Je ne veux pas vous bousculer. Les ambulanciers disaient qu'il leur fallait quelques minutes pour préparer le brancard, les perfusions. J'ai pensé que nous pourrions en profiter pour voir deux-trois points essentiels. Nous avons déclenché une alerte-enlèvement pour la petite Sophie, mais je dois être franche, dit D.D. en écartant les mains dans un geste d'impuissance, nous n'avons aucune piste. Comme l'agent Leoni doit le savoir, chaque minute compte dans ce genre d'affaires. »

En entendant le nom de Sophie, l'agent Leoni se raidit sur le canapé. Elle ne regardait ni D.D., ni aucun des hommes de la pièce. Son regard était rivé sur un point de la vieille moquette verte, les mains toujours sous le sac de glace.

« J'ai cherché partout, dit-elle brusquement. La maison, le garage, le grenier, sa voiture…

– Tessa, intervint l'agent Lyons. Ne fais pas ça. Rien ne t'oblige à faire ça.

– À quelle heure avez-vous vu votre fille pour la dernière fois ? demanda D.D. en s'engouffrant dans la brèche tant qu'elle restait ouverte.

– À onze heures moins le quart hier soir, répondit l'agent d'un air absent, comme un perroquet. Je jette toujours un œil sur elle avant d'aller prendre mon service. »

D.D. tiqua. « Vous êtes partie d'ici à onze heures moins le quart pour votre service de onze heures ? Vous pouvez rejoindre la caserne de Framingham en quinze minutes ?

– Je ne vais pas à la caserne. On ramène les véhicules de patrouille chez nous, donc dès qu'on prend le volant, la patrouille commence. J'ai appelé le coordonnateur depuis mon véhicule et je me suis mise en code 5. Il m'a donné mon secteur de patrouille et c'était parti. »

D.D. hocha la tête. Dans la mesure où elle ne travaillait pas pour la police d'État, elle ignorait ces détails. Mais elle jouait aussi à un petit jeu avec l'agent Leoni. Un jeu qui consistait à établir l'état psychique de la suspecte. Ainsi, quand elle finirait immanquablement par se trahir et que son consciencieux avocat chercherait à escamoter cet aveu sous prétexte que sa cliente souffrait d'une commotion cérébrale et qu'elle n'était donc pas en possession de toutes ses facultés mentales, D.D. pourrait rappeler avec quelle lucidité Leoni avait répondu sur d'autres points aisément vérifiables. Puisque Leoni avait pu se souvenir avec exactitude à quelle heure elle avait appelé le coordonnateur, dans quel secteur elle était partie patrouiller, etc., pourquoi supposer qu'elle se trompait d'un seul coup sur la façon dont elle avait tué son mari ?

Le genre de jeu auquel un bon enquêteur excellait. Quelques heures plus tôt, D.D. n'aurait peut-être pas eu recours à de telles méthodes avec une collègue. Elle aurait peut-être été disposée à ne pas trop malmener ce pauvre agent Leoni qui s'était fait rouer de coups, à lui accorder le genre de traitement de faveur qu'on s'accorde généralement entre policières. Mais ça, c'était avant que les agents d'État piétinent sa scène de crime et excluent carrément D.D. de leur omerta.

D.D. ne pardonnait rien. D.D. n'oubliait rien.

Et puis, en ce moment, elle n'avait aucune envie d'enquêter sur une affaire d'enlèvement d'enfant. Mais ce n'était pas un sujet qu'elle pouvait aborder, même avec Bobby.

« Donc, vous avez jeté un coup d'œil à votre fille à onze heures moins le quart..., relança D.D.

– Sophie dormait. Je l'ai embrassée sur la joue. Elle... s'est retournée, elle a remonté les couvertures.

– Et votre mari ?

– En bas. Devant la télé.

– Que regardait-il ?

– Je n'ai pas fait attention. Il buvait de la bière. Ça m'a distraite. J'aurais voulu... je préférais quand il ne buvait pas.

– Combien de bières avait-il bu ?

– Trois.

– Vous avez compté ?

– J'ai vu les bouteilles vides alignées à côté de l'évier.

– Votre mari est alcoolique ? » demanda D.D. sans ménagements.

Leoni regarda enfin D.D., avec son seul œil valide puisque l'autre moitié de son visage restait un amas de chairs tuméfiées. « Brian était désœuvré à la maison soixante jours d'affilée. J'avais mon travail. Sophie avait l'école. Mais lui n'avait rien. Parfois, il buvait. Et parfois... Boire ne lui valait rien.

– Donc votre mari, dont vous auriez préféré qu'il ne boive pas, avait bu trois bières et vous l'avez quand même laissé seul avec votre fille.

– Hé ! » voulut encore intervenir l'agent Lyons.

Mais Tessa Leoni répondit : « Comme vous dites. J'ai laissé ma fille avec son beau-père ivre. Et si j'avais su... je l'aurais tué à ce moment-là, bon sang. Je lui aurais tiré dessus hier soir !

– Holà ! »

L'avocat avait bondi de son siège. Mais D.D. ne fit pas attention à lui, et Leoni non plus.

« Qu'est-il arrivé à votre fille ? interrogeait D.D. Que lui a fait votre mari ? »

Leoni haussait déjà les épaules. « Il n'a pas voulu me le dire. Je suis rentrée, je suis montée à l'étage. Elle aurait dû être couchée. Ou en train de jouer par terre. Mais... rien. J'ai cherché, cherché, cherché. Sophie avait disparu.

– Il lui était arrivé de la frapper ?

– Parfois il s'énervait contre moi, mais je ne l'ai jamais vu la frapper.

– La solitude ? Vous vous absentez toute la nuit. Il reste seul avec elle.

– Non ! Vous vous trompez. Je l'aurais su ! Elle me l'aurait dit.

– Bon, alors, dites-moi, Tessa. Qu'est-il arrivé à votre fille ?

– Je ne sais pas ! Merde. Ce n'est qu'une petite fille. Qui s'en prendrait à un enfant ? Qui ferait une chose pareille ? »

L'agent Lyons posa ses mains sur les épaules de Leoni, comme pour l'apaiser. Mais elle le repoussa. Elle se leva, avec une agitation manifeste, et ce fut le mouvement de trop : presque immédiatement, elle manqua basculer sur le côté.

L'agent Lyons la rattrapa par le bras et la fit rasseoir avec précaution sur la causeuse en transperçant D.D. d'un regard assassin.

« Doucement, dit-il d'une voix rude à Tessa Leoni sans cesser de regarder D.D. et Bobby avec colère.

– Vous ne comprenez pas, vous ne comprenez pas », murmurait la mère/policière. Elle n'avait plus l'air jolie ni vulnérable. Son visage était désormais d'une pâleur maladive ; elle semblait à deux doigts de vomir et sa main caressait le siège vide à côté d'elle. « Sophie est très courageuse et audacieuse. Mais elle a peur du noir. Ça la terrifie. Un jour, quand elle allait avoir trois ans, elle est montée dans le coffre de ma voiture de patrouille, il s'est refermé et elle a hurlé, hurlé, hurlé. Si seulement vous aviez entendu ses hurlements. Vous sauriez, vous comprendriez... »

Leoni se tourna vers l'agent Lyons. Elle attrapa ses mains musclées et scruta son visage avec désespoir. « Elle va forcément bien, hein ? Tu la protégeras, hein ? Tu t'occuperas d'elle ? Ramène-la à la maison. Avant la nuit, Shane. Avant la nuit. Je t'en prie, je t'en prie, j'en supplie, *s'il te plaît.* »

Lyons ne semblait pas savoir comment réagir devant ce débordement d'émotions. Il continua à tenir Leoni par les épaules, de sorte que ce fut D.D. qui attrapa le seau et le mit juste à temps sous le visage livide de Leoni, qui vomit jusqu'à se vider l'estomac, et puis encore un peu.

« Ma tête, gémit-elle en retombant déjà sur la causeuse.

– Hé, qui agite notre patiente ? Tous ceux qui ne sont pas ambulanciers, dehors ! »

Marla et son collègue étaient de retour. Ils entrèrent en force dans la pièce et Marla lança un regard sévère à D.D. Bobby et elle comprirent sans qu'on leur explique et se tournèrent vers la cuisine voisine.

Mais Leoni, étonnamment, attrapa D.D. par le poignet. La force de sa main pâle fut un choc pour D.D., qui s'arrêta net.

« Ma fille a besoin de vous, murmura l'agent pendant que les ambulanciers prenaient son autre main pour lui poser la perfusion.

– Bien sûr, dit D.D., hébétée.

– Il faut la retrouver. Promettez-moi !

– Nous allons faire de notre mieux...

– *Promettez-moi !*

– D'accord, d'accord. On va la retrouver. Bien sûr. Vous... allez à l'hôpital. Soignez-vous. »

Marla et son collègue installèrent Leoni sur le brancard. La policière se débattait toujours, pour les repousser, pour attirer D.D. à elle. Difficile à dire. En quelques secondes, les ambulanciers la sanglèrent et sortirent de la pièce, l'agent Lyons suivant d'un air stoïque.

Resté en arrière, l'avocat tendit une carte à D.D. et Bobby lorsqu'ils sortirent du jardin d'hiver pour regagner le corps de la maison. « Vous comprendrez évidemment que rien de tout cela n'est recevable devant un tribunal. Ma cliente n'a notamment jamais renoncé à ses droits. Et je vous rappelle qu'elle souffre d'une *commotion cérébrale.* »

Ayant dit ce qu'il avait à dire, l'avocat partit à son tour, laissant D.D. et Bobby seuls à la porte de la cuisine. Plus besoin pour D.D. de se boucher le nez. Elle était trop distraite par cette rencontre avec l'agent Leoni pour remarquer l'odeur.

« C'est moi ou on dirait que Tessa Leoni s'est fait défoncer le visage à coups de marteau à viande ?

– Et pourtant, pas la moindre coupure ni écorchure sur ses mains, fit remarquer Bobby. Ni ongle cassé ni ecchymoses sur les doigts.

– Donc elle se serait laissé tabasser sans faire un geste pour se défendre ?

– Jusqu'au moment où elle l'a flingué », corrigea doucement Bobby.

D.D. leva les yeux au ciel ; elle était perplexe et n'aimait pas ça. Les blessures au visage de Tessa Leoni semblaient bien réelles. Ses craintes devant la disparition de sa fille, sincères. Mais cette scène… l'absence de blessures de défense, une policière expérimentée qui dégainait d'emblée son pistolet alors qu'elle avait tout un ceinturon à sa disposition, une femme qui venait de laisser libre cours à ses émotions pendant sa déposition mais qui avait soigneusement évité de croiser leur regard…

Cette scène mettait D.D. profondément mal à l'aise, à moins que ce ne soit le fait qu'une collègue femme vienne de l'attraper par le bras pour la supplier de retrouver sa fillette disparue.

La petite Sophie Leoni, qui avait une peur panique du noir.

Seigneur. Cette affaire allait être pénible.

« Apparemment, son mari et elle se sont battus, résumait Bobby. Il a pris le dessus, il l'a jetée par terre, alors elle a dégainé. Ce n'est qu'ensuite qu'elle a découvert que sa fille avait disparu. Et, bien sûr, qu'elle s'est rendu compte qu'elle venait sans doute de tuer la seule personne qui aurait pu lui dire où elle était. »

D.D. hocha la tête, toujours pensive. « Une question : quel est le premier réflexe d'un policier, se protéger ou protéger les autres ?

– Protéger les autres.

– Et quelle est la priorité d'une mère ? Se protéger ou protéger son enfant ?

– Son enfant.

– Et pourtant, la fille de l'agent Leoni disparaît et son premier mouvement est d'avertir son délégué syndical et de se trouver un bon avocat.

– Peut-être que ce n'est pas une très bonne policière.

– Peut-être que ce n'est pas une très bonne mère. »

6

JE SUIS TOMBÉE AMOUREUSE à l'âge de huit ans. Pas comme vous croyez. J'étais dans l'arbre devant la maison, perchée sur la plus basse branche, et j'observais le petit carré de pelouse roussie en dessous de moi. Sans doute que mon père était au travail. Il avait un garage, qu'il ouvrait à six heures presque tous les matins pour n'en revenir qu'à plus de cinq heures presque tous les soirs. Sans doute que ma mère dormait. Elle passait ses journées dans le silence et l'obscurité de leur chambre. Parfois elle m'appelait pour que je lui apporte de petites choses : un verre d'eau, quelques biscuits. Mais, la majeure partie du temps, elle attendait le retour de mon père.

Il nous préparait à dîner, et ma mère se traînait enfin hors de son abîme d'obscurité pour se joindre à nous autour de la petite table ronde. Elle lui souriait lorsqu'il faisait passer les pommes de terre. Elle mâchait comme un robot lorsqu'il racontait sa journée d'une voix bourrue.

Puis, le dîner terminé, elle allait retrouver les ombres au bout du couloir, sa ration quotidienne d'énergie épuisée. Je faisais la vaisselle. Mon père regardait la télé. Neuf heures du soir, extinction des feux. Fin d'une journée comme les autres chez les Leoni.

J'avais appris très tôt à ne pas inviter de camarades de classe. Et j'avais appris l'importance de me taire.

Là, il faisait chaud, c'était le mois de juillet et j'avais devant moi une nouvelle journée interminable. Les autres enfants s'éclataient sans doute en colonie de vacances ou s'éclaboussaient joyeusement dans une piscine municipale. Peut-être que les plus chanceux avaient des parents heureux et rigolos qui les emmenaient à la plage.

Moi, j'étais perchée dans un arbre.

Une petite fille est apparue. Elle filait sur une trottinette rose vif et ses nattes blondes battaient sous un casque violet foncé. Au dernier moment, elle a levé les yeux et aperçu mes jambes maigrichonnes. Elle s'est arrêtée dans un crissement, juste à ma hauteur.

« Je m'appelle Juliana Sophia Howe. Je suis nouvelle dans le quartier. Tu devrais descendre jouer avec moi. »

Alors c'est ce que j'ai fait.

Juliana Sophia Howe avait aussi huit ans. Ses parents venaient de quitter Harvard pour Framingham. Son père était comptable. Sa mère, femme au foyer, faisait des choses comme tenir la maison et enlever la croûte des sandwichs beurre de cacahuète/confiture.

D'un commun accord, nous jouions toujours chez Juliana. Son jardin était plus grand, avec du vrai gazon. Elle avait une tête d'arrosage Petite Sirène et une bâche Petite Sirène pour s'amuser à faire des glissades. Nous pouvions jouer pendant des heures et ensuite sa mère nous servait de la limonade avec des pailles roses en spirale et d'épaisses tranches de pastèque.

Juliana avait un frère de onze ans, Thomas, un vrai « enquiquineur ». Elle avait aussi quinze cousins et des milliards d'oncles et tantes. Les jours de canicule, toute sa famille se réunissait chez sa grand-mère sur la côte au sud de Boston et ils allaient à la plage. Parfois, elle avait droit à un tour de manège et elle se considérait comme une championne du pompon, même si en fait elle n'avait jamais réussi à le décrocher – mais presque.

Je n'avais ni cousins, ni oncles et tantes, ni grand-mère sur la côte. En revanche, j'ai raconté à Juliana que mes parents avaient fait un bébé quand j'avais quatre ans, sauf que le bébé était né tout bleu, que les médecins avaient dû l'enterrer et que ma mère, en rentrant de la clinique, s'était installée dans sa chambre. Parfois elle pleurait en pleine journée. Parfois en pleine nuit.

Mon père m'avait dit de ne pas en parler, mais un jour j'avais trouvé une boîte à chaussures cachée derrière sa boule de bowling dans le placard du couloir. Dans la boîte, il y avait un petit bonnet bleu, une petite couverture bleue et une paire de petits chaussons bleus. Il y avait aussi la photo d'un petit nouveau-né parfaitement blanc, avec des lèvres rouge vif. En dessous de la photo, on lisait *Joseph Andrew Leoni.*

Donc, j'avais un petit frère qui s'appelait Joey, mais il était mort et, depuis, mon père travaillait et ma mère pleurait.

Juliana a réfléchi à la situation. Elle a décidé que nous devions dire une vraie messe pour le petit Joey, alors elle a sorti son chapelet. Elle m'a montré comment enrouler les perles vert foncé autour de mes doigts et dire une courte prière. Ensuite il fallait que nous chantions, alors nous avons entonné « Entre le bœuf et l'âne gris » parce que ça parlait d'un bébé et que nous connaissions plus ou moins les paroles. Ensuite est venu le moment de l'oraison funèbre.

Juliana s'en est chargée. Elle en avait déjà entendu une, à l'enterrement de son grand-père. Elle a remercié le Seigneur de prendre soin du petit Joey. Elle a dit que c'était bien qu'il n'ait pas souffert. Qu'elle était sûre qu'il s'amusait bien à jouer au poker au paradis et à tous nous regarder depuis là-haut.

Ensuite, elle a pris mes mains dans les siennes et elle m'a dit qu'elle compatissait à ma douleur.

Je me suis mise à pleurer, de gros sanglots bruyants qui m'horrifiaient. Mais Juliana me caressait le dos. Là, là, disait-elle. Ensuite elle a pleuré avec moi et sa mère est venue voir ce que nous fabriquions avec tout ce raffut. J'ai cru que Juliana allait tout raconter à sa mère, mais au lieu de ça elle lui a expliqué que nous avions un besoin urgent de cookies au chocolat. Alors sa mère est descendue nous en faire une fournée.

Voilà le genre d'amie qu'était Juliana Sophia Howe. Vous pouviez pleurer sur son épaule et lui confier vos secrets en toute confiance. Vous pouviez jouer dans son jardin et compter sur elle pour vous donner ses meilleurs jouets. Vous pouviez aller chez elle et être sûre qu'elle partagerait sa famille avec vous.

Quand l'accouchement a commencé alors que j'étais toute seule, j'ai imaginé que Juliana me tenait la main. Et quand j'ai enfin tenu ma fille dans mes bras pour la première fois, je lui ai donné ce nom en souvenir de mon amie d'enfance.

Juliana, malheureusement, ne sait rien de tout cela.

Elle ne m'a pas adressé la parole depuis dix ans.

Parce que si Juliana Sophia Howe est la meilleure chose qui me soit jamais arrivée, j'ai en fin de compte été la pire chose qui lui soit jamais arrivée.

C'est parfois comme ça, l'amour.

À l'arrière de l'ambulance, l'infirmière m'administrait un soluté par intraveineuse. Elle avait sorti une cuvette juste à temps pour me permettre de vomir encore.

J'avais la joue en feu. Les sinus gorgés de sang. Il ne fallait pas que je perde pied. J'avais plus que tout envie de fermer les yeux et de laisser le monde s'évanouir. La lumière me faisait mal aux yeux. Les souvenirs s'imprimaient au fer rouge dans mon cerveau.

« Dites-moi comment vous vous appelez », m'a ordonné l'ambulancière pour m'obliger à me concentrer.

J'ai ouvert la bouche. Aucun mot n'est sorti.

Elle m'a proposé une gorgée d'eau, a essuyé mes lèvres desséchées.

« Tessa Leoni, ai-je enfin réussi à articuler.

– Quelle est la date d'aujourd'hui, Tessa ? »

L'espace d'une seconde, je n'ai pas pu répondre. Aucun chiffre n'apparaissait dans ma tête et j'ai commencé à paniquer. Je ne voyais que le lit de Sophie, vide.

« Le treize mars.

– Deux plus deux ? »

Encore un temps. « Quatre. »

Marla a grogné, replacé le fil qui transportait le soluté jusqu'au dos de ma main. « Sacré cocard. »

Je n'ai pas répondu.

« Presque aussi ravissant que les hématomes dont vous êtes couverte. Votre mari aime porter des rangers ? »

Je n'ai pas répondu, juste imaginé le visage souriant de ma fille.

L'ambulance a ralenti, peut-être pour tourner vers le service des urgences. Il ne restait plus qu'à l'espérer.

Marla m'a encore dévisagée une seconde. « Je ne comprends pas, a-t-elle dit brusquement. Vous êtes policière. Vous êtes formée, vous êtes vous-même intervenue sur ce genre de cas. Vous devez être la mieux placée pour savoir... » Elle s'est reprise. « Enfin, j'imagine que c'est comme ça, pas vrai ? Les violences conjugales touchent tous les milieux. Même les plus avertis. »

L'ambulance s'est arrêtée. Trente secondes plus tard, les portières s'ouvraient et on me sortait à la lumière du jour sur un lit à roulettes.

Je ne regardais plus Marla. Je gardais les yeux fixés sur le ciel gris de mars qui filait au-dessus de moi.

Dans l'hôpital, il y a eu d'un seul coup beaucoup d'animation. Une infirmière des urgences s'est précipitée à notre rencontre et nous a introduits dans une salle d'examen. Il y avait des formalités à remplir, notamment le sempiternel formulaire qui m'informait de mon droit au respect de ma vie privée. Comme me l'assura l'infirmière, mon médecin ne parlerait de mon cas à personne, pas même à des collègues des forces de l'ordre, ce serait une violation du secret médical. Ce qu'elle ne disait pas, mais que je savais déjà, c'était que mon dossier médical était considéré comme neutre et pouvait donc faire l'objet d'une assignation à produire de la part du procureur. Autrement dit, tout ce que je pourrais dire au médecin et qui serait consigné dans ce dossier…

Il y a toujours une faille quelque part. Demandez donc à un policier.

Le dossier rempli, l'infirmière passa à la tâche suivante.

La veille, j'avais mis un quart d'heure à revêtir mon uniforme. D'abord un slip noir basique, puis un soutien-gorge de sport noir, un maillot de corps en soie pour que la couche suivante (un pesant gilet pare-balles) ne m'irrite pas la peau. J'avais enfilé des chaussettes noires, puis mon pantalon bleu marine à liseré bleu électrique. Ensuite j'avais lacé mes bottes parce que je savais d'expérience que je ne pourrais plus atteindre mes pieds quand j'aurais enfilé mon gilet. Donc, chaussettes, pantalon, bottes et ensuite retour au haut du corps pour mon volumineux gilet, par-dessus lequel, vu la météo, j'avais ajouté un sous-pull de la police d'État et mon chemisier bleu clair réglementaire. J'avais dû rajuster le gilet sous le sous-pull, puis me débrouiller pour rentrer trois couches (maillot de corps en soie, sous-pull et chemisier) dans mon pantalon. Après quoi j'avais mis une large ceinture noire pour les maintenir. Et j'avais pris mon équipement.

Un ceinturon en cuir noir de dix kilos par-dessus la ceinture de mon pantalon, fixé avec quatre attaches Velcro. Ensuite, prendre mon Sig Sauer semi-automatique dans le coffre-fort du placard et le mettre dans l'étui, sur ma hanche droite. Accrocher mon téléphone portable à l'avant du ceinturon et rentrer mon biper professionnel dans son étui sur mon épaule droite. Vérifier ma radio sur ma hanche gauche, contrôler mes deux cartouches de munitions de rechange, la matraque, la bombe lacrymogène, une paire de menottes et le Taser.

Ensuite glisser trois stylos plume dans les pochettes cousues sur la manche gauche.

Enfin, cerise sur le gâteau, mon chapeau réglementaire.

Je m'arrêtais toujours un instant pour m'observer dans le miroir. L'uniforme de la police d'État, ce n'est pas seulement une allure, c'est une sensation. Le poids de mon ceinturon, qui tirait sur mes hanches. Le volume de mon gilet pare-balles, qui me faisait une poitrine plus plate, des épaules plus larges. Le ruban serré de mon chapeau, bas sur le front, qui jetait une ombre impénétrable sur mes yeux.

Se donner de la prestance. Ne jamais leur laisser voir qu'on transpire, chérie.

L'infirmière m'a dépouillée de mon uniforme. Elle a enlevé chemisier bleu clair, sous-pull, gilet pare-balles, maillot de corps, soutien-gorge. Elle a retiré mes bottes, descendu mes chaussettes, détaché ma ceinture et baissé mon pantalon sur mes jambes avant de faire la même chose avec mon slip.

Chaque vêtement était retiré, puis ensaché et étiqueté pour servir de pièce à conviction dans le dossier que la police de Boston devait être en train de constituer contre moi.

Pour finir, l'infirmière m'a enlevé mes clous d'oreille en or, ma montre et mon alliance. On ne peut pas porter de bijou dans le scanner, m'a-t-elle expliqué en me dénudant.

Elle m'a donné une blouse d'hôpital et s'en est allée au pas de course avec ses sachets de pièces à conviction et mes effets personnels. Je n'ai pas fait un geste. Je suis juste restée là, meurtrie par la perte de mon uniforme, la honte de ma nudité.

J'entendais au bout du couloir une télé qui diffusait le nom de ma fille. Ensuite devait apparaître sa photo, prise à l'école en octobre dernier. Sophie portait son haut à froufrous jaunes préféré. Elle était tournée légèrement de biais et regardait l'appareil avec ses grands yeux bleus et un sourire d'excitation parce qu'elle adorait les photos et qu'elle tenait tout particulièrement à celle-là, la première depuis qu'elle avait perdu ses deux dents de devant et que la petite souris lui avait apporté un dollar tout rond qu'elle avait hâte de dépenser.

Mes yeux me brûlaient. Il y a douleur et douleur. Tous ces mots que je ne pouvais pas prononcer. Toutes ces images que je ne pouvais pas me sortir de la tête.

L'infirmière est revenue. Elle m'a passé les bras dans la blouse d'examen et m'a roulée sur le côté pour pouvoir la nouer dans le dos.

Deux techniciens sont arrivés. Ils m'ont emmenée à toute allure vers le scanner, et j'avais les yeux rivés sur le brouillard de dalles de plafond qui filaient au-dessus de moi.

« Enceinte ?

– Pardon ?

– Vous êtes enceinte ?

– Non.

– Claustrophobe ?

– Non.

– Alors ça va se passer comme sur des roulettes. »

On m'a fait entrer dans une autre salle, dominée cette fois-ci par une grosse machine en forme de beignet. Les techniciens ne m'ont pas laissée me relever et m'ont transférée directement du lit sur la table d'examen.

On m'a demandé de rester totalement immobile pendant que l'appareil tournait autour de ma tête pour prendre des images en coupe de mon cerveau. Un ordinateur compilerait ces radios bidimensionnelles pour créer un modèle en 3D.

D'ici une demi-heure, le médecin me donnerait une belle image de mon cerveau et de mes os, où apparaîtrait tout œdème, hématome ou hémorragie.

Un jeu d'enfant, à entendre les techniciens.

Allongée seule sur cette table, je me suis demandé quel était le pouvoir de pénétration du scanner. Je me suis demandé s'il voyait toutes ces choses que je voyais chaque fois que je fermais les yeux. Le sang qui giclait sur le mur derrière mon mari zébrait le sol de la cuisine. Les yeux de mon mari, agrandis par la surprise lorsqu'il avait littéralement paru voir les taches rouges s'épanouir sur son torse musclé.

Brian, qui glissait au sol, encore et encore. Moi, debout au-dessus de lui, qui regardais la lumière se voiler dans ses yeux.

« Je t'aime, avais-je murmuré à mon mari juste avant que la lumière ne s'en aille. Je suis désolée. Désolée. Je t'aime... »

Il y a douleur et douleur.

La machine s'est mise à bouger. J'ai fermé les yeux et je me suis autorisé un dernier souvenir de mon mari. Ses derniers mots, pendant qu'il agonisait sur le sol de notre cuisine.

« Désolé, avait haleté Brian, trois balles en pleine poitrine. Tessa... je t'aime... encore plus fort. »

7

UNE FOIS le corps de Brian Darby emporté et Tessa Leoni transférée à l'hôpital, les nécessités pratiques de l'enquête pour homicide se faisaient moins pressantes, tandis que les recherches pour retrouver la petite Sophie s'accéléraient.

Ce que considérant, D.D. convoqua les membres de la cellule d'enquête dans le PC mobile pour les cravacher.

Témoins. D.D. voulait que les agents en tenue lui fournissent une liste succincte de tous les voisins qui méritaient d'être réinterrogés. Elle affecta donc six enquêteurs de la criminelle à ces auditions, qui devaient être conduites dans les plus brefs délais. Tout témoin crédible ou suspect potentiel devait être identifié et entendu dans les trois minutes suivantes.

Caméras. Boston en était truffé. La municipalité en installait pour réguler la circulation. Les entreprises, pour sécuriser leurs locaux. D.D. forma une équipe de trois hommes qui n'auraient pas d'autre mission que de recenser toutes les caméras dans un rayon de trois kilomètres et de visionner toutes les images des douze dernières heures, en commençant par les caméras les plus proches avant d'élargir le périmètre.

Cercle des relations. Amis, parents, voisins, enseignants, baby-sitters, employeurs... D.D. voulait d'ici quarante-cinq minutes le nom de quiconque avait un jour mis les pieds dans la propriété. Elle voulait en particulier qu'on recense et qu'on passe à la moulinette tous les enseignants et camarades de jeu de Sophie Leoni, tous les adultes qui s'occupaient d'elle. Vérification approfondie des antécédents, inspection du domicile si l'enquêteur parvenait à y mettre les pieds. Le but du jeu : éliminer les amis, identifier les ennemis, et que ça saute.

D'autres gens encore connaissaient cette famille. Inimitiés que le mari se serait attirées au boulot, criminels arrêtés par l'agent Leoni, voire partenaires de liaisons torrides ou confidents de longue date. Oui, d'autres gens connaissaient Brian Darby et Tessa Leoni. Et l'un d'entre eux savait peut-être ce qu'était devenue la petite fille de six ans aperçue pour la dernière fois endormie dans son lit.

Le temps ne jouait pas en leur faveur. C'est parti, on se bouge, course contre la montre, ordonna D.D. à son équipe.

Puis elle se tut et les renvoya au travail.

Les enquêteurs décollèrent. Les gradés approuvèrent. Bobby et elle retournèrent dans la maison.

D.D. faisait confiance à ses collègues pour entreprendre la tâche titanesque consistant à passer au crible les moindres nuances de la vie de toute une famille. Mais ce qu'elle-même voulait faire en priorité, c'était se replonger dans l'atmosphère des dernières heures des victimes. Elle voulait faire entrer la scène de crime dans son ADN. S'imprégner des plus petits détails domestiques, depuis le choix des peintures jusqu'à celui des bibelots. Envisager le décor sous dix angles différents, le peupler d'une petite fille, d'un père dans la marine marchande et d'une mère dans la police. Ce lieu, ces trois vies, ces dix dernières heures. Tout se résumait à ça. Une maison, une famille, la collision tragique de plusieurs existences.

D.D. avait besoin de voir, d'éprouver, de vivre la scène. Ensuite, elle pourrait disséquer la famille pour accéder à la noirceur de sa vérité profonde, ce qui la mènerait à son tour à Sophie Leoni.

L'estomac de D.D. se souleva, nauséeux. Elle essaya de ne pas y penser lorsque Bobby et elle entrèrent à nouveau dans la cuisine ensanglantée.

D'un commun accord, ils commencèrent par le premier étage : deux chambres mansardées séparées par une salle de bain avec W.-C. Dominée par un grand lit double avec une simple tête de lit en bois et une couette bleu marine, la chambre sur rue était celle des parents. La literie sembla immédiatement plus masculine que féminine à D.D. Rien d'autre dans la pièce ne modifia son opinion.

La large commode, du chêne en mauvais état, sentait son célibataire à plein nez. Posée dessus, une vieille télé quatre-vingt-dix centimètres réglée sur la chaîne sportive. Des murs tout blancs, un plancher nu. Pas tant un nid conjugal qu'un lieu où faire étape, pensa D.D. Un endroit où dormir, se changer et ressortir.

D.D. ouvrit le placard : il était rempli aux trois quarts de chemises d'homme impeccablement repassées, triées par couleurs. Venaient ensuite cinq ou six jeans soigneusement pendus. Puis un méli-mélo de pantalons et de hauts en coton, deux uniformes de la police, un uniforme de cérémonie et une robe à fleurs orange.

« Il prenait plus de place dans la penderie, indiqua D.D. à Bobby, qui examinait la commode.

– Il y a des hommes qui se sont fait tuer pour moins que ça.

– Sérieux. Regarde-moi ça. Des chemises triées par couleur, des jeans *repassés*. Brian Darby était plus que maniaque, il frôlait la folie pure et simple.

– Il était aussi en train de tourner armoire à glace. Regarde un peu. »

Entre ses mains gantées, Bobby tenait une grande photo encadrée. D.D. finit d'inspecter le coffre-fort vide qu'elle avait trouvé dans le coin gauche de la penderie et le rejoignit.

La photo montrait Tessa Leoni avec la robe d'été orange et un cardigan blanc, un petit bouquet de lis tigré à la main. À côté d'elle, Brian Darby en veste sport marron, un lis tigré au revers. Devant eux, une petite fille, sans doute Sophie Leoni, en robe de velours vert foncé, une couronne de lis dans les cheveux. Tous trois souriaient d'un air radieux à l'appareil, une famille heureuse qui fêtait un événement heureux.

« Photo de mariage, murmura D.D.

– C'est ce que j'aurais dit. Mais regarde Darby. Sa carrure. »

Docile, D.D. regarda l'ancien jeune marié devenu défunt mari. Beau mec, jugea-t-elle. Un petit côté flic ou soldat avec ses cheveux blonds coupés en brosse, son menton taillé à la serpe, ses épaules carrées. Mais cette impression était contrebalancée par la chaleur de ses yeux bruns, dont un sourire plissait les coins. Il semblait heureux, détendu. Pas le genre qu'on soupçonnerait immédiatement de battre sa femme – ni, d'ailleurs, de repasser ses jeans.

D.D. rendit la photo à Bobby. « Je ne vois pas. Il était heureux le jour de son mariage, et alors ? Ça ne prouve rien.

– Non, il était plus *mince* le jour de son mariage. Le Brian Darby de la photo fait quatre-vingt-dix kilos. J'imagine qu'il faisait du sport, qu'il était actif. Mais le Brian Darby qui est mort… »

D.D. se souvint de la description que Bobby lui en avait donné.

« Un déménageur, tu m'as dit. Cent cinq, cent dix kilos, sans doute culturiste. Donc, ce n'est pas qu'il s'est marié et qu'il a pris du gras. Ce que tu me dis, c'est qu'il s'est marié et qu'il a pris du *muscle.* »

Bobby confirma.

D.D. repensa à la photo. « Pas facile d'être en couple quand c'est la femme qui porte un pistolet », murmura-t-elle.

Bobby ne releva pas, et elle lui en sut gré.

« Il faudrait qu'on trouve son club de gym, dit-il. Qu'on se renseigne sur son régime alimentaire. Savoir s'il prenait des compléments.

– Agressivité liée aux stéroïdes ?

– La question mérite d'être posée. »

Ils sortirent de la chambre et passèrent dans la salle de bain. Cette pièce-là, au moins, avait une touche de personnalité. Un rideau de douche à rayures de couleurs vives tiré autour d'une vieille baignoire à pattes de lion. Une sortie de bain ornée d'un petit canard jaune sur le carrelage. Des empilements de serviettes jaunes et bleues qui réchauffaient les étagères en bois.

Il y avait aussi plus de signes de vie : une brosse à dents Barbie sur le bord de l'évier, une pile d'élastiques à cheveux violets dans un panier posé sur le réservoir des toilettes, un verre à dents en plastique transparent qui clamait « La petite princesse de son papa. »

D.D. inspecta l'armoire à pharmacie et y trouva trois médicaments délivrés sur ordonnance. Un pour Brian Darby, de l'Ambien, un somnifère. Un pour Sophie Leoni, une pommade ophtalmique. Le troisième pour Tessa Leoni, de l'hydrocodone, un antalgique.

D.D. montra le flacon à Bobby. Il prit note.

« À creuser avec le toubib. Voir si elle avait été blessée, peut-être pendant le service. »

D.D. approuva. Le reste de l'armoire contenait une pléthore de lotions, crèmes à raser, rasoirs et eaux de Cologne. La seule chose remarquable, songea D.D., était la réserve assez impressionnante de matériel de premier secours. Beaucoup de pansements, de plusieurs de tailles. Une femme battue qui faisait des stocks pour réparer les inévitables dégâts ou juste la vie comme elle va dans une famille active ? D.D. regarda sous le lavabo et trouva l'assortiment habituel de savon, papier toilette, articles d'hygiène féminine et produits d'entretien.

Ils passèrent à la pièce suivante.

Cette chambre était manifestement celle de Sophie. Des murs rose pastel, avec des fleurs vert pâle et bleu layette peintes au pochoir. Un tapis en forme de fleur. Un mur entier de cases de rangement blanc brillant qui débordaient de poupées, de robes et de chaussons de danse à paillettes. Tessa et Brian vivaient dans une cellule de moine. La petite Sophie, en revanche, habitait un jardin enchanté, avec des petits lapins qui couraient sur le plancher et des papillons peints autour des fenêtres.

C'était le comble de l'obscénité, pensa D.D., de se retrouver dans un endroit pareil et d'y chercher des traces de sang.

Elle avait posé sa main sur son ventre et ne s'en aperçut même pas lorsqu'elle commença avec prudence une première inspection visuelle du lit.

« Luminol ? demanda-t-elle à mi-voix.

– Rien donné. »

Conformément à la procédure, les techniciens de scène de crime avaient vaporisé du luminol sur les draps de Sophie Leoni. Ce produit réagissait en présence de fluides corporels comme le sang ou le sperme. Si cela n'avait rien donné, cela voulait dire que les draps étaient propres. Mais pas que Sophie Leoni n'avait jamais subi d'agression sexuelle ; seulement qu'elle n'avait pas été agressée récemment dans cette paire de draps. Les techniciens examineraient aussi le linge sale et, au besoin, sortiraient même les draps de la machine à laver. À moins que la personne ait su qu'il fallait tout passer à la Javel, c'était incroyable ce que le luminol pouvait détecter sur des draps « propres ».

Encore une chose que D.D., au milieu de ce jardin enchanté, aurait préféré ignorer.

Elle se demanda qui avait peint cette chambre. Tessa ? Brian ? Peut-être qu'ils y avaient travaillé tous les trois, à l'époque où l'amour était neuf et les membres de cette famille pleins d'entrain et de dévouement les uns pour les autres.

Elle se demanda combien de nuits au juste s'étaient écoulées avant que Sophie ne se réveille au bruit d'une gifle retentissante, d'un cri étouffé. À moins qu'elle n'ait pas du tout été endormie. À moins qu'elle ait été assise à la table de la cuisine, ou en train de jouer à la poupée dans un coin.

Peut-être que, la première fois, elle avait couru vers sa mère. Peut-être que...

Oh, mon Dieu. D.D. n'avait aucune envie de travailler sur cette affaire en ce moment.

Elle serra les poings, se tourna vers la fenêtre et se concentra sur la lumière médiocre de cette journée de mars.

Bobby s'était immobilisé près du mur. Il l'observait, sans rien dire.

Une fois de plus, elle lui en fut reconnaissante.

« Il faut qu'on sache s'il y a un doudou préféré, dit-elle enfin.

– Une poupée de chiffon. Robe verte, cheveux en laine marron, des boutons bleus pour les yeux. Elle s'appelle Gertrude. »

D.D. hocha la tête et parcourut lentement la pièce du regard. Elle repéra une veilleuse – *Sophie a peur du noir* – mais pas de doudou. « Je ne la vois pas.

– Le premier intervenant non plus ne l'a pas vue. Jusqu'à nouvel ordre, on part du principe qu'elle a aussi disparu.

– Pyjama ?

– L'agent Leoni dit que sa fille portait un pyjama à manches longues, rose avec des chevaux jaunes. Introuvable. »

D.D. eut une idée. « Et son manteau, son bonnet, ses bottes de neige ?

– Je n'ai pas ça dans mes notes. »

Pour la première fois, D.D. entrevit une lueur d'espoir. « S'il n'y a ni manteau ni bonnet, ça veut dire qu'elle a été tirée du lit en pleine nuit. On ne lui a pas laissé le temps de se changer, mais de s'emmitoufler, oui.

– Inutile d'emmitoufler un cadavre », renchérit Bobby.

Ils sortirent de la chambre et descendirent les escaliers au pas de course. Inspectèrent la penderie et les coffres qui contenaient les chaussures et les accessoires d'hiver à côté de la porte d'entrée. Pas de petit manteau. Pas de petit bonnet. Pas de petites bottes de neige.

« Sophie Leoni était emmitouflée ! exulta D.D.

– Elle a quitté cette maison vivante.

– Parfait. Il ne nous reste plus qu'à la retrouver avant la nuit. »

Ils remontèrent à l'étage le temps de chercher des signes d'effraction sur les fenêtres. Ils n'en trouvèrent pas et redescendirent faire la même chose au rez-de-chaussée. Les deux portes étaient relativement neuves, dotées de verrous qui ne semblaient pas avoir été forcés. Les fenêtres du jardin d'hiver étaient, découvrirent-ils, tellement vétustes et gonflées par l'humidité qu'elles refusaient de s'ouvrir.

L'un dans l'autre, la maison semblait sûre. À voir sa tête, Bobby ne s'était pas attendu à autre chose. D.D. non plus. C'était la triste règle dans les affaires de disparition d'enfant : la plupart du temps, le danger vient de l'intérieur de la maison, pas de l'extérieur.

Ils inspectèrent le séjour, qui rappela la chambre parentale à D.D. : des murs nus, un tapis beige sur le plancher. Le canapé d'angle en cuir noir avait plus l'air d'avoir été acheté par lui que par elle. Au bout du canapé, un ordinateur portable assez récent était encore branché sur une prise murale. La pièce était aussi équipée d'un téléviseur à écran plat fixé au-dessus d'un meuble télé design qui contenait une chaîne hi-fi dernier cri, un lecteur de DVD Blu-Ray et une console Wii.

« Monsieur avait ses joujoux, fit remarquer D.D.

– Ingénieur. »

D.D. examina une petite table à dessin installée dans un coin pour Sophie. Sur le côté, une pile de feuilles blanches. Au milieu, un pot à crayons. Point final. Pas de dessin en cours. Pas de chefs-d'œuvre exposés au mur. Très rangé, se dit-elle, surtout pour une enfant de six ans.

La froideur de cette maison commençait à lui taper sur les nerfs. Les gens ne vivent pas comme ça ; en tout cas, ceux qui ont des enfants ne devraient pas.

Ils passèrent dans la cuisine, où D.D. se tint aussi loin que possible de la silhouette de cadavre dessinée au sol. Tâche de sang, chaises renversées et verre brisé mis à part, la cuisine était entretenue avec un soin méticuleux, comme le reste de la maison. Tout aussi défraîchie et vieillotte. Des placards de trente ans d'âge, en bois sombre, des appareils tout blancs, un plan de travail en Formica plein de tâches. La première chose que ferait Alex dans cette maison, songea D.D., ce serait de vider la cuisine du sol au plafond pour la moderniser.

Mais pas Brian Darby. Son argent passait dans des appareils électroniques, un canapé en cuir et sa voiture. Pas dans la maison.

« Ils faisaient des efforts pour Sophie, remarqua D.D. à voix haute, mais pas l'un pour l'autre. »

Bobby se tourna vers elle.

« Pense un peu à ça, continua-t-elle. C'était une vieille maison dans son jus, et elle est restée dans son jus. Comme tu n'arrêtes pas de le rappeler, il est ingénieur, donc on pourrait penser qu'il sait un minimum se servir d'outils. À eux deux, ils gagnent bien deux cents mille dollars par an, sans compter qu'il a ses fameuses vacances de soixante jours. Donc ils auraient des compétences, du temps et des moyens à consacrer à la maison. Mais ils ne le font pas. Sauf dans la chambre de Sophie. À elle la chambre repeinte, les meubles neufs, la jolie literie, etc. Ils faisaient des efforts pour elle, mais pas pour eux. Alors je me demande dans combien d'autres domaines de leur vie cette règle se vérifiait.

– La plupart des parents se focalisent sur leurs enfants, observa doucement Bobby.

– Ils n'ont même pas accroché un cadre.

– L'agent Leoni fait de longues journées. Brian Darby passe des mois d'affilée en mer. Peut-être que, quand ils sont chez eux, ils ont d'autres priorités.

– Comme quoi, par exemple ?

– Viens. Je te montre le garage. »

Ce garage rendit D.D. complètement dingue. Les trois murs de ce large espace éclairé par deux fenêtres étaient recouverts par le système de rangement le plus délirant qu'elle ait jamais vu. Sans rire, du sol au plafond, des panneaux perforés sur lesquels étaient fixés des étagères sur tasseaux, des crochets à vélo, des bacs en plastique qui contenaient des équipements de sport et même un support pour sac de golf fait maison.

Au premier coup d'œil, D.D. fut frappée par deux choses en même temps : Brian Darby devait beaucoup aimer les activités de plein air ; et Brian Darby aurait dû consulter pour maniaquerie aiguë.

« Le sol est propre, dit-elle. On est en mars, il a neigé et toute la ville est pratiquement ensevelie sous une couche de sable. Comment est-ce que le sol peut être aussi propre ?

– Il garait sa voiture dans la rue.

– Il garait son break à soixante mille dollars dans une des rues les plus passantes de Boston plutôt que de salir son garage ?

– Leoni aussi garait sa voiture dehors. L'administration aime que nous laissions nos voitures en évidence dans le quartier – la présence d'un véhicule de police est considérée comme dissuasive.

– C'est du délire. »

D.D. s'approcha d'un mur, où elle trouva un grand balai et une pelle à poussière côte à côte sur un râtelier. Venaient ensuite deux poubelles en plastique et un récipient bleu pour le recyclage, où elle découvrit une demi-douzaine de bouteilles de bière. Les poubelles étaient vides : les sacs avaient déjà dû être emportés par les techniciens de scène de crime. D.D. passa à pas lents à côté du VTT de monsieur, du VTT de madame et d'un petit vélo rose qui appartenait manifestement à Sophie. Elle trouva une rangée de sacs à dos et une étagère dédiée à des chaussures de randonnée de différents poids et pointures, dont une paire rose pour Sophie. Randonnée, vélo, golf, conclut-elle.

L'autre côté du garage lui permit d'adjoindre le ski à cette liste. Six paires de skis, trois de ski alpin, trois de ski de fond. Et trois paires de raquettes de neige.

« Quand Brian Darby était à la maison, il fallait qu'il bouge, ajouta D.D. à son profil psychologique.

– Et il voulait avoir sa famille avec lui, observa Bobby en montrant les équipements pour femme et enfant qui complétaient chaque trio.

– Seulement, comme Tessa nous l'a déjà expliqué, reprit D.D. d'une voix songeuse, elle avait son travail, Sophie avait l'école. Et donc Brian se retrouvait souvent tout seul. Pas de famille aimante pour l'accompagner, pas de public féminin à éblouir par ses prouesses masculines.

– Stéréotypes, la mit en garde Bobby.

– Je t'en prie, répondit D.D. en montrant le garage. On nage dans le stéréotype, là. Ingénieur. Maniaque. Si je reste ici plus longtemps, je vais avoir la migraine.

– Tu ne repasses pas tes jeans ?

– Je n'étiquette pas mes outils. Franchement, regarde-moi ça. »

Elle était arrivée à l'établi, où Brian Darby avait rangé ses outils électriques sur une étagère qui portait une étiquette pour chacun d'eux.

« Beaux outils, s'étonna Bobby. Très beaux outils. Il y en a facile pour mille dollars.

– Et avec ça, il ne retape pas la maison, se lamenta D.D. Je suis à fond avec Tessa sur ce coup-là.

– Peut-être que ce n'est pas de s'en servir qui l'intéresse. Seulement de les acheter. Brian Darby aime avoir des joujoux. Ça ne veut pas dire qu'il s'amuse avec. »

D.D. envisagea cette hypothèse. C'était évidemment une possibilité, qui expliquerait l'état impeccable du garage. Facile de ne pas salir si l'on ne s'y garait jamais, si l'on n'y travaillait jamais, si l'on ne venait jamais y prendre de matériel. Mais elle écarta cette idée.

« Non, il n'a pas pris quinze kilos de muscles en se tournant les pouces à longueur de journée. À ce propos, où sont les appareils de musculation ? »

Ils regardèrent autour d'eux. Avec tous ces jouets, ni haltères, ni banc de musculation.

« Il doit faire partie d'un club, conclut Bobby.

– À vérifier. Donc, Brian est du genre sportif. Mais sa femme et sa fille sont très occupées. Alors peut-être qu'il fait des choses de son côté pour passer le temps. Malheureusement, il trouve quand même la maison vide en rentrant et ne tient pas en place. Alors il commence par récurer à fond le moindre centimètre carré…

– Et ensuite il s'envoie quelques bières. »

D.D. fronçait les sourcils. Elle se dirigea vers le coin d'en face, où le sol en ciment était plus sombre. Elle se baissa, tâta la zone du bout des doigts. Humide.

« Une fuite ? » se demanda-t-elle en essayant de voir si le coin du mur pouvait avoir des problèmes d'infiltration, mais bien sûr les parpaings étaient là aussi recouverts de panneaux perforés.

« Possible, dit Bobby en s'approchant de l'endroit où elle était accroupie. Tout ce coin est bâti à flanc de colline. Il pourrait y avoir des problèmes d'écoulement des eaux, ou même un tuyau qui fuit au-dessus.

– À surveiller, pour voir si ça grandit.

– Tu as peur que la maison s'effondre pendant que tu en es responsable ?

– Non, j'ai peur que ce ne soit pas une fuite d'eau. Ce qui voudrait dire que ça vient d'autre chose, et je voudrais savoir quoi. »

Sans qu'elle s'y attende, Bobby sourit. « Peu importe ce que diront mes collègues : Tessa Leoni a de la chance de t'avoir sur son affaire, et Sophie Leoni a encore plus de chance.

– Oh, va te faire voir. »

D.D. se redressa, toujours plus décontenancée par les compliments qu'elle n'était énervée par les critiques.

« Allez, on y va.

– La tache d'humidité t'a dit où était Sophie ?

– Non. Étant donné que l'avocat de Tessa Leoni n'a pas comme par enchantement appelé pour nous autoriser à l'interroger, on va se concentrer sur Brian Darby. Je veux parler à son patron. Je veux savoir quel genre d'homme éprouve le besoin de trier ses vêtements par couleur et de tapisser son garage d'étagères de rangement.

– Un malade qui a besoin de tout contrôler.

– Tout juste. Et quand quelque chose ou quelqu'un menace d'échapper à ce contrôle...

– Jusqu'à quel point peut-il se montrer violent ? » termina Bobby.

Ils se tenaient au milieu du garage.

« Je ne pense pas que Sophie Leoni ait été enlevée par un inconnu, dit doucement D.D.

– Moi non plus, ajouta Bobby après une fraction de seconde.

– Donc c'est lui, ou c'est elle.

– Il est mort.

– Alors peut-être que l'agent Leoni a fini par ouvrir les yeux. »

8

UNE FEMME N'OUBLIE JAMAIS la première fois où on l'a frappée.

J'ai eu de la chance. Mes parents n'ont jamais levé la main sur moi. Mon père ne m'a jamais giflée parce que j'avais été insolente, ni donné de fessée parce que j'avais délibérément désobéi. Peut-être parce que je n'étais jamais désobéissante à ce point. Ou parce que, quand mon père rentrait à la maison le soir, il était trop fatigué pour s'en soucier. Après la mort de mon frère, mes parents étaient devenus des coquilles vides et le simple fait de se traîner jusqu'au bout de la journée leur prenait toute leur énergie.

À douze ans, j'en étais venue à accepter cette petite maisonnée morbide qui me tenait lieu de famille. Je me suis mise au sport : football, softball, athlétisme, tout ce qui pouvait me permettre de rentrer tard après l'école et de passer le moins de temps possible à la maison. Juliana aussi aimait le sport. Nous étions deux inséparables, toujours en uniforme, toujours en train de courir d'un endroit à un autre.

J'ai pris quelques coups sur les terrains de sport. Au base-ball, un missile en pleine poitrine qui m'a jetée par terre. C'est là que j'ai découvert qu'on voit vraiment trente-six chandelles quand on a le souffle coupé et la tête qui rebondit sur le sol dur.

Et puis il y a eu diverses blessures au football – coup de tête dans le nez, coups de crampon dans le genou, un coup de coude dans le ventre de temps en temps. Croyez-moi, les filles peuvent être des teignes. On n'est pas les dernières quand il s'agit de castagner et de serrer les dents, surtout dans le feu de l'action, quand on essaie d'en mettre un pour l'équipe.

Mais ces coups-là ne me visaient pas personnellement. Juste le genre de dégât collatéral qui se produit quand vous disputez le ballon à votre adversaire. Une fois le match terminé, on se serre la main avec une tape sur les fesses, sans arrière-pensée.

La première fois où j'ai vraiment dû me battre, c'était à l'école de police. Je savais que j'y recevrais une sérieuse formation au combat au corps à corps et je n'attendais que ça. Une femme seule à Boston ? Que je réussisse ou non à intégrer la police, savoir me battre était une excellente idée.

Pendant deux semaines, nous avons fait des exercices de base. Positions défensives pour protéger son visage, ses reins et bien sûr son arme de poing. Ne jamais oublier son arme, nous a-t-on seriné, encore et encore. La plupart des agents qui en sont dépossédés sont ensuite tués avec. Première technique de défense : maîtriser l'agresseur tant qu'il est encore à distance. Mais au cas où ça tournerait mal et où on se retrouverait en situation de combat rapproché, protéger son arme et cogner fort dès que l'occasion se présente.

J'ai découvert que je ne savais pas donner de coup de poing. Ça a l'air facile, comme ça. Mais je serrais mal le poing, je me servais trop de mon bras au lieu d'y mettre tout le poids de mon corps en pivotant le buste. Tous autant que nous étions, même les mecs costauds, nous avons donc encore passé quelques semaines à apprendre comment donner du punch à nos coups.

Au bout de six semaines, les instructeurs ont jugé que nous nous étions suffisamment exercés comme ça. Il était temps de mettre en pratique ce qu'ils nous avaient enseigné.

Ils nous ont répartis en deux équipes. Nous avons tous passé des protections, et les instructeurs nous ont armés, pour commencer, de bâtons rembourrés à qui ils donnaient le doux nom de casse-tête. Ensuite, ils nous ont lâchés.

N'allez pas vous imaginer une seule seconde qu'on m'a mise face à une femme plus ou moins de mon gabarit. Trop facile. En tant qu'agent de police, j'étais censée affronter n'importe quoi et n'importe qui. Alors les formateurs ont volontairement laissé faire le hasard. Je me suis retrouvée face à une autre recrue, Chuck, un mètre quatre-vingt-cinq, cent vingt kilos, ancien joueur de football américain.

Il n'a même pas cherché à me frapper. Il a juste foncé sur moi et m'a envoyée le cul par terre. Je suis tombée comme une masse et le souvenir de cette balle en pleine poitrine m'est revenu pendant que j'essayais de reprendre mon souffle.

L'instructeur a donné un coup de sifflet. Chuck m'a tendu la main pour m'aider à me relever et nous avons recommencé.

Cette fois-ci, je sentais le regard des autres recrues sur moi. J'avais vu la grimace de mon instructeur après ma décevante prestation. J'étais obsédée par l'idée que c'était censé devenir ma nouvelle vie. Si je n'arrivais pas à me défendre, si je n'arrivais pas à me battre, je ne pourrais pas entrer dans la police. Et dans ce cas, qu'est-ce que j'allais faire ? Comment gagner notre vie, à Sophie et à moi ? Comment assurer l'avenir de ma fille ? Qu'est-ce que nous allions devenir ?

Chuck s'est élancé. Cette fois-ci, j'ai fait un pas de côté et je lui ai donné un bon coup de casse-tête dans le ventre. J'ai eu environ une demi-seconde d'autosatisfaction. Ensuite, les cent vingt kilos de Chuck se sont redressés en rigolant et sont revenus vers moi.

Là, ça a été terrible. Encore aujourd'hui, je ne me souviens pas de tout. Je me souviens d'avoir été prise d'une vraie panique. Je bloquais, je bougeais, je lançais mon épaule dans les coups, mais Chuck revenait encore et toujours. Cent vingt kilos de footballeur contre mes soixante kilos de jeune maman désespérée.

L'extrémité rembourrée de son casse-tête est entrée en collision avec mon visage. Ma tête est partie d'un seul coup en arrière pendant que mon nez absorbait le choc. J'ai vacillé, les yeux instantanément noyés de larmes, déséquilibrée, à moitié aveuglée ; j'avais envie de tomber, mais je comprenais avec affolement que je ne pouvais pas. Il m'aurait tuée. C'était l'impression que j'avais. Si je tombais, j'étais morte.

Et puis, finalement, je me suis quand même laissé tomber, petite boule compacte qui s'est ensuite détendue comme un ressort pour se jeter dans les jambes du géant dressé au-dessus de moi. Je l'ai attrapé aux genoux, j'ai donné une secousse sur le côté et je l'ai fait basculer comme un séquoia.

L'instructeur a sifflé. Mes camarades ont applaudi.

Je me suis relevée en titubant, en tâtant précautionneusement mon nez.

« Vous vous en souviendrez », m'a informé mon instructeur avec bonne humeur.

Je suis allée vers Chuck, je lui ai tendu la main pour l'aider à se relever.

Il l'a prise avec gratitude. « Désolé pour ton visage », m'a-t-il dit, tout penaud. Pauvre colosse, obligé de se payer la fille.

Je l'ai rassuré, il n'y avait pas de problème. Chacun de nous faisait ce qu'il avait à faire. Ensuite on nous a assigné de nouveaux adversaires et rebelote.

Ce soir-là, recroquevillée toute seule dans ma chambre d'internat, j'ai enfin pris mon nez dans ma main et pleuré. Parce que je ne savais pas si je serais capable d'en repasser par là. Parce que je n'étais pas certaine d'être vraiment prête pour une nouvelle vie où il faudrait donner et recevoir des coups. Où je pourrais réellement avoir à défendre ma vie.

À ce moment-là, je ne voulais plus être policière. Je voulais juste rentrer chez moi retrouver mon bébé. Je voulais tenir Sophie dans mes bras et respirer l'odeur de son shampoing. Sentir ses petites mains potelées dans mon cou. L'amour inconditionnel de ma fille de dix mois.

Au lieu de ça, le lendemain, je me suis fait rouer de coups, et encore le surlendemain. J'ai enduré les côtes meurtries, les tibias bastonnés, les poignets douloureux. J'ai appris à encaisser. À rendre coup pour coup. Et, au bout des vingt-cinq semaines de formation, je suis ressortie au pas cadencé, la tête haute, couverte d'ecchymoses violacées mais prête à en découdre.

Petite, rapide et teigneuse.

La Tueuse d'Ogre, m'appelaient mes camarades, et j'étais fière de ce surnom.

Cette époque m'est revenue en mémoire pendant que le médecin examinait les résultats du scanner et tâtait doucement les chairs gonflées et violacées autour de mon œil.

« Fracture de l'os zygomatique, a-t-il murmuré, avant d'ajouter à mon intention : Vous avez la pommette cassée. »

Nouvelle lecture attentive d'images, nouvel examen de mon crâne. « Aucun signe d'hématome ni de contusion cérébrale. Vous avez la nausée ? Mal à la tête ? »

J'ai murmuré oui pour les deux.

« Votre nom et la date. »

J'ai retrouvé mon nom, trou noir pour la date.

Au tour du médecin de hocher la tête. « Il n'y a rien sur le scanner, donc vous n'avez sans doute qu'une commotion liée à votre fracture du zygomatique. Et là, qu'est-ce qui s'est passé ? »

Il en avait fini avec ma tête, était passé à mon torse, où la moitié de ma cage thoracique était couverte de traces jaunes et vertes, des ecchymoses en régression.

Je n'ai pas répondu, les yeux rivés au plafond.

Il a palpé mon ventre. « Est-ce que ça fait mal ?

– Non. »

Il a retourné mon bras droit, le gauche, cherchant d'autres lésions. Il en a trouvé une sur ma hanche gauche, encore une ecchymose violet foncé, en forme d'arc cette fois-ci, comme faite par le bout d'une Ranger.

J'avais vu des traces de coups en forme de chevalière, de cadran de montre, et même l'empreinte d'une pièce de vingt-cinq *cents* sur une femme qui s'était fait tabasser avec un rouleau de monnaie par son petit copain. À en juger par la tête du médecin, lui aussi, il avait tout vu.

Le docteur Raj a remis ma blouse d'hôpital en place, pris mon dossier médical pour y rédiger quelques observations.

« Le mieux à faire pour la fracture de la pommette, c'est de ne pas y toucher. On va vous garder cette nuit pour surveiller la commotion cérébrale. Si la nausée et le mal de tête se calment d'ici demain matin, vous pourrez sans doute rentrer chez vous. »

Je n'ai rien dit.

Le docteur s'est rapproché, s'est éclairci la voix :

« J'ai senti une bosse sur la sixième côte, à gauche. Une fracture qui a mal consolidé, je pense. »

Il a laissé un temps, comme s'il attendait que je dise quelque chose, peut-être que je fasse une déclaration qu'il pourrait consigner dans mon dossier : *La patiente indique que son mari l'a jetée par terre et lui a donné un coup de pied dans les côtes. La patiente indique que son mari aime beaucoup sa batte de base-ball.*

Je n'ai rien dit, parce que les déclarations laissent des traces et que ces traces deviennent des preuves qui peuvent être utilisées contre vous.

« Vous vous êtes bandé les côtes vous-même ?

– Oui. »

Le docteur a poussé un grognement ; à lui seul, cet aveu répondait à toutes ses questions.

Tout comme l'ambulancière avant lui, il me voyait comme une victime. Ils étaient tous les deux dans le faux. J'étais une survivante et je marchais sur une corde raide dont il était absolument, totalement, exclu que je tombe.

Le docteur Raj m'observait de nouveau. « Le repos est le meilleur traitement, a-t-il enfin affirmé. Avec votre commotion, je ne peux pas vous prescrire de somnifères, mais je vais demander à l'infirmière de vous apporter de l'ibuprofène pour la douleur.

– Merci.

– À l'avenir, si vous vous cassez encore des côtes, venez me voir tout de suite. Ça me ferait plaisir de les voir mieux bandées.

– Ça va aller. »

Le docteur Raj n'a pas eu l'air convaincu. « Reposez-vous. La douleur et l'œdème diminueront rapidement. Mais j'ai comme l'impression que je ne vous apprends rien. »

Il est parti.

J'avais la joue en feu. La tête me lançait. Mais j'étais satisfaite.

J'étais réveillée, lucide. Et enfin seule.

Le moment de réfléchir à un plan.

Mes poings se sont refermés sur les draps. Scrutant les dalles du plafond avec mon œil valide, je me suis servi de ma douleur pour affermir ma détermination.

Une femme se souviendra de la première fois où on l'a frappée. Mais, avec un peu de chance, elle se souviendra aussi de la première fois où elle a résisté et gagné.

J'étais la Tueuse d'Ogre.

Il suffisait que je réfléchisse. Que j'échafaude un plan. Que je prenne un coup d'avance.

Je pouvais le faire. J'allais le faire.

J'ai perdu mes dents, mes dents de devant. Mais pourtant, maman, je les brossais souvent.

Alors je me suis roulée sur le côté, en boule, et j'ai fondu en larmes.

9

QUAND ELLE NE DIRIGEAIT PAS une cellule de coordination interpolice qui avait pour mission d'élucider un meurtre et de voler au secours d'une enfant, D.D. était à la tête d'une équipe de trois personnes à la brigade criminelle. Son premier coéquipier, Phil, était le type même du père de famille, marié à sa petite amie de lycée, quatre enfants à la maison. L'autre, Neil, était un rouquin efflanqué qui avait été ambulancier avant de rejoindre la police municipale. C'était généralement lui qui supervisait les autopsies pour l'équipe et il passait tellement de temps à la morgue qu'il sortait maintenant avec le légiste, Ben Whitley.

D.D. avait toute une cellule d'enquête à sa disposition ; elle préférait quand même travailler avec ceux qu'elle connaissait. Elle chargea Neil de l'autopsie de Brian Darby, provisoirement programmée pour le lundi après-midi. En attendant, Neil pourrait commencer à harceler le personnel médical qui s'occupait de Tessa Leoni pour savoir quelle était la gravité de ses blessures et si elle avait été sujette à des « accidents » par le passé. D.D. demanda à Phil, leur spécialiste du moulinage de données, de lui sortir les antécédents de Brian Darby et Tessa Leoni. Et, bien sûr, de lui trouver pour quelle boîte travaillait Brian Darby, tout de suite.

Il s'avéra que Brian était un employé de l'Alaska South Slope Crude ou ASSC. Le siège social, à Seattle, était fermé le dimanche. Ce qui n'arrangeait pas les affaires de D.D. Installée dans le PC mobile, elle se mordillait l'intérieur de la joue, une bouteille d'eau entre les mains. Le raz-de-marée policier du début avait reflué. La plupart des voisins s'étaient dispersés, laissant dans leur sillage l'habituel assortiment de déclarations grommelées : « rien vu, au courant de rien ». Ne restait que les médias, qui faisaient toujours le siège sur le trottoir d'en face et réclamaient à cor et à cri une conférence de presse.

Il allait sans doute falloir que D.D. s'occupe de ça, mais elle n'était pas encore prête. Elle voulait d'abord qu'il se passe quelque chose. La découverte d'une piste qu'elle pourrait jeter en pâture à la meute. Ou bien une nouvelle information qui permettrait aux médias de travailler pour elle. Quelque chose. N'importe quoi.

Bon sang, ce qu'elle était fatiguée. Vraiment, réellement, viscéralement fatiguée, à se coucher par terre dans le PC et s'endormir dans la seconde. Elle n'arrivait pas à s'habituer. Ces violentes nausées suivies d'une sensation d'épuisement qui la laissait pratiquement sans forces. Cinq semaines de retard et son corps ne lui appartenait déjà plus.

Qu'est-ce qu'elle allait faire ? Comment en parler à Alex alors qu'elle-même ne savait pas où elle en était ?

Mais qu'est-ce qu'elle allait faire ?

Bobby, en pleine conversation avec son lieutenant-colonel, finit par raccrocher et venir s'asseoir à côté d'elle en étirant ses jambes.

« Tu as faim ?

– Pardon ?

– Il est plus de deux heures, D.D. Il faut qu'on déjeune. »

Elle le regarda d'un œil vide, sans croire tout à fait qu'il était si tard et clairement pas prête à affronter tous les problèmes associés à la prise des repas ces derniers temps.

« Tu vas bien ? »

Il avait posé la question d'une voix neutre.

« Évidemment que je vais bien ! Je suis juste… préoccupée. Au cas où tu ne serais pas au courant, il nous manque toujours une petite fille de six ans.

– Dans ce cas, j'ai un cadeau pour toi, dit Bobby en lui tendant une feuille de papier. Le lieutenant-colonel vient de nous faxer ça. Ça vient du dossier de Tessa Leoni ; la personne à contacter en cas d'urgence n'y est pas son mari.

– Pardon ?

– Mme Brandi Ennis. J'imagine qu'elle devait garder Sophie quand Leoni était en patrouille et Brian Darby en mer.

– La vache. »

D.D. attrapa le document, en parcourut le contenu et ouvrit son téléphone.

Brandi Ennis décrocha dès la première sonnerie. Oui, elle avait vu les informations. Oui, elle voulait parler. Tout de suite. Chez elle, ce serait parfait. Elle indiqua une adresse.

« Donnez-nous un quart d'heure », dit D.D. à cette dame qui paraissait âgée.

Douze minutes plus tard, Bobby et elle se garaient devant un immeuble en brique trapu. De petites fenêtres dont le cadre blanc s'écaillait. Un perron dont le ciment se désagrégeait.

Des logements bon marché, jugea D.D., qui devaient quand même peser lourd dans le budget de la plupart des locataires.

Devant l'immeuble, deux gamins essayaient de faire un minable bonhomme de neige. Voyant deux policiers descendre de voiture, ils rentrèrent précipitamment. D.D. fit la grimace. Toutes ces heures à essayer de resserrer les liens avec la population, et la génération montante se méfiait toujours autant de la police que la précédente. Cela ne facilitait la vie de personne.

Mme Ennis habitait au deuxième étage, appartement 2C. Bobby et D.D. prirent les escaliers, frappèrent doucement à la porte en bois balafrée. Mme Ennis ouvrit avant même que la main de D.D. ne soit retombée : manifestement, elle les attendait.

Elle les invita à entrer dans un studio, petit mais soigné. Placards de cuisine à gauche, table de cuisine à droite, canapé-lit à fleurs marron droit devant. La télé était allumée et braillait, posée sur un méchant meuble micro-ondes. Mme Ennis prit une seconde pour aller l'éteindre. Puis elle leur offrit poliment du thé ou du café.

D.D. et Bobby déclinèrent, mais cela n'empêcha pas Mme Ennis de s'affairer devant ses placards, de mettre de l'eau à chauffer, de sortir un paquet de galettes.

C'était une femme âgée, plus ou moins soixante-dix ans. Des cheveux gris acier, une coupe courte sans fantaisie. Elle portait un jogging bleu foncé sur une silhouette menue et voûtée. Ses mains noueuses tremblaient légèrement en ouvrant la boîte de biscuits, mais ses mouvements vifs étaient ceux d'une femme qui savait ce qu'elle faisait.

D.D. prit le temps de faire le tour de l'appartement, juste au cas où Sophie aurait miraculeusement été assise dans le canapé avec son sourire édenté, en train de jouer dans la baignoire avec des canards ou même cachée dans l'unique placard pour échapper à des parents maltraitants.

Refermant la porte de la penderie, Mme Ennis lui dit posément : « Vous pouvez vous asseoir maintenant, commandant. Je n'ai pas l'enfant et jamais je n'aurais fait une chose pareille à sa pauvre mère. »

Dûment chapitrée, D.D. retira son gros blouson d'hiver pour s'asseoir. Bobby avait déjà attaqué les biscuits.

D.D. les regarda. Comme son estomac ne se souleva pas pour protester, elle tendit une main prudente. Jusque-là, les aliments simples comme les biscuits et les céréales sèches lui avaient bien réussi. Elle prit quelques bouchées pour voir et décida que c'était peut-être son jour de chance parce que, maintenant qu'elle y pensait, elle crevait la dalle.

« Depuis combien de temps connaissez-vous Tessa Leoni ? » demanda-t-elle.

Mme Ennis s'était assise, un mug de thé entre les mains. Elle avait les yeux rouges, comme si elle avait pleuré, mais elle semblait calme. Prête à parler.

« J'ai rencontré Tessa il y a sept ans, quand elle a emménagé dans l'immeuble. L'appartement d'en face, le 2D. Un studio aussi, même si elle a pris un deux pièces pas longtemps après la naissance de Sophie.

– Vous l'avez rencontrée avant qu'elle ait Sophie ?

– Oui. Elle était enceinte de trois ou quatre mois. Juste une petite jeune fille avec son petit ventre. J'ai entendu un gros boum et je suis sortie sur le palier. Tessa avait voulu monter sa batterie de cuisine dans un carton et il lui était resté entre les mains. J'ai proposé mon aide et elle a refusé, mais j'ai quand même ramassé sa sauteuse et c'est comme ça que tout a commencé.

– Vous êtes devenues amies ?

– Je l'invitais de temps à temps à dîner et elle me rendait la pareille. Deux femmes seules dans l'immeuble. C'était agréable d'avoir un peu de compagnie.

– Et elle était déjà enceinte ?

– Oui.

– Elle parlait souvent du père ?

– Elle n'en a jamais rien dit.

– Des petits copains, une vie sociale, des visites de sa famille ?

– Pas de famille. Pas de garçons non plus. Elle travaillait dans une cafétéria, elle essayait d'économiser pour la naissance. Pas facile, d'attendre un bébé toute seule.

– Pas d'homme dans son entourage ? insista D.D. Peut-être qu'il lui est arrivé de sortir tard le soir, de traîner avec des amis…

– Elle n'a pas d'amis, répondit Mme Ennis, catégorique.

– Pas d'amis ?

– Ce n'est pas son genre. »

D.D. jeta un regard vers Bobby, qui semblait lui aussi intrigué par cette information.

« C'est quoi, son genre ? finit par demander D.D.

– Indépendante. Réservée. Son bébé comptait beaucoup pour elle. Dès le début, elle ne parlait que de ça et ne travaillait que pour ça. Elle savait que ce serait difficile d'élever un enfant toute seule. Tenez, elle était précisément assise à cette table quand elle a eu l'idée d'entrer dans la police.

– Ah bon ? Pourquoi la police ? demanda Bobby.

– Elle essayait de prévoir l'avenir. Elle ne pouvait pas franchement subvenir toute sa vie aux besoins d'un enfant en travaillant dans une cafétéria. Alors nous avons commencé à discuter des possibilités qui s'offraient à elle. Elle avait son diplôme du secondaire. Elle ne se voyait pas derrière un bureau, mais l'idée d'un métier qui lui permettrait d'être active, de bouger, lui plaisait. Mon fils était devenu pompier. Nous en avons parlé et, du jour au lendemain, Tessa s'est fixée sur la police. Elle s'est renseignée pour poser sa candidature, elle a fait toutes sortes de recherches. Le salaire était bon, elle remplissait les critères. Ensuite, bien sûr, elle a découvert qu'il fallait aller à l'école et ça lui a coupé les ailes. C'est là que j'ai proposé de garder le bébé. Je n'avais même pas encore vu la petite Sophie, mais j'ai dit que je la prendrais. Si Tessa arrivait à franchir les autres étapes du recrutement, je l'aiderais pour la garde d'enfant. »

D.D. regardait Bobby. « Combien de temps, déjà, l'école de police ?

– Vingt-cinq semaines. On dort à l'internat, on ne rentre chez soi que le week-end. Pas facile pour un parent célibataire.

– Figurez-vous que nous nous en sommes très bien sorties, dit Mme Ennis avec raideur. Tessa avait posé sa candidature avant la naissance. Elle a été acceptée dans la session de formation suivante, Sophie avait neuf mois. Je sais que Tessa était inquiète. Moi aussi, je l'étais. Mais il y avait aussi un côté excitant, dit la vieille dame, une lumière dans le regard. Vous êtes célibataire ? demanda-t-elle à D.D. Vous avez des enfants ? C'est stimulant de tourner une nouvelle page, de prendre un risque qui pourrait entièrement bouleverser votre avenir et celui de votre enfant.

» Tessa avait toujours été sérieuse, mais elle est devenue très appliquée. Déterminée. Elle savait à quoi elle s'attaquait : devenir policière quand on est mère célibataire… Mais elle était aussi convaincue qu'entrer dans la police d'État était la meilleure chance qu'elle pouvait offrir à sa fille et à elle-même. Elle n'a jamais flanché. Et celle-là, une fois qu'elle s'est mis une idée en tête…

– Une mère célibataire déterminée, murmura D.D.

– Très.

– Aimante ?

– Toujours ! assura Mme Ennis.

– Et le jour où elle a reçu son diplôme, reprit Bobby, vous êtes allée l'applaudir ?

– Je m'étais même acheté une nouvelle robe.

– Quelqu'un d'autre sur le banc de ses supporters ?

– Rien que Sophie et moi.

– Elle a dû commencer les patrouilles tout de suite, continua Bobby. Faire les nuits et ensuite rentrer s'occuper d'un petit enfant…

– Elle avait envisagé de mettre Sophie à la garderie, mais je n'ai pas voulu en entendre parler. Sophie et moi nous étions très bien entendues pendant le stage à l'école de police. Rien de plus facile que de traverser le couloir pour aller dormir sur le canapé de Tessa au lieu du mien. Quand Sophie se réveillait, je l'emmenais chez moi jusqu'après le déjeuner pour que Tessa puisse se reposer un peu. Ça n'avait rien de bien embêtant de m'occuper de Sophie pendant quelques heures. Seigneur, cette enfant... Toujours des sourires, des rires, des bisous, des câlins. Nous aurions tous bien de la chance d'avoir une petite Sophie dans nos vies.

– Une enfant heureuse ? demanda D.D.

– Et drôle, et vive. Une jolie petite fille. J'ai failli mourir de chagrin quand elles ont déménagé.

– C'était quand ?

– Quand elle a rencontré son mari, Brian. Il a fait leur conquête en un clin d'œil. Un vrai prince charmant. Tessa méritait bien ça, après avoir travaillé si dur toute seule. Et Sophie aussi. Toutes les petites filles devraient avoir la chance d'être la petite princesse d'un papa.

– Vous aimiez Brian Darby ? demanda D.D.

– Oui, répondit Mme Ennis, mais sur un ton nettement plus réservé.

– Comment s'étaient-ils rencontrés ?

– Par le travail, je crois. Brian était l'ami d'un collègue de Tessa. »

D.D. regarda Bobby, qui hocha la tête et prit une note.

« Il a passé beaucoup de temps ici ?

– Non. Trop petit. C'était plus facile pour elles d'aller chez lui. Il y a eu une période où je n'ai plus beaucoup vu Tessa et Sophie. Et j'étais heureuse pour elles, bien sûr, bien sûr. Seulement, soupira Mme Ennis, je n'ai pas de petits-enfants. Sophie, c'est comme ma petite-fille et elle me manque.

– Mais vous continuez à les dépanner ?

– Quand Brian partait en mer. Pendant deux mois, je vais dormir là-bas avec Sophie, comme au bon vieux temps. Le matin, je l'emmène à l'école. Je suis aussi la personne à contacter en cas d'urgence parce que, avec son travail, Tessa ne peut pas toujours se libérer sur-le-champ. Donc, les jours de neige ou quand Sophie est un peu patraque, je la garde. Et ça ne m'embête pas. Je vous le disais, Sophie est comme ma petite-fille. »

D.D. fit la moue, observa la vieille dame.

« Quel genre de mère est l'agent Leoni, d'après vous ?

– Elle ne reculerait devant rien pour Sophie, répondit immédiatement Mme Ennis.

– Est-ce qu'il lui arrivait de boire ?

– Certainement pas.

– Pourtant, ça devait être stressant. Travailler, rentrer chez soi s'occuper d'un enfant. J'ai l'impression qu'elle n'avait jamais une minute à elle.

– Je ne l'ai jamais entendue se plaindre, s'obstina Mme Ennis.

– Elle ne vous a jamais appelée parce qu'elle passait une mauvaise journée, qu'elle aurait eu besoin de souffler un peu ?

– Non. Quand elle ne travaillait pas, elle voulait être avec sa fille. Sophie était tout pour elle.

– Jusqu'au jour où elle a rencontré son mari. »

Mme Ennis ne répondit pas tout de suite.

« Franchement ?

– Franchement.

– Je crois que Tessa aimait Brian parce que Sophie aimait Brian. Parce que, au moins au début, Brian et Sophie s'entendaient très bien.

– Au début », releva D.D.

La vieille dame soupira, baissa les yeux vers son thé. « Le mariage, dit-elle d'une voix chargée d'émotion, c'est toujours tout nouveau tout beau dans les premiers temps… » Nouveau soupir. « Naturellement, je ne peux pas vous dire ce qui se passait dans leur intimité.

– Mais…, insista D.D.

– Au début, Brian, Tessa et Sophie se rendaient heureux. Tessa rentrait en me parlant de randonnées, de pique-nique, de promenades à vélo et de barbecues, tout ce qui peut être agréable. Ils s'amusaient bien ensemble.

« Mais on ne fait pas que s'amuser dans un mariage. Il y avait aussi les moments où Brian s'embarquait et où Tessa se retrouvait dans une maison avec un jardin et une tondeuse en panne, et il fallait qu'elle se débrouille toute seule parce qu'il était parti, qu'elle était là, et qu'une maison, il faut bien s'en occuper, comme il faut s'occuper des enfants, des chiens ou de son travail. Je l'ai vue... je l'ai vue craquer plus souvent. Quand Brian était à la maison, la vie était plus facile, je crois. Mais quand il était parti, elle était devenue beaucoup plus compliquée. Elle avait plus de choses à gérer, plus de choses dont elle devait s'occuper que lorsqu'elle était seule dans un petit deux pièces avec Sophie. »

D.D. acquiesça. Elle comprenait. Ce n'était pas pour rien qu'elle n'avait ni jardin ni plante ni poisson rouge.

« Et pour Brian ?

– Bien sûr, il ne s'est jamais confié à moi.

– Bien sûr.

– Mais, d'après ce que me disait Tessa... Quand il était sur le bateau, il travaillait. Sans répit, apparemment, sans jours de congé. Alors, quand il rentrait, il n'avait pas toujours envie de se mettre tout de suite à des tâches ménagères, à la tonte de la pelouse ou même à l'éducation d'un enfant.

– Il avait envie de s'amuser, conclut D.D.

– Il avait besoin de temps pour se détendre. Tessa a modifié le planning pour que je continue à venir garder Sophie le matin pendant la semaine qui suivait son retour. Mais ça non plus, ça n'a pas plu à Brian : il disait qu'il ne pouvait pas se détendre quand j'étais dans la maison. Alors nous sommes revenus à l'ancienne organisation. Ils faisaient des efforts, expliqua Mme Ennis avec véhémence, mais ils avaient des emplois du temps compliqués. Tessa n'avait pas le choix de ses horaires et elle ne rentrait pas toujours à l'heure prévue. Avec

Brian qui disparaissait pendant soixante jours et ensuite revenait pour soixante jours... Je crois que ce n'était facile ni pour l'un ni pour l'autre.

– Vous les avez entendus se disputer ? »

Mme Ennis contemplait son thé. « Pas se disputer... Je sentais une tension. Parfois, Sophie... Quand Brian rentrait, elle restait étrangement silencieuse pendant quelques jours. Et quand il repartait, elle s'égayait. Un père qui va et vient comme ça, ce n'est pas facile à comprendre pour un enfant. Avec le stress qui régnait dans la maison... les enfants sentent ces choses-là.

– Il la frappait ?

– Grands dieux, non ! Et si j'avais eu l'ombre d'un doute, je l'aurais signalé moi-même.

– À qui ?

– À Tessa, bien sûr.

– Il frappait Tessa ? »

Mme Ennis hésita. D.D. observa la vieille dame avec un regain d'intérêt.

« Je ne sais pas.

– Vous ne savez pas ?

– Il m'est arrivé de remarquer des bleus. Une ou deux fois, il n'y a pas très longtemps, j'ai eu l'impression que Tessa boitait. Mais quand je lui posais la question, elle avait glissé sur le perron verglacé, fait une petite chute en raquettes. Ils font beaucoup de sport. Ça arrive, que les sportifs se blessent.

– Mais pas Sophie.

– Pas Sophie ! répondit farouchement Mme Ennis.

– Parce que, là, vous auriez réagi. »

Pour la première fois, la bouche de la femme se mit à trembler. Elle détourna le regard et D.D. vit qu'elle avait honte.

« Vous soupçonniez qu'il la battait, continua posément D.D. Vous craigniez que Tessa soit maltraitée par son mari, mais vous n'avez rien fait.

– Il y a six ou huit semaines... C'était évident qu'il s'était passé quelque chose, elle avait du mal à se déplacer, mais elle refusait de le reconnaître. J'ai essayé d'aborder le sujet...

– Qu'est-ce qu'elle a répondu ?

– Qu'elle était tombée dans ses escaliers extérieurs. Qu'elle avait oublié de saler, que c'était entièrement sa faute.... »

Mme Ennis fit une moue sceptique.

« Je n'y comprenais rien, reprit la vieille dame. Tessa est policière. Elle a été formée, elle est armée. Je me disais que, si elle avait vraiment besoin d'aide, elle m'en parlerait. Ou qu'elle en parlerait à un collègue. Elle passe ses journées avec des policiers. Comment est-ce qu'elle a pu rester sans demander d'aide ? »

La question à un million de dollars, songea D.D. Elle lut sur le visage de Bobby qu'il pensait la même chose. Il se pencha en avant pour capter l'attention de Mme Ennis.

« Est-ce que Tessa vous aurait parlé du père biologique de Sophie ? Est-ce qu'il aurait repris contact récemment, montré de l'intérêt pour son enfant ?

– Tessa ne parlait jamais de lui. J'ai toujours pensé que ça n'intéressait pas cet homme d'être père. Elle disait qu'il avait trouvé mieux ailleurs et s'en tenait là.

– Est-ce que Tessa vous aurait dit être inquiète après une arrestation faite récemment ? »

Mme Ennis secoua la tête.

« Est-ce qu'elle aurait eu des problèmes à son travail, avec un collègue, par exemple ? Ça ne devait pas être facile d'être la seule femme à la caserne de Framingham. »

Là encore, Mme Ennis secoua la tête. « Elle ne parlait jamais de son travail. Pas à moi, en tout cas. Mais elle en était fière. Je le voyais rien qu'en la regardant partir pour sa patrouille tous les soirs. Peut-être qu'elle a choisi la police d'État parce qu'elle a pensé que ce serait bien pour son enfant, mais ça lui a fait du bien, à elle aussi. Un métier à poigne pour une femme à poigne.

– Vous pensez qu'elle aurait pu tuer son mari ? » demanda D.D. sans prendre de gants.

Mme Ennis refusa de répondre.

« Et s'il avait fait du mal à son enfant ? »

Mme Ennis releva vivement la tête. « Oh, Seigneur. Vous ne voulez pas dire… » Elle se mit la main sur la bouche. « Vous pensez que Brian a tué Sophie ? Vous pensez qu'elle est morte ? Mais l'alerte-enlèvement… Je pensais qu'elle avait simplement disparu. Qu'elle s'était peut-être sauvée au milieu de la confusion…

– Quelle confusion ?

– Les journaux disent qu'il y a eu un incident. Qui a fait une victime. J'ai cru qu'il y avait peut-être eu une intrusion, un affrontement. Que Sophie avait pris la fuite pour se mettre à l'abri.

– Qui se serait introduit dans la maison ?

– Je ne sais pas. On est à Boston. Des cambrioleurs, des malfaiteurs… Ça arrive.

– Il n'y a aucun signe d'effraction, indiqua D.D. en laissant à Mme Ennis le temps d'analyser l'information. Tessa a avoué le meurtre de son mari. Nous essayons de déterminer ce qui a pu provoquer cet événement et où se trouve Sophie.

– Oh, mon Dieu. Mon Dieu… mon Dieu… »

Les mains de Mme Ennis montèrent de sa bouche à ses yeux ; elle était déjà en larmes. « Jamais je n'aurais pensé… Même si Brian pouvait parfois… se mettre en colère, jamais je ne me serais douté que les choses s'étaient dégradées à ce point. Voyons, il était souvent absent, n'est-ce pas ? Si c'était à ce point, pourquoi est-ce qu'elle ne l'a pas tout simplement quitté avec Sophie pendant qu'il n'était pas là ? Je les aurais aidées. Elle devait bien le savoir !

– Excellente question, convint D.D. à mi-voix. Pourquoi Sophie et elle ne sont-elles pas tout bonnement parties pendant qu'il était en mer ?

– Est-ce que Sophie parlait beaucoup de l'école ? intervint Bobby. Est-ce qu'elle avait l'air de s'y plaire, d'y avoir des problèmes ?

– Sophie adorait l'école. Elle était en cours préparatoire. Avec Mme DiPace. Elle s'était lancée dans la lecture de tous les romans de Junie B. Jones, avec un peu d'aide. Mais elle lisait vraiment, comme ça. C'est une enfant brillante. Et sage, aussi. Je peux... je peux vous trouver le nom du directeur, des enseignants, j'ai la liste de toute l'école puisque c'était moi qui l'emmenais la moitié du temps. Tout le monde n'avait toujours que des choses formidables à dire sur elle, et, oh mon Dieu, un instant... »

Mme Ennis, qui s'était levée, tourna en rond avant de se souvenir de ce qu'elle devait faire. Elle se dirigea vers une petite table basse à côté du canapé, ouvrit le tiroir du haut et en sortit des feuilles.

« Des activités extrascolaires ? demanda D.D.

– Il y avait un atelier de travaux manuels après l'école. Le lundi. Sophie adorait.

– Des parents parmi les animateurs ? » demanda Bobby.

D.D. approuva d'un signe de tête ; elle savait où il voulait en venir : encore des parents dont il faudrait passer les antécédents à la moulinette.

Mme Ennis revint vers eux avec plusieurs documents : un calendrier scolaire, les coordonnées du personnel administratif, une chaîne téléphonique pour que les parents se préviennent entre eux si l'école était fermée pour cause de neige.

« Est-ce que vous voyez quelqu'un qui aurait pu vouloir du mal à Sophie ? » demanda D.D. avec autant de tact que possible.

Mme Ennis secoua la tête, l'air toujours dévastée.

« Si elle s'est sauvée, vous avez une idée de l'endroit où elle aurait pu se cacher ?

– Dans l'arbre, répondit immédiatement Mme Ennis. Quand elle voulait s'isoler, elle grimpait toujours dans le grand chêne du jardin. Tessa disait qu'elle faisait la même chose quand elle était petite. »

Bobby et D.D. hochèrent la tête. Ils avaient tous les deux scruté les branches dénudées de l'arbre. La petite Sophie n'y était pas perchée.

« Comment allez-vous chez eux ? pensa à demander D.D. alors que Bobby et elle se levaient.

– En bus.

– Est-ce que Sophie l'a déjà pris avec vous ? Est-ce qu'elle sait se repérer dans les transports en commun ?

– Nous avons pris le bus ensemble. Mais je ne pense pas qu'elle saurait... »

Mme Ennis s'interrompit et son regard sombre s'éclaira.

« Mais elle connaît ses pièces de monnaie. Les dernières fois que nous avons pris le bus, c'est elle qui a compté l'argent. Et elle est téméraire. Si elle pensait avoir besoin de prendre le bus pour une raison ou une autre, je la verrais bien essayer toute seule.

– Merci, Mme Ennis. Si vous voyez autre chose... », dit D.D. en lui tendant sa carte.

Bobby avait ouvert la porte. Au dernier moment, alors que D.D. sortait dans le couloir, Bobby se retourna.

« Vous dites que c'est un autre policier qui a présenté Tessa à Brian. Vous vous souvenez qui ?

– Oh, c'était à un barbecue..., dit Mme Ennis en fouillant sa mémoire. Shane. C'est comme ça que Tessa l'appelait. Elle était allée chez Shane. »

Bobby la remercia et suivit D.D. dans les escaliers.

« Qui est Shane ? » demanda D.D. sitôt dehors.

Ils soufflaient une haleine givrée tout en enfilant leurs gants.

« Shane Lyons de la caserne de Framingham, j'imagine.

– Le délégué syndical !

– Tout juste. C'est lui aussi qui a donné l'alerte.

– Alors il est le prochain sur la liste des interrogatoires. »

D.D. regarda l'horizon au loin, remarqua que la lumière du jour baissait rapidement et sentit son cœur se serrer. « Oh, non. Bobby… Il fait presque nuit !

– Alors on ferait mieux d'accélérer le mouvement. »

Bobby descendit sur le trottoir et D.D. lui emboîta rapidement le pas.

10

J'ÉTAIS EN TRAIN DE RÊVER. Je le savais confusément, mais je n'ai pas cherché à sortir de mon sommeil. Je reconnaissais cet après-midi d'automne, ces précieuses bribes de souvenir, et je ne voulais pas les quitter. J'étais avec mon mari et ma fille. Nous étions ensemble et nous étions heureux.

Dans mon rêve/souvenir, Sophie a cinq ans, ses cheveux bruns sont ramenés en une courte queue de cheval sous son casque, elle se promène dans le parc du quartier sur son vélo rose avec ses grosses roues stabilisatrices blanches. Brian et moi la suivons, main dans la main. Brian a l'air détendu, les épaules relâchées. C'est une magnifique journée d'automne à Boston, le soleil brille sur les feuilles mordorées, la vie est belle.

Sophie arrive au sommet d'une côte. Elle attend que nous la rattrapions, il lui faut un public. Puis, avec un cri perçant, elle se pousse du pied et s'élance dans la petite pente en pédalant comme une folle pour aller le plus vite possible.

Je secoue la tête devant mon petit casse-cou. Peu importe que mon ventre se soit crispé au moment où elle a démarré, j'ai appris à ne pas laisser mon visage trahir mes émotions. Mon inquiétude ne fait que l'encourager – « faire peur à maman » est un de leurs jeux favoris, à Brian et elle.

« Je veux aller plus vite ! annonce Sophie en bas de la côte.

– Trouve une plus grande pente », répond Brian.

Je lève les yeux au ciel en les regardant tous les deux. « C'était bien assez rapide comme ça, merci bien.

– Je veux enlever mes petites roues. »

Je m'arrête, je n'en reviens pas. « Tu veux enlever tes petites roues ?

– Oui, répond-elle, catégorique. Je veux faire du vélo comme les grands. Avec deux roues. Comme ça, j'irai plus vite. »

Je ne suis pas sûre de ce que j'en pense. À quel âge m'a-t-on enlevé mes petites roues ? Cinq, six ans, je ne me souviens pas. Sans doute relativement tôt. J'ai toujours été un garçon manqué. Comment reprocher à Sophie de partager ce trait de caractère avec moi ?

Brian est déjà à côté du vélo, il regarde comment les roulettes sont fixées.

« Va falloir des outils », constate-t-il, et, voilà, en un clin d'œil, c'est décidé. Brian retourne en petites foulées chercher un jeu de clés à molette, Sophie fait des bonds dans le parc en annonçant à tous les inconnus et à au moins une demi-douzaine d'écureuils qu'elle va faire du vélo à deux roues. Tout le monde est impressionné, surtout les écureuils, qui lui répondent en jacassant avant de détaler dans les arbres.

Brian revient moins d'un quart d'heure plus tard ; il a dû faire l'aller et retour en courant et je ressens une bouffée de gratitude. Qu'il aime autant Sophie. Qu'il comprenne si bien l'impulsivité d'une enfant de cinq ans.

Retirer les petites roues se révèle d'une extrême facilité. Quelques minutes, et Brian les jette dans l'herbe pendant que Sophie enfourche son vélo ; les pieds bien à plat sur le sol, elle resserre les sangles de son casque rouge et nous regarde avec solennité.

« Je suis prête », déclare-t-elle.

Et, l'espace d'un instant, une main sur le ventre, je me dis : *Mais moi pas.* Je ne suis vraiment pas prête. Est-ce qu'hier encore elle n'était pas ce tout petit nouveau-né bien calé au creux de mon épaule ? Ou ce bébé de dix mois qui faisait un premier pas téméraire sur des jambes mal assurées ? Comment a-t-elle pu grandir autant, où sont passées toutes ces années et comment les faire revenir ?

Elle est tout pour moi. Comment vais-je réagir si elle tombe ?

Brian s'avance déjà. Il dit à Sophie de monter sur son vélo. Une main sur le guidon, il tient l'arrière de la selle banane de l'autre main pour stabiliser l'engin.

Sophie s'assoit sur la selle, les deux pieds sur les pédales. Elle semble à la fois grave et déterminée. Elle va y arriver, la seule inconnue, c'est le nombre de chutes qu'il lui faudra.

Brian lui parle. Il lui murmure des instructions que je n'entends pas parce que c'est plus facile de rester en retrait, à distance de ce qui est sur le point d'arriver. Les mères étreignent, les pères laissent s'envoler. C'est sans doute ainsi que va le monde.

J'essaie à nouveau de me souvenir de la première fois où j'ai fait du vélo sans petites roues. Est-ce que mon père m'a aidée ? Est-ce que ma mère est sortie assister à l'événement ? Pas moyen de me souvenir. Je voudrais avoir un quelconque souvenir de mon père me donnant un conseil, de mes parents faisant attention à moi.

Mais je ne trouve rien. Ma mère est morte. Et mon père m'a bien fait comprendre il y a dix ans qu'il ne voulait plus jamais me revoir.

Il ne sait pas qu'il a une petite-fille qui s'appelle Sophie. Il ne sait pas que sa fille unique est devenue policière. Son fils est mort. Sa fille, il l'a rejetée.

Brian met Sophie bien dans l'axe. Le vélo tremble un peu. Sophie est nerveuse. À moins que ce ne soit Brian. Ils sont tous les deux tendus, concentrés. Je reste à l'écart, incapable de parler.

Sophie commence à pédaler. À côté d'elle, Brian passe au petit trot, les mains sur le vélo, il aide Sophie à garder son équilibre pendant qu'elle prend de la vitesse. Elle accélère. Encore et encore.

Je retiens mon souffle, les deux poings serrés. Dieu merci, elle a un casque. C'est la seule chose que j'arrive à penser. Dieu merci, elle a un casque, et pourquoi donc n'ai-je pas entièrement emballé mon enfant dans du papier bulle avant de la laisser monter en selle ?

Brian la lâche.

Sophie s'élance, pédale avec énergie. Un mètre, deux mètres, trois mètres. D'un seul coup, elle baisse les yeux, semble s'apercevoir que Brian n'est plus à côté d'elle, qu'elle est vraiment toute seule. L'instant suivant, le guidon part à 90 degrés et elle tombe. Cri de surprise, fracas impressionnant.

Avant que j'aie pu faire trois pas, Brian est déjà à genoux à côté d'elle. Il dégage Sophie de son vélo, la remet sur ses pieds, inspecte chaque membre.

Sophie ne pleure pas. Au contraire, elle se retourne vers moi qui accours sur le chemin.

« Tu m'as vue ? crie ma petite folle. Maman, tu m'as vue ?

– Oui, oui, oui », lui assuré-je en toute hâte. J'arrive enfin sur place et vérifie qu'elle n'a rien. Elle va bien ; moi, j'ai pris vingt ans d'un coup.

« Encore ! » demande ma fille.

Brian rit en redressant son vélo et en l'aidant à remonter. « Tu es folle », dit-il en secouant la tête.

Sophie rayonne.

À la fin de l'après-midi, elle file dans le parc avec aisance et les petites roues ne sont plus qu'un lointain souvenir. Brian et moi ne pouvons plus la suivre en flânant ; elle va trop vite pour nous. Nous nous asseyons sur une table de pique-nique pour la regarder tourner frénétiquement sur son vélo.

Nous nous tenons de nouveau par la main, blottis l'un contre l'autre dans la fraîcheur de la fin d'après-midi. Je pose ma tête sur son épaule tandis que Sophie passe devant nous à toute vitesse.

« Merci, dis-je.

– Elle est dingue, dit-il.

– Je crois que je n'y serais jamais arrivée.

– Et moi donc, j'en ai encore le cœur qui bat à cent à l'heure. »

Surprise, je me redresse pour le regarder. « Elle t'a fait peur ?

– Tu plaisantes ? Ce premier gadin..., dit-il en secouant la tête. Personne ne vous dit à quel point c'est terrifiant d'être parent. Et ce n'est qu'un début. La prochaine fois, elle voudra un vélo d'acrobatie, tu verras. Elle sautera les escaliers, se mettra debout sur le guidon. Il va me falloir cette crème pour les cheveux, comment déjà, celle qui cache les cheveux blancs ?

– Just for Men ?

– C'est ça. Dès qu'on rentre, j'en commande une caisse. »

Je ris. Il me prend par les épaules.

« Elle est vraiment incroyable », dit-il, et je ne peux qu'acquiescer, parce qu'il a touché juste. C'est Sophie, et Sophie est la meilleure chose qui nous soit jamais arrivée à tous les deux.

« Je suis désolé pour ce week-end », dit Brian, une ou deux minutes plus tard.

Je hoche la tête sur son épaule, accepte ce qu'il me dit sans le regarder.

« Je ne sais pas à quoi je pensais, continue-t-il. Je crois que je me suis laissé emporter. Ça n'arrivera plus.

– Ce n'est pas grave », dis-je, et je le pense. À ce stade de notre mariage, j'accepte encore ses excuses. À ce stade de notre mariage, je crois encore en lui.

« J'ai envie de m'inscrire dans un club de gym, dit-il peu après. J'ai du temps, je me disais que je pourrais en profiter pour me muscler un peu.

– Mais tu es musclé.

– Oui. Mais j'ai envie de me remettre aux haltères. Je n'en ai pas fait depuis mes études. Et puis, il faut regarder les choses en face, dit-il alors que Sophie passe en trombe devant notre table, au train où elle va, je vais avoir besoin de toutes mes forces pour tenir le choc.

– Comme tu voudras.

– Hé, Tessa.

– Oui ?

– Je t'aime. »

Dans mon rêve/souvenir, je souris, j'enlace mon mari à la taille. « Hé, Brian. Moi aussi, je t'aime. »

Le réveil a été difficile, un bruit m'a tirée en sursaut de ce passé enchanteur pour me ramener au présent stérile. Cet après-midi-là, les bras solides de mon mari, les éclats de rire exubérants de Sophie. Le calme avant la tempête, sauf qu'à l'époque je ne le savais pas.

Cet après-midi-là, Brian et moi étions rentrés à la maison avec une enfant épuisée. Nous l'avions couchée de bonne heure. Ensuite, après un petit dîner tranquille, nous avions fait l'amour et je m'étais endormie en me disant que j'étais la femme la plus chanceuse du monde.

Il devait se passer des mois avant que je redise à mon mari que je l'aimais. À ce moment-là, il serait en train d'agoniser sur le sol nettoyé de frais de notre cuisine, la poitrine criblée de balles tirées avec mon pistolet, et son visage serait le triste miroir de mes regrets.

Quelques secondes avant que je courre dans toute la maison, que je l'explore de fond en comble, à la recherche d'une petite fille que je n'avais toujours pas retrouvée.

D'autres bruits ont filtré jusqu'à ma conscience. Des bips lointains, des pas rapides, quelqu'un qui réclamait quelque chose. Des bruits d'hôpital. Forts, insistants. Impérieux. Qui m'ont ramenée une fois pour toutes au présent. Pas de mari. Pas de Sophie. Juste moi, seule dans une chambre d'hôpital, qui essuyais des larmes sur la moitié indemne de mon visage.

D'un seul coup, je me suis aperçue que je tenais quelque chose dans ma main gauche. Je l'ai levé vers mon œil valide pour examiner ma trouvaille.

Un bouton. Un centimètre de diamètre. Du fil bleu marine effiloché encore passé dans les deux trous. Il aurait pu venir d'un pantalon ou d'un chemisier, peut-être même d'un uniforme de la police d'État.

Mais non. J'ai reconnu ce bouton à la seconde où je l'ai vu. Je me suis même représenté le deuxième bouton qui aurait dû être cousu juste à côté de lui – deux ronds de plastique qui formaient les yeux bleus de la poupée préférée de ma fille.

Et ça m'a mise un instant dans un tel état de colère, de fureur, que mes doigts ont blêmi et que je n'ai plus eu de mots.

J'ai lancé le bouton de toutes mes forces à l'autre bout de la pièce, où il a claqué contre le rideau de séparation. Et j'ai aussitôt regretté ce geste irréfléchi. Je voulais ravoir ce bouton. J'en avais besoin. Il me rattachait à Sophie. C'était un de mes seuls liens avec elle.

J'ai essayé de me redresser dans le lit, bien décidée à aller le chercher. Aussitôt, ma nuque s'est violemment manifestée, ma joue a été transpercée d'une nouvelle douleur lancinante. La pièce a tangué, une bascule nauséeuse, et une soudaine et atroce détresse a fait monter mon pouls en flèche.

Merde, merde, merde.

Je me suis forcée à me rallonger, à respirer calmement. Pour finir, le plafond a repris sa place et j'ai réussi à avaler sans avoir de haut-le-cœur. Je suis restée parfaitement immobile, avec la conscience aiguë de ma propre vulnérabilité, de cette faiblesse que je ne pouvais pourtant pas me permettre.

C'est pour ça que les hommes battent les femmes, évidemment. Pour démontrer leur supériorité physique. Pour prouver qu'ils sont plus grands et plus forts que nous et qu'aucun entraînement spécial n'y changera jamais rien. Ils sont le sexe fort. Alors autant se soumettre tout de suite et capituler.

Sauf que je n'avais pas besoin qu'on me tape sur la tête avec une bouteille de bière pour comprendre mes limites physiques. Je n'avais pas besoin qu'un poing velu me démolisse le visage pour savoir que certaines batailles sont perdues d'avance. J'avais déjà passé toute ma vie à accepter le fait que j'étais plus petite, plus vulnérable que d'autres. Cela ne m'avait pas empêchée de survivre à l'école de police. Ni de faire partie des rares femmes de la police d'État et de patrouiller depuis quatre ans.

Ni de donner naissance, toute seule, à une petite fille incroyable.

Plutôt crever que de me soumettre. Plutôt crever que de capituler.

Je pleurais encore. Ces larmes me faisaient honte. J'ai de nouveau essuyé ma joue intacte, en prenant garde de toucher mon œil au beurre noir.

Oubliez le ceinturon, nous avaient dit nos formateurs le jour de notre arrivée à l'école de police. Les deux outils les plus précieux pour un policier sont sa tête et sa voix. Pensez stratégiquement, parlez prudemment et vous pourrez dominer n'importe qui, n'importe quelle situation.

Voilà ce qu'il fallait que je fasse : reprendre le contrôle. Parce que la police de Boston allait bientôt revenir et que, là, je serais sans doute fichue.

Penser stratégiquement. D'accord. Quelle heure ?

Seize, dix-sept heures ?

Le soir allait bientôt tomber. La nuit venir.

Sophie...

Mes mains tremblaient. J'ai réprimé cette faiblesse.

Penser stratégiquement.

Coincée dans un hôpital. Impossible de courir, de me cacher, d'attaquer, de me défendre. Donc il fallait prendre un coup d'avance. Penser stratégiquement. Parler prudemment.

Sacrifier judicieusement.

Je me suis à nouveau souvenu de Brian, de la beauté de cet après-midi d'automne, de la façon dont on peut dans un même souffle aimer et maudire un homme. J'ai su ce que j'avais à faire.

J'ai trouvé le téléphone à côté du lit et composé un numéro.

« Ken Cargill, s'il vous plaît. De la part de sa cliente, Tessa Leoni. Dites-lui que je dois prendre des dispositions pour le corps de mon mari. Tout de suite. »

11

L'AGENT SHANE LYONS avait accepté de retrouver Bobby et D.D. au QG de Roxbury à dix-huit heures. Ça leur laissait le temps de s'arrêter pour dîner. Bobby avait commandé un énorme sandwich mixte, avec double portion de tout. D.D. couvait un bol de bouillon de volaille aux vermicelles, généreusement saupoudré de biscuits salés émiettés.

Une télé braillait dans le coin de la sandwicherie ; le journal de dix-sept heures ouvrait son édition sur le meurtre d'Allston-Brighton et la disparition de Sophie Marissa Leoni. Le visage de la fillette remplissait l'écran, yeux bleu vif, grand sourire édenté. Sous la photo défilait le numéro spécial à composer, ainsi que la promesse d'une récompense de vingt-cinq mille dollars pour tout renseignement permettant de la localiser.

D.D. ne pouvait pas regarder ce bulletin. Trop déprimant.

Huit heures après la première demande d'intervention, ils ne progressaient pas assez vite. Un voisin avait affirmé avoir vu Brian Darby partir au volant de sa GMC Denali blanche peu après seize heures la veille. Ensuite, rien. Personne ne l'avait vu. Ni appel sur la ligne fixe, ni messages sur son portable. Où Brian Darby était-il allé, qu'avait-il fait, qui avait-il pu voir, personne n'en avait la moindre idée.

Ce qui les ramenait à la petite Sophie. La veille, on était samedi. Ni école, ni invitation à jouer avec des amis, ni sortie dans le jardin, ni passage dans le champ des caméras de surveillance, ni miraculeuse avalanche de renseignements au numéro spécial. Vendredi, on était venu la chercher à l'école à quinze heures. Après, c'était le brouillard le plus total.

Tessa Leoni avait pris son service à vingt-trois heures le samedi soir. Trois voisins avaient vu son véhicule de patrouille s'en aller ; l'un d'eux avait remarqué qu'il était revenu après neuf heures le lendemain matin. Le central avait toute une liste d'appels reçus de l'agent Leoni, qui confirmaient qu'elle avait bien effectué sa patrouille avant de passer déposer les derniers P.V. peu après huit heures le dimanche matin.

Heure à laquelle la famille tout entière avait disparu de l'écran radar. Les voisins n'avaient rien vu, rien entendu. Ni dispute, ni cri, ni même coups de feu, ce que D.D. trouvait étrange parce qu'elle ne voyait pas bien comment on pouvait *ne pas* entendre trois balles tirées par un 9 mm. Peut-être que les gens avaient le don de n'entendre que ce qu'ils avaient envie d'entendre. Ça paraissait le plus vraisemblable.

Sophie Leoni était portée disparue depuis dix heures du matin. Le soleil était couché, les températures dégringolaient et on annonçait dix à quinze centimètres de neige.

La journée avait été mauvaise. La nuit serait pire.

« Il faut que je passe un coup de fil », dit Bobby. Il avait fini son sandwich, froissait l'emballage.

« Prévenir Annabelle que tu vas rentrer tard ? »

Il montra la rue de l'autre côté de la vitrine, où les premiers flocons commençaient à tomber. « Je me trompe ?

– Ça ne la dérange pas, tes horaires ?

– Qu'est-ce que tu veux qu'elle fasse ? C'est le boulot qui veut ça.

– Et Carina ? Elle va bientôt se rendre compte que son papa disparaît et ne rentre pas toujours pour jouer. Et puis il y aura les concerts que tu manqueras, les spectacles, les matchs de foot. *J'ai marqué un but pour l'équipe, papa ! Mais tu n'étais pas là.* »

Bobby la regarda avec curiosité. « C'est le boulot qui veut ça, répéta-t-il. C'est vrai, il y a des fois où ça fait chier, mais c'est pareil avec la plupart des boulots. »

D.D. se renfrogna. Elle baissa les yeux, remua vaguement sa soupe. Les biscuits secs avaient absorbé le liquide et s'étaient transformés en bouillasse. Elle n'avait plus envie de manger. Elle était fatiguée. Découragée. Elle pensait à une petite fille qu'on ne retrouverait sans doute pas vivante. Elle pensait à la vieille Mme Ennis, qui avait expliqué combien l'agent Leoni avait du mal à concilier travail, maison et enfant.

Peut-être que les femmes qui travaillaient dans les forces de l'ordre n'étaient pas destinées à connaître les joies de la vie de famille. Peut-être que si l'agent Leoni n'avait pas tenté le coup du mari et de la maison avec jardin, D.D. n'aurait pas été saisie ce matin de la disparition d'une mignonne et innocente enfant.

Seigneur, qu'est-ce qu'elle était censée dire à Alex ? Qu'est-ce qu'elle était censée *ressentir*, elle, l'enquêtrice ambitieuse qui était accro à son boulot et qui en avait conscience ?

Elle remua une dernière fois sa soupe et la repoussa. Bobby était toujours planté là, comme s'il attendait qu'elle dise quelque chose.

« Tu m'as déjà imaginée en maman ?

– Non.

– L'idée ne t'est même jamais venue.

– Ne pose pas la question si tu ne veux pas la réponse.

– Moi, je ne me suis jamais imaginée en maman. Les mamans… chantent des berceuses, se promènent en permanence avec un paquet de céréales à la main et font des grimaces pour le plaisir de faire sourire leur bébé. Moi, je sais seulement faire sourire mon équipe, et pour ça il faut du café chaud et des beignets au sirop d'érable.

– Carina adore le jeu de coucou.

– Ah bon ?

– Oui. Je cache mes yeux et j'enlève ma main d'un seul coup en criant : *Coucou !* Elle pourrait faire ça pendant des heures. Et j'ai découvert que moi aussi. Qui l'eût cru ? »

D.D. mit sa main devant ses yeux et la retira d'un seul coup. Bobby disparut. Bobby réapparut. À part ça, ce n'était pas l'extase.

« Je ne suis pas ton bébé, dit Bobby en guise d'explication. Nous sommes génétiquement programmés pour avoir envie de rendre nos enfants heureux. Carina fait un grand sourire et… je ne peux même pas te dire ce que je ressens. Mais ça me récompense de ma journée et je suis prêt à refaire n'importe quelle clownerie pour lui redonner ce visage. Comment te dire ? C'est plus fou que de l'amour. Plus profond que de l'amour. C'est… être parent.

– Je crois que Brian Darby a assassiné sa belle-fille. Je crois qu'il a tué Sophie et que Tessa Leoni l'a abattu en rentrant chez elle.

– Je sais.

– Si nous sommes génétiquement programmés pour avoir envie de rendre nos enfants heureux, comment se fait-il que tant de parents fassent du mal à leurs enfants ?

– Les gens sont cons.

– Et cette idée t'aide à te lever le matin ?

– Je ne suis pas obligé de passer ma vie avec les gens. J'ai Annabelle, Carina, ma famille et mes amis. Ça me suffit.

– Vous aurez une deuxième Carina ?

– J'espère.

– Bobby Dodge ou l'éternel optimiste.

– À ma façon… Alors comme ça, ça devient sérieux avec Alex ?

– C'est toute la question, j'imagine.
– Tu es heureuse avec lui ?
– Je ne suis pas le genre heureuse.
– Alors tu te sens bien avec lui ? »
Elle repensa à sa matinée, vêtue de la chemise d'Alex, assise à la table d'Alex. « Je ne verrais pas d'inconvénient à passer plus de temps avec lui.
– C'est un début. Bon, tu m'excuseras, je vais appeler ma femme et sans doute faire des gouzi-gouzi à ma fille, dit Bobby en s'éloignant de la table.
– Je peux écouter ?
– Certainement pas. »
Ce qui n'était pas plus mal parce qu'elle avait de nouveau des crampes d'estomac et qu'elle pensait à un bout de chou en layette bleue ou en layette rose en se demandant à quoi pourrait ressembler un petit Alex ou une petite D.D., si elle serait capable d'aimer un enfant autant que Bobby aimait manifestement Carina et si l'amour seul pouvait suffire.
Parce que la vie de famille sourit rarement aux policières. Demandez à Tessa Leoni.

Le temps que Bobby finisse son coup de fil, la neige du début de soirée avait transformé les rues en un vaste embouteillage. Même avec gyrophare et sirène sur tout le trajet, il leur fallut plus de quarante minutes pour rejoindre Roxbury. Encore cinq minutes pour trouver à se garer et l'agent Shane Lyons poireautait depuis un bon quart d'heure quand ils entrèrent dans le hall du QG. Le gaillard baraqué se leva à leur entrée, encore en uniforme, le chapeau bas sur le front, les deux mains dans des gants de cuir.
Bobby fut le premier à le saluer, puis D.D. Passer dans une salle d'interrogatoire aurait semblé peu courtois, alors D.D. leur trouva une salle de réunion inoccupée. Lyons prit un siège, enleva son chapeau, mais garda son manteau et ses gants. Apparemment, il tablait sur une conversation brève.

Bobby lui offrit un Coca, qu'il accepta. D.D. s'en tint à de l'eau, tandis que Bobby se réchauffait les mains autour d'un café noir. Ces préliminaires réglés, ils passèrent aux choses sérieuses.

« Vous n'avez pas eu l'air surpris d'avoir de nos nouvelles », commença D.D.

Lyons haussa les épaules, fit tourner son Coca entre ses doigts gantés. « Je savais que mon nom sortirait. Mais il fallait d'abord que je fasse mon travail de représentant syndical, c'était ma première responsabilité sur place.

– Depuis combien de temps connaissez-vous l'agent Leoni ? demanda Bobby.

– Quatre ans. Depuis son arrivée à la caserne. J'ai été son tuteur, c'est moi qui l'ai supervisée pendant ses douze premières semaines de patrouille. »

Lyons prit une gorgée de soda. Il semblait mal à l'aise, avait tout du témoin réticent.

« Vous travailliez étroitement avec elle ? demanda D.D.

– Les douze premières semaines, oui. Mais ensuite, non. Les agents patrouillent en solo.

– Vous vous voyiez souvent ?

– Peut-être une fois par semaine. Les agents en service essaient de se retrouver pour prendre le café ou le petit déjeuner. Histoire de faire une pause, d'entretenir la camaraderie. Des fois, il y a même des gars de la police municipale qui nous rejoignent, dit-il en regardant D.D.

– Pas possible ! » répondit-elle en faisant de son mieux pour paraître horrifiée.

Cela arracha un sourire à Lyons. « Il faut bien qu'on se serre les coudes, pas vrai ? Alors autant cultiver le dialogue. Cela étant, les agents sont seuls pendant l'essentiel de leur service. Surtout les nuitards. En tête à tête avec leur pistolet radar et une autoroute pleine de gens qui ont trop bu.

– Et à la caserne ? demanda D.D. Est-ce que Tessa et vous vous voyiez, mangiez un morceau après le travail ?

– Non. La voiture de patrouille tient lieu de bureau aux agents. On ne repasse à la caserne que si on a procédé à une interpellation, si on doit traiter une conduite en état d'ivresse, ce genre de choses. Là encore, on passe l'essentiel de notre temps sur la route.

– Mais vous vous épaulez, intervint Bobby. Surtout en cas d'incident.

– Bien sûr. La semaine dernière, l'agent Leoni a coincé un type qui conduisait en état d'ivresse sur le Pike, alors je suis venu lui filer un coup de main. Elle a emmené le type à la caserne pour lui faire un éthylotest et lui lire ses droits. Je suis resté avec la voiture en attendant que la fourrière l'embarque. On s'entraide, mais on n'est pas vraiment restés à papoter conjoints et enfants pendant qu'elle chargeait le mec ivre dans sa bagnole. »

Lyons lança un regard perçant à Bobby. « Vous devez vous rappeler ce que c'est.

– Parlez-nous de Brian Darby », reprit D.D. pour détourner le regard de Lyons vers elle.

L'agent ne répondit pas tout de suite, mais pinça les lèvres, comme en proie à une hésitation.

« D'une manière ou d'une autre, je suis dans la merde, dit-il brusquement.

– Pourquoi ça ? demanda Bobby, impassible.

– Écoutez, dit-il Lyons en reposant son soda. Je sais que je suis mal, sur ce coup-là. Je suis censé être bon juge des caractères, ça fait partie du métier. Mais ce qui est arrivé entre Tessa et Brian… Bon, soit je suis le roi des abrutis qui ne savait pas que son voisin était incapable de se maîtriser, soit je suis le connard qui a maqué sa collègue avec un type qui battrait sa femme. Sincèrement… Si j'avais su, si je m'étais douté…

– Commençons par Brian Darby, dit D.D. Que saviez-vous de lui ?

– Je l'ai rencontré il y a huit ans. Nous faisions tous les deux partie de l'équipe de hockey du quartier. On jouait ensemble un vendredi soir sur deux ; il avait l'air sympa. Je l'ai invité deux ou trois fois à dîner et prendre une bière. Il avait toujours l'air sympa. Il avait un emploi du temps bizarre en tant que marin, donc il comprenait aussi mon boulot. Quand il était dans les parages, on se voyait, on allait jouer au hockey, faire du ski, marcher une journée. Il aimait le sport et moi aussi.

– Brian était du genre actif, commenta Bobby.

– Oui. Il aimait bouger. Tessa aussi. Franchement, je les voyais bien ensemble. C'est pour ça que je les ai présentés l'un à l'autre. Je me disais que, s'ils ne sortaient pas ensemble, ils pourraient toujours devenir camarades de randonnée, quelque chose.

– Vous les avez présentés l'un à l'autre, répéta D.D.

– Je les ai invités en même temps à un barbecue. Et je les ai laissés se débrouiller. Bon, je suis un mec. On ne va pas s'en mêler plus que ça, non plus.

– Ils sont repartis ensemble ? demanda Bobby.

– Non, répondit Lyons après un temps de réflexion. Ils se sont donné rendez-vous pour prendre un verre, quelque chose comme ça. Je ne sais pas. Mais en un rien de temps, Tessa et sa fille ont emménagé chez lui, donc j'imagine que ça a marché.

– Vous avez assisté au mariage ?

– Non. Je n'ai même pas été prévenu. Je crois que j'ai dû brusquement remarquer un anneau au doigt de Tessa. Quand je lui ai posé la question, elle m'a dit qu'ils s'étaient mariés. Ça m'a plutôt surpris, je me suis dit que c'était un peu rapide, et puis c'est vrai que j'ai été étonné de ne pas avoir été invité, mais bon… On n'était pas non plus proches à ce point-là, je ne me mêlais pas à ce point-là de leur vie. »

Il semblait important à ses yeux de bien établir ce fait : il n'était pas proche *à ce point-là* du couple, il ne se mêlait pas *à ce point-là* de leur vie.

« Est-ce que Tessa parlait de son couple ? demanda D.D.

– Pas à moi.

– À d'autres ?

– Je ne peux répondre que pour moi.

– Et même ça, vous ne le faites pas, constata brutalement D.D.

– Hé ! J'essaie de vous dire la vérité. Je ne passe pas mes dimanches à déjeuner chez Brian et Tessa ni à les inviter chez moi après la messe. On était amis, c'est clair. Mais on menait chacun nos vies. Zut, la moitié de l'année, Brian n'était même pas là.

– Donc, dit lentement D.D. Votre copain de hockey Brian Darby prend la mer la moitié de l'année en laissant une collègue se débrouiller seule avec une maison, un jardin et un jeune enfant, et vous passez votre chemin. Vous avez votre vie, inutile de vous embarrasser de la leur ? »

L'agent Lyons rougit. Il regarda son Coca, sa mâchoire carrée visiblement crispée.

Beau mec, si on aimait les teint sanguin, se dit D.D. Ce qui amenait la question suivante : est-ce que Brian Darby s'était mis à la gonflette parce que sa femme portait un flingue ? Ou parce qu'elle commençait à solliciter un collègue bien foutu pour qu'il l'aide à la maison ?

« Il se pourrait que j'aie réparé la tondeuse », marmonna Lyons.

D.D. et Bobby attendirent.

« Le robinet de la cuisine fuyait. J'ai jeté un œil, mais ce n'était pas dans mes cordes, alors je lui ai donné le nom d'un bon plombier.

– Où étiez-vous, hier soir ? demanda posément Bobby.

– En patrouille ! s'exclama Lyons en relevant brusquement la tête. Bon sang, je ne suis pas rentré chez moi depuis onze heures hier soir. J'ai trois enfants, vous savez, et si vous croyez que je ne vois pas leur visage chaque fois que la photo de Sophie passe à la télé…

Putain. Sophie n'est qu'une gosse ! Je la vois encore rouler dans l'herbe de mon jardin. Et l'an dernier, grimper au vieux chêne. Même mon fils de huit ans n'arrivait pas à la suivre. Un vrai petit singe, celle-là. Et ce sourire, et oh… merde. »

L'agent Lyons se cacha le visage dans la main. Il semblait incapable de parler, alors Bobby et D.D. lui accordèrent un instant.

Lorsqu'il fut en état, il baissa la main, grimaçant. « Vous savez comment on appelait Brian ? demanda-t-il brusquement. Son surnom dans l'équipe de hockey ?

– Non.

– M. Cœur Tendre. Son film préféré, c'était *Pretty Woman*. Quand Duke est mort, son chien, il a écrit un poème pour le publier dans le journal local. Il était comme ça. Alors, non, je ne me suis pas trop posé de questions avant de le présenter à une collègue mère de famille. Quoi, je pensais rendre service à Tessa.

– Vous jouiez encore au hockey avec Brian ? demanda Bobby.

– Plus beaucoup. Mon emploi du temps a changé ; je travaille presque tous les vendredis soir.

– Brian a l'air plus baraqué maintenant qu'au moment de son mariage. Comme s'il avait fait de la gonflette.

– Je crois qu'il s'était inscrit dans un club de gym ou quoi. Il parlait de faire des haltères.

– Vous faisiez de la musculation avec lui ? »

Lyons fit signe que non.

Le biper de D.D. sonna. Elle jeta un œil à l'écran, vit que c'était le labo de l'Identité judiciaire et s'excusa. Lorsqu'elle sortit de la salle de réunion, Bobby cuisinait Lyons sur le programme d'entraînement de Brian Darby et la possibilité qu'il ait pris des produits.

D.D. sortit son téléphone portable pour composer le numéro du labo. Ils avaient les premiers résultats concernant la GMC Denali de Brian. D.D. écouta, hocha la tête et raccrocha juste à temps pour se précipiter dans les toilettes pour dames, où elle réussit à ne pas rendre sa soupe, mais seulement après s'être passé une grande quantité d'eau froide sur le visage.

Elle se rinça la bouche. Se passa encore de l'eau froide sur le dos des mains. Puis elle examina son reflet blême et se mit en garde : que ça lui plaise ou non, elle allait le faire.

Survivre à cette soirée. Retrouver Sophie Leoni.

Et ensuite rentrer à la maison auprès d'Alex parce qu'il y avait deux ou trois choses dont ils devaient discuter.

D.D. rentra au pas de charge dans la salle de réunion. Elle n'attendit pas et sortit tout de suite la grosse artillerie parce que Lyons était en train de les faire lanterner et que, franchement, la plaisanterie avait assez duré.

« Rapport préliminaire sur la voiture de Brian Darby », dit-elle sèchement.

Elle posa les mains à plat sur la table devant l'agent Lyons et se pencha jusqu'à n'être plus qu'à quelques centimètres de lui.

« On a retrouvé une pelle télescopique cachée dans un rangement du coffre, encore pleine de terre et de fragments de feuilles. »

Lyons ne dit rien.

« On a aussi trouvé un désodorisant tout neuf, parfum melon, le genre qu'on branche sur une prise. Les scientifiques du labo ont trouvé ça bizarre, alors ils l'ont débranché. »

Lyons ne dit rien.

« L'odeur est réapparue en moins d'un quart d'heure. Très forte, ils m'ont dit. Très reconnaissable. Mais comme ce sont des scientifiques, ils ont fait venir un chien détecteur de cadavres, histoire d'être sûrs. »

L'agent pâlit.

« Décomposition, agent Lyons. Traduction : les sorciers du labo sont certains qu'un cadavre a été déposé dans le coffre de la voiture de Brian Darby au cours des dernières vingt-quatre heures. Vu la présence de la pelle, ils supposent aussi que le corps a été emporté vers un lieu inconnu et enterré. Brian a une autre maison ? Une cabane au bord d'un lac, un pavillon de chasse, un chalet de ski ? Peut-être que si vous commenciez enfin à nous parler, on pourrait au moins ramener le corps de Sophie chez elle.

– Oh, non..., dit Lyons, toujours plus pâle.

– Où Brian a-t-il emmené sa belle-fille ?

– Je ne sais pas ! Il n'a pas d'autre maison. Rien dont il m'aurait parlé, en tout cas !

– Vous les avez laissées tomber. Vous avez présenté Brian Darby à Tessa et Sophie, et maintenant Tessa est en compote à l'hôpital et la petite Sophie est très probablement morte. C'est vous qui êtes à l'origine de cette histoire. Alors secouez-vous et aidez-nous à retrouver le corps de Sophie. Où a-t-il pu l'emmener ? Qu'a-t-il pu faire ? Dites-nous tous les secrets de Brian Darby.

– Il n'avait pas de secrets ! Je vous jure... Brian était un type réglo. Il naviguait sur la grande bleue et rentrait chez lui retrouver sa femme et sa belle-fille. Jamais je ne l'ai vu hausser le ton. Encore moins lever la main.

– *Alors que s'est-il passé ?* »

Un temps. Encore un long soupir tremblé.

« Il y a... Il y a une autre hypothèse », dit brusquement Lyons. Il les regarda tous les deux, toujours livide, et ses mains se pliaient et se dépliaient autour de son Coca. « Je ne trahis pas vraiment un secret. Je veux dire, vous l'apprendrez tôt ou tard du lieutenant-colonel Hamilton. C'est lui qui me l'a dit. Et puis, ça figure dans le dossier de Tessa.

– Lyons ! Crachez le morceau ! » s'impatienta D.D.

Alors il s'exécuta. « Ce qui s'est passé ce matin... Bon, disons simplement que ce n'était pas la première fois que l'agent Leoni tuait un homme. »

12

LA PREMIÈRE CHOSE que j'ai apprise en tant que femme dans la police, c'était que les hommes n'étaient pas les ennemis que j'aurais cru.

Une bande de péquenauds ivres dans un bar ? Si mon tuteur, l'agent Lyons, sortait de voiture, c'était immédiatement l'escalade dans les petits numéros de machisme agressif. Mais si c'était moi qui me pointais, ils arrêtaient de rouler des mécaniques et contemplaient le bout de leurs chaussures comme des garnements penauds de s'être fait prendre la main dans le sac par maman. Des routiers à l'air patibulaire ? De vrais agneaux quand j'étais au pied de leur camion avec un carnet de contravention. Des petits étudiants qui avaient bu quelques bières de trop ? Ils bredouillaient, ne savaient plus où se mettre et finissaient presque toujours par me demander de sortir avec eux.

La plupart des hommes sont conditionnés depuis leur naissance à se soumettre à une autorité féminine. Ils me voyaient soit comme la mère à qui ils avaient appris à obéir, soit, vu mon âge et mon physique, comme une femme désirable qu'il valait la peine de satisfaire. Dans un cas comme dans l'autre, je n'étais pas une menace directe. Si bien que même le mâle le plus belliqueux pouvait se permettre de baisser la garde devant ses potes. Et que, dans les situations saturées de testostérone, mes collègues m'appelaient tout de suite en renfort en comptant sur mon tact féminin pour désamorcer la situation, ce qui était généralement le cas.

Il arrivait que les contrevenants masculins flirtent un peu, se troublent un peu, voire les deux. Mais, imparablement, ils obtempéraient.

Les femmes, en revanche…

Que j'arrête sur le bas-côté une mère de famille bon teint qui faisait du quatre-vingt-quinze dans sa Lexus et aussitôt elle montait sur ses grands chevaux en m'expliquant avec de grands cris de harpie pourquoi elle avait besoin d'aller vite, le tout devant ses deux virgule deux enfants, l'air tout aussi sûrs de leur bon droit. Que j'escorte un type sous le coup d'une ordonnance d'éloignement pour qu'il récupère quelques effets personnels chez lui, et la petite copine maltraitée me sautait invariablement dessus en me demandant pourquoi je le laissais prendre ses sous-vêtements et m'agressait comme si j'étais la seule et unique responsable de tous ses maux.

Les hommes ne sont pas un problème pour une policière.

Ce sont les femmes qui essaient de vous dégommer, dès que l'occasion se présente.

Mon avocat jacassait à mon chevet depuis vingt minutes quand le commandant D.D. Warren a tiré le rideau de séparation d'un coup sec. L'officier de liaison, Bobby Dodge, était juste derrière elle. Le visage impénétrable. Le commandant Warren, en revanche, avait une tête de félin affamé.

Mon avocat n'a pas fini sa phrase. Il semblait mécontent de la brusque apparition des deux enquêteurs, mais pas surpris. Il était en train d'essayer de m'expliquer à quel point ma situation était fâcheuse au regard de la loi. Cela ne se présentait pas bien, et le fait que je doive encore fournir une déposition complète à la police ne faisait, de son point de vue d'expert, qu'aggraver les choses.

Pour l'instant, la mort de mon mari était répertoriée comme un homicide dont la qualification restait à préciser. L'étape suivante consisterait pour le procureur de Suffolk County à déterminer, en lien avec la police, le chef d'accusation adéquat. S'ils jugeaient que j'étais une victime crédible, une malheureuse femme battue dont les fréquents allers-retours aux urgences confirmaient la version, ils pourraient considérer la mort de Brian comme un homicide excusable. Je lui avais tiré dessus, comme je le prétendais, en situation de légitime défense.

Mais rien n'était aussi simple quand il y avait mort d'homme. Brian m'avait attaquée avec un tesson de bouteille ; j'avais répliqué avec une arme à feu. Le procureur pourrait soutenir que, même s'il était manifeste que je me défendais, j'avais fait usage d'une force disproportionnée. La bombe lacrymogène, la matraque ou le Taser que je portais au ceinturon auraient tous été plus indiqués, et ma détente facile me vaudrait d'être inculpée pour violences volontaires ayant entraîné la mort.

À moins qu'ils ne soient pas convaincus que j'avais craint pour ma vie. Peut-être qu'ils croiraient que Brian et moi nous étions querellés et que j'avais tué mon mari dans le feu de la dispute. Meurtre sans préméditation, ou meurtre simple.

Voilà pour les scénarios les plus favorables. Il y en avait un autre, bien sûr. Celui où la police conclurait que mon époux n'était pas un mari violent, mais que moi j'étais une grande manipulatrice qui avait tué son mari avec préméditation. Assassinat, ou meurtre aggravé.

Autrement dit, réclusion criminelle à perpétuité. Fin de partie.

Tels étaient les sujets d'inquiétude qui avaient conduit mon avocat à mon chevet. Il ne voulait pas que je me batte avec la police pour récupérer la dépouille de mon mari. Il voulait que je publie un communiqué dans lequel l'épouse maltraitée clamerait son innocence et la mère désespérée supplierait qu'on lui rende sa fille. Il voulait aussi que je coopère avec les enquêteurs. Comme il le faisait remarquer, plaider le syndrome de la femme battue était un système de défense qui ferait reposer la charge de la preuve sur mes épaules meurtries.

Finalement, c'est toujours parole contre parole dans un mariage, même après la mort d'un des conjoints.

Les enquêteurs de la criminelle étaient de retour ; mon avocat s'est levé d'un air gêné pour adopter une attitude protectrice à côté de mon lit.

« Comme vous le constatez, ma cliente est encore sous le coup d'une commotion cérébrale, sans parler de sa pommette cassée. Son médecin lui a ordonné de rester en observation cette nuit et de prendre beaucoup de repos.

– Sophie ? » ai-je demandé d'une voix tendue. Le commandant Warren avait l'air trop sévère pour quelqu'un qui apporte de mauvaises nouvelles à une mère, mais sait-on jamais…

« Rien, a-t-elle répondu sèchement.

– Quelle heure est-il ?

– Dix-neuf heures trente-deux.

– Il fait nuit », ai-je dit tout bas.

L'enquêtrice blonde m'a dévisagée. Aucune compassion, aucune sympathie. Je n'étais pas surprise. Nous sommes si peu nombreuses sous l'uniforme qu'on pourrait imaginer une forme d'entraide. Mais les femmes sont bizarres. Toujours prêtes à s'en prendre à une de leurs semblables, surtout si l'autre est perçue comme faible, si, par exemple, elle a servi de paillasson à son mari.

Je n'imaginais pas le commandant Warren tolérer la moindre violence conjugale. Si un homme l'avait frappée, j'aurais parié qu'elle aurait répliqué deux fois plus fort. Ou qu'elle lui aurait envoyé une décharge de Taser dans les couilles.

Dodge s'activait. Il avait été chercher deux fauteuils bas, qu'il avait placés à côté du lit, et il faisait signe à D.D. de s'asseoir. Tous deux ont encore approché leurs fauteuils. Cargill a compris le message et s'est juché au bord de sa chaise, toujours l'air mal à l'aise.

« Ma cliente n'est pas en état de répondre à beaucoup de questions pour l'instant. Naturellement, elle souhaite vous apporter tout le concours possible dans la recherche de sa fille. Avez-vous besoin d'informations en ce qui concerne cette enquête ?

– Qui est le père biologique de Sophie ? a demandé le commandant Warren. Et où est-il ? »

J'ai secoué la tête, mouvement qui m'a immédiatement fait grimacer.

« Il me faut un nom », s'est agacée Warren.

J'ai passé ma langue sur mes lèvres desséchées, réessayé. « Elle n'a pas de père.

– Impossible.

– Pas quand la mère est une traînée alcoolique. »

Cargill m'a lancé un regard interloqué. Mais les enquêteurs semblaient intrigués.

« Vous êtes alcoolique ? a demandé Bobby Dodge d'une voix égale.

– Oui.

– Qui est au courant ?

– Le lieutenant-colonel Hamilton, certains des gars. »

J'ai haussé les épaules en essayant de ne pas faire bouger ma joue blessée. « J'ai arrêté de boire il y a sept ans, avant d'intégrer la police. Depuis, pas de problème.

– Il y a sept ans ? a répété D.D. Vous étiez enceinte de votre fille ?

– Exact.

– Quel âge aviez-vous quand vous êtes tombée enceinte de Sophie ?

– Vingt et un ans. J'étais jeune et bête. Je buvais trop, je faisais trop la fête. Et le jour où je suis tombée enceinte, j'ai découvert que ceux que je prenais pour mes amis me fréquentaient seulement parce que je faisais partie du barnum. De la seconde où j'ai quitté la scène, je n'ai plus revu aucun d'eux.

– Les hommes de votre entourage ?

– Ça ne vous aidera pas. Je ne couchais pas avec les hommes que je connaissais. Seulement avec ceux que je ne connaissais pas. En général, des hommes mûrs que ça intéressait de faire boire une jeune idiote. Je me soûlais. Ils tiraient leur coup. Et on repartait chacun de notre côté.

– Tessa », est intervenu mon avocat.

Je l'ai arrêté d'un geste de la main. « C'est de l'histoire ancienne, ça n'a plus d'importance. Je ne sais pas qui est le père de Sophie. Même si j'avais essayé, je n'aurais pas pu l'identifier, et je n'avais pas envie d'essayer. Je suis tombée enceinte. Ensuite j'ai mûri, je me suis assagi et j'ai arrêté de boire. Voilà ce qui est important.

– Sophie pose des questions ? a demandé Bobby.

– Non. Elle avait trois ans quand j'ai rencontré Brian. Au bout de quelques semaines, elle a commencé à l'appeler papa. Je ne pense pas qu'elle se souvienne que nous avons vécu sans lui.

– Quand a-t-il commencé à vous frapper ? a demandé D.D. Au bout d'un mois de mariage ? Six mois ? Une année entière peut-être ? »

Je n'ai rien dit, j'ai fixé le plafond. La main droite sous la fine couverture d'hôpital verte, je serrais le bouton bleu qu'une infirmière avait ramassé pour moi.

« Nous allons devoir consulter votre dossier médical », a dit D.D. Elle regardait mon avocat d'un air de défi.

« Je suis tombée dans les escaliers. » Ma bouche s'est tordue en un sourire grotesque ; c'était la vérité, en fait, mais naturellement ils allaient prendre ça pour le mensonge de circonstance. Mon sens de l'ironie. Ça me perdra.

« Pardon ?

– Les bleus sur mes côtes… J'aurais dû déneiger l'escalier extérieur. Patatras. »

Le capitaine Warren m'a regardée avec incrédulité. « C'est ça. Vous êtes tombée. Combien, trois, quatre fois ?

– Seulement deux, je crois. »

Elle n'a pas goûté mon sens de l'humour. « Vous avez déposé une main courante pour coups et blessures contre votre mari ? » a-t-elle insisté.

J'ai secoué la tête. Résultat, ma nuque m'a envoyé des signaux de douleur pendant que mon œil valide se remplissait de larmes.

« Vous en avez parlé à un collègue ? À l'agent Lyons, par exemple. Il a l'air doué quand il s'agit de donner un coup de main à la maison. »

Je n'ai rien dit.

« À des amies femmes ? est intervenu Bobby. Peut-être à un prêtre ou à un numéro d'urgence ? C'est pour vous aider que nous posons ces questions, Tessa. »

Les larmes sont encore montées. Je les ai ravalées.

« Ce n'était pas à ce point-là, ai-je fini par dire en fixant les dalles blanches du plafond. Pas au début. Je croyais… Je croyais que j'arriverais à le contrôler. À rétablir la situation.

– Quand votre mari s'est-il mis à la musculation ?

– Il y a neuf mois.

– On dirait qu'il a pris quelques kilos. Quinze en neuf mois. Il prenait des produits ?

– Il refusait de me le dire.

– Mais il était de plus en plus baraqué. Il cherchait à augmenter sa masse musculaire ? »

J'ai hoché la tête d'un air malheureux. Toutes ces fois où je lui avais dit qu'il n'avait pas besoin de s'entraîner autant. Qu'il était déjà beau, bien assez musclé comme ça. J'aurais dû me douter, son obsession de la propreté, son besoin compulsif de ranger jusqu'aux conserves de soupes. J'aurais dû décoder les signes. Mais non. La femme est toujours la dernière au courant, comme on dit.

« Quand a-t-il commencé à frapper Sophie ? a demandé D.D.

– Jamais !

– Vraiment ? Avec votre crâne cabossé et votre pommette fracassée, vous voudriez me faire croire que votre brute de mari n'a jamais frappé que vous et seulement vous jusqu'à ce que la mort vous sépare.

– Il aimait Sophie !

– Mais il ne vous aimait pas. C'était le problème.

– Peut-être qu'il prenait des stéroïdes. »

En voilà une idée. J'ai regardé Bobby.

« On s'en prend à n'importe qui pendant ces crises d'agressivité, a lentement fait remarquer D.D. Dans ce cas, c'est sûr qu'il vous aurait cogné toutes les deux.

– Je dis juste... Il n'était rentré de son dernier voyage que depuis quelques semaines, et cette fois-ci... Cette fois-ci, quelque chose avait vraiment changé. »

Ça, ce n'était pas un mensonge. En fait, j'espérais qu'ils creuseraient cette piste. J'aurais bien eu besoin de deux policiers hors pair de mon côté. Sans compter que Sophie méritait que des enquêteurs plus malins que moi viennent à son secours.

« Il était plus violent, a prudemment traduit Bobby.

– En colère. Tout le temps. J'essayais de comprendre, j'espérais qu'il retrouverait ses marques. Mais rien n'y faisait. » Je tordais la couverture d'une main, serrais le bouton sous la couverture de l'autre. « C'est juste... Je ne sais pas comment nous en sommes arrivés là. C'est vrai. Nous nous aimions. C'était un bon mari et un bon père. Et puis... » Encore des larmes. Sincères, cette fois-ci. J'en ai laissé une filer sur ma joue. « Je ne sais pas comment nous en sommes arrivés là. »

Les enquêteurs se sont tus. À côté de moi, mon avocat s'était détendu. Je crois que ces larmes lui plaisaient, et sans doute aussi l'hypothèse d'un abus de stéroïdes. Un bon axe de défense.

« Où est Sophie ? a demandé D.D., moins hostile, plus attentive.

– Je ne sais pas. » Encore une réponse sincère.

« Ses bottines ont disparu. Son manteau aussi. Comme si quelqu'un l'avait emmitouflée avant de l'emmener.

– Mme Ennis ? ai-je demandé, pleine d'espoir. C'est la nounou de Sophie…

– Nous savons qui c'est, m'a interrompue D.D. Elle n'a pas votre fille.

– Oh.

– Est-ce que Brian aurait une deuxième maison ? Vieux chalet de ski, cabane de pêcheur, n'importe quoi de ce genre ? » Bobby, cette fois-ci.

J'ai secoué la tête. En dépit de ma volonté, je fatiguais, je sentais mon épuisement. Il fallait que j'augmente ma capacité de résistance. Que je m'affermisse pour les jours et les nuits à venir.

« Qui d'autre pourrait connaître Sophie et l'emmener de chez vous ? »

D.D. insistait, ne lâchait pas le morceau.

« Je ne sais pas…

– La famille de Brian ?

– Il a une mère, quatre sœurs. Les sœurs sont dispersées, sa mère vit dans le New Hampshire. Il faudrait leur poser la question, mais on ne les a jamais beaucoup vues. Entre son emploi du temps et le mien…

– Votre famille ?

– Je n'ai pas de famille, ai-je répondu par automatisme.

– Ce n'est pas ce que dit votre casier judiciaire.

– Pardon ?

– Pardon ? » s'est exclamé mon avocat en écho.

Aucun des enquêteurs n'a regardé Cargill. « Il y a dix ans. Quand vous avez été interrogée dans l'enquête sur la mort du jeune Thomas Howe, dix-neuf ans. D'après le dossier, c'est votre propre père qui avait fourni le pistolet. »

J'ai regardé D.D. Warren. Pendant un temps infini.

« Ça figure dans la partie confidentielle de mon casier, ai-je dit à mi-voix.

– Tessa..., a lancé mon avocat, mécontent.

– Mais j'ai parlé de cet incident au lieutenant-colonel Hamilton quand j'ai intégré la police. Je ne voulais pas qu'il y ait de malentendu.

– C'est-à-dire que vous ne vouliez pas qu'un de vos collègues découvre que vous aviez tué un enfant ?

– Tué un enfant ? ai-je répété en la singeant. J'avais seize ans. C'était moi, l'enfant ! Pourquoi vous croyez qu'ils ont mis ça dans la partie confidentielle ? De toute façon, le procureur n'a jamais engagé de poursuites, il a jugé que c'était de la légitime défense. Thomas m'agressait. J'essayais seulement de lui échapper.

– Vous lui avez tiré dessus avec un 22, a continué Warren comme si je n'avais rien dit. Que vous aviez sur vous, comme par un fait exprès. Et alors qu'il n'y avait aucune trace d'agression physique...

– Vous avez parlé avec mon père », ai-je dit avec amertume. Les mots sont sortis tout seuls.

D.D. a penché la tête sur le côté, m'a regardée froidement. « Il ne vous a jamais crue. »

Je n'ai rien dit. C'était bien suffisant comme réponse.

« Que s'est-il passé cette nuit-là, Tessa ? Aidez-nous à comprendre parce que cette histoire ne plaide vraiment pas en votre faveur. »

J'ai serré le bouton encore plus fort. Dix ans, c'était long. Mais pas encore assez.

« Je passais la nuit chez ma meilleure amie, ai-je enfin dit. Juliana Howe. Thomas était son grand frère. Les dernières fois où j'y étais allée, il avait fait des remarques. Quand nous étions seuls dans une pièce, il me serrait de trop près, me mettait mal à l'aise. Mais j'avais seize ans. Les garçons, surtout les plus âgés, me mettaient mal à l'aise.

– Alors pourquoi avoir passé la nuit là-bas ?

– Juliana était ma meilleure amie », ai-je dit et, là, tout m'est revenu. La terreur. Ses larmes. Ce que j'avais perdu.

« Vous avez apporté un pistolet.

– Mon père m'avait donné ce pistolet, ai-je corrigé. J'avais trouvé un boulot à l'aire de restauration du centre commercial. Je travaillais souvent jusqu'à onze heures du soir et ensuite il fallait que je retourne à ma voiture dans le noir. Il voulait que je puisse me défendre.

– Alors il vous a donné un pistolet ? »

D.D. n'en revenait pas. J'ai souri.

« Il faudrait que vous connaissiez mon père. Venir me chercher lui-même aurait été trop impliquant. Mais en me donnant un 22 dont je ne savais absolument pas me servir, il était tranquille. Alors c'est ce qu'il a fait.

– Racontez-nous cette nuit-là, m'a demandé Bobby.

– Je suis allée chez Juliana. Son frère était sorti ; j'étais contente. Nous avons fait du pop-corn et nous avons regardé deux films de Molly Ringwald à la suite, *Seize bougies pour Sam* et *Breakfast Club*. Je me suis endormie sur le canapé. Quand je me suis réveillée, toutes les lumières étaient éteintes et quelqu'un avait mis une couverture sur moi. Je me suis dit que Juliana avait dû monter se coucher. J'allais en faire autant quand son frère est rentré. Il avait bu. Il m'a vue. Il... »

Les deux enquêteurs et mon avocat attendaient.

« J'ai essayé de passer à côté de lui, ai-je finalement continué. Il m'a coincée contre le canapé, il m'a poussée dedans. Il était plus grand, plus fort. J'avais seize ans. Lui, dix-neuf. Qu'est-ce que je pouvais faire ? »

Ma voix s'est de nouveau éteinte. J'ai dégluti.

« Est-ce que je pourrais avoir de l'eau ? »

Mon avocat a trouvé le pichet sur la table de chevet, m'a servi un verre. J'avais la main qui tremblait quand j'ai levé le gobelet en plastique. Je me disais qu'ils ne pouvaient pas m'en vouloir de manifester de la nervosité. J'ai bu tout le gobelet et je l'ai reposé. Vu le temps qui s'était écoulé depuis mes dernières déclarations, il fallait que je réfléchisse bien. Tout était une question de cohérence et je ne pouvais pas me permettre de faux pas à ce stade de la partie.

Trois paires d'yeux me guettaient.

J'ai encore pris une grande inspiration. Je me suis raccrochée à ce bouton bleu et j'ai pensé à la vie, aux schémas que nous répétons, aux cycles dont nous sommes prisonniers.

Sacrifier judicieusement.

« Juste au moment où… Thomas allait faire ce qu'il voulait faire, j'ai senti mon sac à main, sous ma hanche. Thomas me plaquait sous lui pendant qu'il ouvrait sa braguette. Alors j'ai tâté avec ma main droite. J'ai trouvé le sac. Sorti le pistolet. Et comme il ne voulait pas me lâcher, j'ai tiré.

– Dans le salon de votre meilleure amie ?

– Oui.

– Ça a dû faire de sacrés dégâts.

– Ce n'est pas une arme tellement puissante, un 22.

– Et votre meilleure amie ? Comment a-t-elle pris la chose ? »

Je n'ai pas quitté le plafond des yeux. « C'était son frère. Évidemment qu'elle l'aimait.

– Donc… le procureur vous innocente. Le tribunal rend l'inscription au casier confidentielle. Mais votre père, votre meilleure amie… ils ne vous ont jamais pardonné, c'est ça. »

Dans sa bouche, c'était une affirmation, pas une question, alors je n'ai pas répondu.

« C'est là que vous vous êtes mise à boire ? » a demandé Bobby Dodge.

J'ai hoché la tête sans un mot.

« Vous partez de chez vous, vous arrêtez l'école…

– Je ne suis pas vraiment la première policière qui a fait des bêtises dans sa jeunesse, ai-je riposté avec raideur.

– Vous tombez enceinte, a repris Warren. Vous mûrissez, vous vous assagissez, vous arrêtez de boire. Ça fait beaucoup de sacrifices pour une enfant.

– Non. J'ai fait ça par amour pour ma fille.

– La meilleure chose qui vous soit jamais arrivée. La seule famille qui vous reste. »

D.D. avait toujours l'air sceptique ; elle m'avertissait, en quelque sorte.

« Vous avez déjà entendu parler de l'analyse des odeurs de décomposition ? a-t-elle continué, d'une voix plus forte. Arpad Vass, un chercheur en chimie et en anthropologie médico-légale, il a mis au point une technique pour identifier plus de quatre cents molécules dégagées par les chairs en décomposition. Il se trouve que ces molécules restent parfois piégées dans le sol, les tissus ou même, disons, le tapis de coffre d'une voiture. En se servant d'un nez électronique, le docteur Vass peut détecter la signature moléculaire qu'un corps en décomposition aura laissée derrière lui. Par exemple, il peut passer son appareil sur le tapis d'une voiture et littéralement voir les molécules dessiner la silhouette d'un cadavre d'enfant. »

J'ai fait un bruit. Suffocation, gémissement ? Sous le drap, ma main s'est crispée.

« Nous venons d'envoyer au docteur Vass le tapis de voiture de votre mari. Que va-t-il découvrir, Tessa ? Est-ce que ce sera la dernière image que vous aurez du corps de votre fille ?

– Arrêtez. Ces insinuations sont cruelles et déplacées ! »

Mon avocat s'était levé d'un bond. Je ne l'entendais pas vraiment. Je revoyais le moment où j'avais écarté les couvertures et contemplé avec horreur le lit vide de Sophie.

J'ai perdu mes dents, mes dents de devant...

« Qu'est-il arrivé à votre fille ? m'a pressée le commandant Warren.

– Il n'a pas voulu me dire.

– Vous êtes rentrée ? Elle était déjà partie ?

– J'ai cherché dans toute la maison, ai-je dit tout bas. Dans le garage, le salon d'hiver, le grenier, le jardin. J'ai cherché, encore et encore. J'ai exigé qu'il me dise ce qu'il avait fait.

– Que s'est-il passé, Tessa ? Qu'a fait votre mari à Sophie ?

– Je ne sais pas ! Elle avait disparu. Disparu ! Je suis partie au travail et quand je suis rentrée… »

J'ai regardé D.D. et Bobby, et senti mon cœur s'emballer de nouveau. Sophie. Envolée. Comme ça.

J'ai perdu mes dents, mes dents de devant…

« Qu'a-t-il fait, agent Leoni ? Dites-nous ce que Brian a fait.

– Il a brisé notre famille. Il m'a menti. Il nous a trahies. Il a tout… détruit. »

Encore une grande inspiration. J'ai regardé les deux enquêteurs dans les yeux : « C'est là que j'ai su qu'il devait mourir. »

13

« QU'EST-CE QUE TU PENSES de Tessa Leoni ? demanda Bobby quelques minutes plus tard alors qu'ils retournaient au QG.

– Elle ment comme elle respire, répondit D.D. avec humeur.

– Elle avait l'air sûre d'elle-même dans ses réponses.

– Je t'en prie. Pour un peu, j'aurais cru qu'elle se méfiait de la police.

– Pourtant, à part notre taux d'alcoolisme, de suicide et de violences conjugales, on a tout pour plaire, non ? »

D.D. grimaça, mais elle comprenait ce qu'il voulait dire. Les agents des forces de l'ordre n'étaient pas exactement des parangons d'équilibre personnel. Beaucoup d'entre eux avaient été à rude école dans leur jeunesse. Et la plupart soutenaient que c'était nécessaire pour patrouiller dans ces rues.

« Elle a changé de version, dit D.D.

– J'avais remarqué.

– Tout à l'heure, elle avait tué son mari et ensuite découvert la disparition de sa fille, et maintenant elle a commencé par découvrir la disparition de Sophie avant de finir par tuer son mari.

– La chronologie varie, mais le résultat est le même. Dans un cas comme dans l'autre, l'agent Leoni a été tabassée et la petite Sophie a disparu. »

D.D. n'était pas d'accord. « Une incohérence sur un détail oblige à remettre en cause tous les autres. Si elle a menti sur la chronologie, quelles autres parties de son histoire sont fausses ?

– Qui a menti mentira », souffla Bobby.

Elle jeta un regard vers lui et ses mains se crispèrent sur le volant. L'histoire larmoyante de Tessa avait touché Bobby. Il avait toujours eu un faible pour les demoiselles en détresse. Alors que la première impression de D.D. sur Tessa Leoni avait été la bonne : jolie et vulnérable, donc une épreuve pour ses nerfs.

D.D. était fatiguée. C'était la fin de soirée et son nouveau corps exigeant réclamait son lit. Au lieu de ça, Bobby et elle rentraient à Roxbury pour la première réunion de la cellule d'enquête. Les aiguilles tournaient toujours. Les médias avaient besoin d'un communiqué. Le procureur exigeait un état de l'enquête. La hiérarchie voulait juste que le dossier d'homicide soit bouclé et l'enfant disparue retrouvée, tout de suite.

Autrefois, D.D. aurait mis six cafetières en route et englouti une demi-douzaine de beignets pour tenir toute la nuit. Aujourd'hui, elle était armée d'une nouvelle bouteille d'eau et d'un paquet de biscuits secs. Ils n'arrivaient à rien.

Elle avait envoyé un texto à Alex en sortant de l'hôpital : *Pas là ce soir, désolée pour demain.* Il avait répondu : *Vu les infos. Bonne chance.*

Pas de culpabilisation, pas de jérémiades, pas de récriminations. Juste un soutien sincère.

Son message lui fit monter les larmes aux yeux, ce qu'elle mit sans hésiter sur le compte de sa grossesse parce qu'aucun homme ne l'avait fait pleurer depuis au moins vingt ans et que ce n'était certainement pas maintenant qu'elle allait commencer.

Le regard de Bobby n'arrêtait pas d'aller et venir entre elle et la bouteille d'eau qu'elle trimballait partout. S'il continuait, elle allait lui renverser le contenu de ladite bouteille sur la tête. L'idée l'amusa et, le temps qu'ils trouvent une place de parking, elle était presque remise.

Bobby prit une tasse de café serré et ils montèrent à la brigade criminelle. D.D. et ses collègues avaient de la chance : le commissariat central de Boston n'avait qu'une quinzaine d'années et, si son emplacement continuait à susciter la polémique, le bâtiment lui-même était moderne et bien entretenu. Les bureaux de la brigade criminelle faisaient moins *New York Police Blues* que siège de compagnie d'assurance. Des cloisons judicieusement disposées délimitaient des espaces de travail lumineux. Les larges meubles-classeurs en métal gris étaient recouverts de plantes vertes, photos de famille et gadgets personnels. Ici une main en mousse pour encourager l'équipe des Red Sox, là une bannière aux couleurs des Patriots.

La secrétaire avait un penchant pour les pots-pourris à la cannelle et les enquêteurs une passion maniaque pour le café, si bien qu'il flottait même une bonne odeur dans ces bureaux – un mélange de cannelle et de café qui avait suggéré à un petit nouveau de surnommer l'accueil du service « Starbucks ». Comme souvent dans la police, le surnom était resté et la secrétaire avait maintenant quantité d'autocollants, serviettes et autres gobelets Starbucks disposés sur son comptoir, ce qui avait déconcerté plus d'un témoin venu faire une déposition.

D.D. trouva son équipe et le coordonnateur de chaque groupe d'enquête déjà rassemblés dans la salle de réunion. Elle passa en bout de table, à côté du grand tableau blanc qui allait leur servir de bible dans les jours à venir. Elle posa sa bouteille, prit un feutre noir et en avant, marche.

Les recherches pour retrouver Sophie Leoni étaient la priorité absolue. Le numéro spécial n'arrêtait pas de sonner et il avait permis de recueillir une vingtaine de pistes que des agents étaient en train de creuser en ce moment même. Rien de décisif, pour l'instant. L'enquête systématique menée auprès des voisins, des commerçants du quartier et des cliniques de la ville avait abouti à peu près au même résultat : quelques pistes, mais rien de décisif pour l'instant.

Phil avait fait des recherches sur les antécédents de la nounou de Sophie, Brandi Ennis, qui en était ressortie blanche comme neige. Entre ça et l'entrevue que D.D. et Bobby avaient eue avec elle, il leur semblait qu'ils pouvaient la rayer de la liste des suspects. Les premières vérifications sur le personnel administratif de l'école et sur la maîtresse de Sophie n'avaient allumé aucun voyant rouge. Ils allaient maintenant s'attaquer aux parents.

L'équipe vidéo avait visionné soixante-quinze pour cent des images fournies par les diverses caméras situées dans un rayon de trois kilomètres autour de la résidence des Leoni. Pour l'instant, aucune trace de Sophie, Brian Darby ou Tessa Leoni. Ils avaient élargi le champ de leurs recherches à la GMC Denali blanche de Brian Darby.

Dans la mesure où le laboratoire de la police scientifique avait conclu qu'un cadavre avait très certainement séjourné à l'arrière de la voiture de Darby, reconstituer les vingt-quatre dernières heures de la Denali était leur meilleure piste. D.D. affecta deux enquêteurs à l'examen des relevés de carte de crédit pour voir s'ils pouvaient déterminer à quand remontait le dernier plein d'essence. En se fondant là-dessus et sur le nombre de litres qui restaient dans le réservoir, ils pourraient en déduire la distance maximale que Brian Darby avait pu parcourir avec un cadavre à l'arrière de sa voiture. Ces deux enquêteurs vérifieraient également si des amendes pour stationnement ou excès de vitesse, voire des traces de passage au péage avec abonnement, ne pourraient pas les aider à localiser la Denali entre le vendredi soir et le dimanche matin.

Enfin, D.D. communiquerait certains détails sur la Denali à la presse afin d'encourager les témoins oculaires qui auraient de nouvelles informations à se manifester.

Phil accepta de se renseigner sur toutes les propriétés susceptibles d'appartenir à Brian Darby ou à un parent. Ses premières recherches sur la famille n'avaient rien révélé d'alarmant. Ni arrestation ni mandat en cours au nom de Brian Darby. Quelques amendes pour excès de vitesse réparties sur les quinze dernières années, mais à part ça il semblait respectueux des lois. Il travaillait dans la marine marchande, depuis quinze ans, pour la même entreprise, ASSC. Il avait une hypothèque de deux cent mille dollars sur la maison, un emprunt de trente-quatre mille dollars pour la Denali, quatre mille dollars de prêts à la consommation et plus de cinquante mille dollars sur son compte en banque, donc la situation financière n'était pas mauvaise.

Phil avait également pris un premier contact avec l'employeur de Brian Darby, qui avait accepté un entretien téléphonique le lendemain matin à onze heures. Au téléphone, Scott Hale avait exprimé sa stupeur devant la mort de Darby et son incrédulité totale à l'idée que celui-ci ait pu battre sa femme. Consterné de la disparition de Sophie, il allait aussi demander à l'ASSC d'abonder la somme actuellement offerte en récompense.

D.D., qui avait écrit en haut du tableau *Brian Darby battait-il sa femme ?*, fit une croix dans la colonne Non.

Son autre collègue, Neil, leva alors la main : il voulait une croix dans la colonne Oui. Il avait passé la journée à l'hôpital, où il avait saisi le dossier médical de Tessa Leoni. Celle-ci n'avait pas eu d'« accidents » à répétition, mais sa seule hospitalisation d'aujourd'hui avait permis de constater de multiples lésions remontant à des périodes différentes. Tessa Leoni présentait des ecchymoses au niveau du thorax, sans doute un incident remontant à au moins une semaine (la chute dans les escaliers, répliqua D.D. en levant les yeux au ciel). Le médecin avait également noté qu'il craignait qu'une côte fracturée ait mal consolidé en raison de « soins inadaptés », ce qui confirmerait les propos de Tessa : elle ne cherchait pas d'aide extérieure et faisait face toute seule aux conséquences de chaque passage à tabac.

Outre sa commotion cérébrale et sa fracture de l'os zygomatique, son dossier énumérait un grand nombre de contusions, y compris une ecchymose en forme de bout de chaussure de sécurité.

« Est-ce que Brian Darby a des chaussures de sécurité à bout métallique ? demanda D.D. avec animation.

– Je suis repassé chez eux et j'en ai emporté une paire, dit Neil. J'ai demandé à l'avocat si on pouvait comparer les chaussures à l'ecchymose sur la hanche de Leoni. Il estime que ce serait une intrusion dans sa vie privée et exige un mandat.

– Une intrusion dans sa vie privée ! railla D.D. C'est le genre de découverte qui l'aiderait. Ça montrerait qu'elle était régulièrement maltraitée et ça lui éviterait de prendre vingt ans ou perpète.

– Il ne le conteste pas. Il dit juste que le médecin lui a ordonné le repos, donc il veut attendre qu'elle soit remise de sa commotion cérébrale.

– Ben voyons ! À ce moment-là, le bleu aura régressé, on aura perdu la possibilité de faire des comparaisons et elle aura perdu un moyen de confirmer sa version. Qu'il aille se faire voir, l'avocat. Demande un mandat. Exécution. »

Neil était d'accord, mais ça allait devoir attendre le milieu de matinée parce qu'il commencerait sa journée chez le légiste pour l'autopsie de Brian Darby. Celle-ci était désormais programmée à sept heures du matin parce que Tessa Leoni réclamait qu'on lui rende le corps de son mari au plus tôt afin de prendre ses dispositions en vue de funérailles convenables.

« Pardon ? s'exclama D.D.

– Je ne rigole pas. Son avocat a appelé le légiste cet après-midi pour savoir quand Tessa pourrait récupérer le corps. Ne me demande pas. »

Mais D.D. dévisageait tout de même le rouquin filiforme. « La qualification juridique du décès par balle de Brian Darby reste à déterminer. Évidemment que le corps doit être autopsié, et Tessa le sait pertinemment. » Elle tourna son regard vers Bobby. « On vous apprend le b.a.ba dans la police d'État, non ? »

Bobby fit mine de se gratter la tête. « Voyons ? Ils casent quatre-vingt-dix cours dans vingt-cinq semaines de formation et on serait censés connaître les bases d'une enquête en sortant de l'école ?

– Alors pourquoi demander qu'on lui rende le corps ? Pourquoi même passer ce coup de fil ?

– Peut-être qu'elle pensait que l'autopsie était déjà faite, avança Bobby.

– Peut-être qu'elle a cru qu'on lui ferait une fleur, intervint Neil. Elle est policière. Peut-être qu'elle a cru que le légiste ferait droit à sa demande et lui rendrait le corps de son mari sans examen post-mortem. »

D.D. se mordillait la lèvre. Elle flairait l'entourloupe. Jolie et vulnérable ou pas, Tessa Leoni était douée d'un grand sang-froid, étonnamment lucide quand le besoin s'en faisait sentir. Si Tessa avait passé ce coup de fil, il y avait forcément une raison.

D.D. se retourna vers Neil. « Qu'a répondu le légiste à Leoni ?

– Rien. C'était à son avocat qu'il parlait, pas à Leoni. Ben lui a rappelé qu'une autopsie était nécessaire, ce que Cargill n'a pas nié. D'après ce que j'ai compris, ils se sont entendus sur un compromis : Ben fera l'autopsie à la première heure pour que le corps de Darby soit rendu au plus vite à sa famille.

– Donc l'autopsie est avancée, dit D.D. d'un air songeur, et le corps sera rendu plus tôt. Quand l'auront-ils ?

– Après l'autopsie, il faudra qu'un assistant recouse le corps et fasse sa toilette. Disons peut-être dès lundi soir, sinon mardi après-midi. »

D.D. hocha la tête ; elle continuait à retourner la question dans sa tête, mais ne voyait pas d'explication à cette demande. Pour une raison ou une autre, Tessa Leoni voulait qu'on lui rende le corps de son mari dans les plus brefs délais. Il faudrait qu'ils se repenchent sur cette question parce qu'il devait y avoir une raison. Il y en a toujours une.

D.D. se retourna vers sa cellule d'enquête. Réclama une bonne nouvelle. Personne n'en avait. Réclama d'autres pistes. Personne n'en avait.

Bobby et elle leur firent part de ce qu'ils avaient appris sur la jeunesse mouvementée de Tessa Leoni. Devoir tuer une fois pour se défendre était un coup de malchance. Mais la deuxième fois, cela commençait fort à ressembler à une mauvaise habitude, même si, aux yeux de la justice, seul le troisième délit scellerait définitivement son sort.

D.D. voulait en savoir davantage sur le meurtre de Thomas Howe. À la première heure demain matin, Bobby et elle chercheraient qui avait mené l'enquête. Si possible, ils prendraient aussi contact avec la famille Howe et le père de Tessa. Dernière piste, mais non des moindres, ils voulaient identifier le club de sport de Brian Darby, s'informer de son programme d'entraînement et d'une éventuelle prise de stéroïdes. Il s'était étoffé relativement vite et M. Cœur Tendre était devenu M. Sale Caractère. Ça valait le coup de se renseigner.

Ceci posé, D.D. nota les prochaines tâches à accomplir et distribua les devoirs. L'équipe vidéo devait terminer son visionnage-marathon des images filmées par les caméras. Phil devait terminer les rapports sur les antécédents, faire des recherches sur les biens immobiliers et interroger l'employeur de Brian Darby. Neil était de corvée d'autopsie et devait obtenir un mandat l'autorisant à comparer la chaussure de Brian Darby à la hanche meurtrie de Tessa Leoni.

L'équipe carburant jonglerait entre consommation d'essence et cartes de la région de Boston pour délimiter une zone maximale de recherches, cependant que les agents chargés des appels au numéro d'urgence continueraient à suivre les anciennes pistes et à creuser pour trouver de nouvelles informations.

D.D. voulait les transcriptions des auditions du jour sur son bureau dans l'heure. Attaquez-vous à la rédaction des rapports, ordonna-t-elle à son équipe, et remettez-vous au boulot aux aurores. Tant que Sophie Leoni n'aura pas été retrouvée, pas de repos pour les braves.

Les enquêteurs sortirent un à un.

D.D. et Bobby s'attardèrent pour faire le point avec le commissaire divisionnaire, puis s'entretenir avec le procureur de Suffolk County. Ni l'un ni l'autre ne s'intéressaient aux détails : ils voulaient des résultats. En tant que responsable d'enquête, D.D. avait donc pour gratifiante mission de les informer qu'elle n'avait pas encore établi les faits qui avaient conduit à la mort de Brian Darby, ni localisé la petite Sophie Leoni. Mais bon, comme pratiquement tous les flics de Boston étaient sur l'affaire, la cellule d'enquête finirait bien par découvrir quelque chose… un jour.

Le procureur, qui avait failli avoir une attaque en apprenant que Tessa Leoni avait déjà plaidé la légitime défense dans une précédente affaire, accéda à la requête de D.D. et lui accorda davantage de temps pour établir le chef d'inculpation. Étant donné la différence qu'il y avait entre instruire une affaire de violences volontaires ayant entraîné la mort et instruire un dossier d'assassinat, mieux vaudrait avoir plus d'informations et, pour cela, sonder en profondeur la jeunesse mouvementée de Tessa Leoni était nécessaire.

Ils concentreraient l'attention des médias sur les recherches pour retrouver Sophie et la détourneraient des circonstances de la mort de Brian Darby.

À minuit trente-trois, D.D. regagnait enfin son bureau. Son supérieur était satisfait, le procureur calmé, sa cellule d'enquête sur le coup. Ainsi allait la vie, encore une journée dans une énième affaire à sensations. Les rouages de la justice pénale tournaient inlassablement.

Bobby s'assit en face d'elle. Sans un mot, il prit le premier rapport de la pile posée sur son bureau et se mit à lire.

Au bout de quelques instants, D.D. en fit autant.

14

QUAND SOPHIE avait presque trois ans, elle s'est enfermée dans le coffre de ma voiture de patrouille. C'est arrivé avant ma première rencontre avec Brian, donc je ne pouvais m'en prendre qu'à moi-même.

À cette époque-là, nous vivions sur le même palier que Mme Ennis. C'était la fin de l'automne, la saison où le soleil faiblit plus tôt et où les nuits fraîchissent. Sophie et moi étions sorties, nous étions allées au parc. C'était maintenant l'heure du dîner et je m'activais dans la cuisine en supposant qu'elle était dans le séjour, où *George le petit curieux* passait à la télé.

J'avais préparé une petite salade, ça faisait partie de mon programme pour introduire plus de légumes dans l'alimentation de ma fille. Ensuite, j'avais grillé deux blancs de poulet et réchauffé des frites au four ; c'était mon compromis : Sophie pouvait avoir ses frites adorées du moment qu'elle mangeait d'abord un peu de salade.

L'opération m'avait pris vingt, vingt-cinq minutes. Mais vingt-cinq minutes bien remplies. J'étais concentrée et je ne prêtais apparemment pas assez d'attention à ma minette parce que quand je suis retournée dans le séjour pour annoncer que le dîner était prêt, ma fille avait disparu.

Je n'ai pas paniqué tout de suite. J'aimerais pouvoir dire que c'est parce que j'étais une policière avertie, mais en fait c'était plutôt parce que j'étais la mère de Sophie. Sophie a commencé à courir dès l'âge de treize mois et n'a pas ralenti depuis. C'était le genre d'enfant qui disparaît dans les magasins, part comme une flèche des balançoires dans les parcs et file en ligne droite au milieu d'un océan de jambes dans les centres commerciaux bondés – sans se préoccuper de savoir si je la suivais ou non. Au cours des six mois précédents, j'avais déjà perdu Sophie à plusieurs reprises. Mais nous nous étions toujours retrouvées en quelques minutes.

J'ai commencé par le plus simple : un rapide tour de notre petit deux pièces. Je l'ai appelée et, pour faire bonne mesure, j'ai regardé dans les placards de la salle de bain, les deux penderies, sous le lit. Elle n'était pas dans l'appartement.

J'ai ouvert la porte d'entrée dont, de fait, j'avais oublié de fermer le verrou, ce qui signifiait que tout l'immeuble devenait terrain de jeux. J'ai traversé le couloir en me maudissant intérieurement, avec la frustration croissante d'un parent célibataire débordé qui doit tout gérer en même temps, qu'il soit ou non à la hauteur de sa tâche.

J'ai frappé chez Mme Ennis. Non, Sophie n'était pas là, mais elle était certaine de l'avoir vue jouer dehors à l'instant.

Je suis sortie. Le soleil était couché. Les réverbères éclairaient la rue, de même que les spots à l'entrée de l'immeuble. Dans une ville comme Boston, il ne fait jamais réellement nuit. Je me suis raccrochée à cette idée pendant que je faisais le tour du petit immeuble de briques en appelant ma fille. Lorsque aucune enfant hilare n'est arrivée au coin en courant, lorsque aucun petit rire aigu n'a éclaté dans un buisson, j'ai commencé à me faire plus de mauvais sang.

Je frissonnais. Il faisait froid, je n'avais pas de manteau et, comme je me souvenais avoir vu la polaire framboise de Sophie pendue à côté de la porte de l'appartement, elle non plus.

Mon pouls s'est accéléré. J'ai pris une grande inspiration pour lutter contre l'effroi qui sourdait en moi. Pendant toute ma grossesse, j'avais vécu dans la peur. Je ne sentais pas ce miracle de la vie qui grandissait dans mon corps. Au lieu de ça, je voyais la photo de mon petit frère mort, nouveau-né d'un blanc de marbre avec des lèvres rouge vif.

Quand le travail a commencé, j'ai cru que la terreur qui me saisissait à la gorge allait m'empêcher de respirer. J'allais échouer, mon bébé allait mourir, il n'y avait pas d'espoir, pas d'espoir, pas d'espoir.

Mais Sophie est arrivée. Parfaite, rouge marbré, tonitruante. Chaude, glissante et belle à en pleurer tandis que je la serrais contre ma poitrine.

Ma fille était forte. Et intrépide, impulsive.

Avec une enfant comme Sophie, on ne panique pas. On raisonne en stratège : qu'avait-elle pu faire ?

Je suis rentrée dans l'immeuble et j'ai fait un rapide porte-à-porte. La plupart des voisins n'étaient pas encore rentrés du travail ; les rares qui m'ont ouvert n'avaient pas vu Sophie. Je marchais vite maintenant, d'un pas déterminé.

Sophie aimait le parc et elle aurait pu s'y rendre, sauf que nous avions passé l'après-midi sur les balançoires et qu'elle-même était prête à rentrer à la fin. Elle aimait bien l'épicerie du coin et était littéralement fascinée par la laverie automatique : elle adorait regarder les vêtements tourner.

J'ai décidé de remonter. Encore un tour de l'appartement pour voir si quelque chose d'autre aurait disparu – un jouet particulier, son sac préféré. Ensuite j'attraperais mes clés de voiture au vol et je ferais le tour du quartier.

C'est en arrivant à la porte que j'ai découvert ce qu'elle avait pris : les clés de ma voiture de patrouille n'étaient plus dans le vide-poche.

Cette fois-ci, je suis redescendue dans la rue comme une dératée. Les jeunes enfants et les voitures de patrouille ne font pas bon ménage. Oubliez la radio, le gyrophare et les sirènes du tableau de bord. J'avais un fusil de chasse dans le coffre.

J'ai couru jusqu'à la fenêtre passager, observé depuis le trottoir. Le véhicule semblait vide. J'ai essayé de l'ouvrir, mais c'était fermé à clé. J'ai fait le tour plus prudemment, le cœur battant, le souffle court, en vérifiant chaque portière, chaque fenêtre. Pas de mouvement. Fermé, fermé, fermé.

Pourtant elle avait pris les clés. Raisonner comme Sophie. Sur quel bouton de la télécommande avait-elle pu appuyer ? Qu'avait-elle pu faire ?

C'est là que je l'ai entendue. Des coups sourds dans le coffre. Elle était à l'intérieur, elle martelait le couvercle.

« Sophie ? »

Les coups ont cessé.

« Maman ?

– Oui, Sophie. Maman est là. Chérie, ai-je dit d'une voix que j'aurais voulue moins stridente, tu vas bien ?

– Maman, répondit calmement mon enfant depuis le coffre fermé à clé. Coincée, maman. Coincée. »

J'ai fermé les yeux, laissé s'échapper le souffle que je retenais. « Sophie, chérie, ai-je dit avec autant d'autorité que possible. Il faut que tu écoutes maman. Ne touche à rien.

– Oui.

– Tu as encore les clés ?

– Oui.

– Elles sont dans ta main ?

– Pas toucher !

– Si, tu peux toucher les clés, chérie. Tiens les clés, mais ne touche rien d'autre.

– Coincée, maman. Coincée.

– Je comprends, chérie. Tu voudrais sortir ?

– Oui !

– D'accord. Tiens les clés. Trouve un bouton avec ton pouce. Appuie dessus. »

J'ai entendu un déclic au moment où Sophie faisait ce que je lui disais. J'ai couru à la portière avant pour ouvrir. Naturellement, elle avait appuyé sur le bouton de fermeture.

« Sophie, chérie. Le bouton d'à côté ! Appuie sur celui-là ! »

Nouveau déclic et la portière avant s'est déverrouillée. J'ai poussé un nouveau soupir, ouvert la portière, trouvé le loquet du coffre. Quelques secondes plus tard, j'étais au-dessus de ma fille, recroquevillée comme une flaque rose entre le coffre métallique qui contenait mon fusil de secours et un sac noir rempli de munitions et autre matériel de police.

« Tu vas bien ? »

Ma fille a bâillé, tendu les bras vers moi. « Faim ! »

Je l'ai sortie du coffre, posée sur le trottoir, où elle n'a pas tardé à frissonner de froid.

« Maman. »

Elle commençait à geindre. Je l'ai interrompue fermement, sentant la colère poindre maintenant que mon enfant était hors de danger. « Sophie ! Écoute-moi. Ça, ai-je dit en lui prenant les clés pour les secouer devant elle, ce n'est pas à toi. *Jamais* tu ne touches ces clés. C'est compris ? Pas touche !

– Pas touche ! » a-t-elle gazouillé en faisant sa bouille de bébé qui va pleurer. Elle semblait prendre conscience de la gravité de sa bêtise. La mine allongée, elle fixait le trottoir.

« Tu ne sors pas de l'appartement sans me le dire ! Regarde-moi dans les yeux. Répète. Il faut le dire à maman. »

Elle m'a regardée avec ses yeux bleus limpides. « Pas sortir. Dire à maman », a-t-elle murmuré.

Les remontrances faites, j'ai cédé aux dix minutes de terreur que je venais de vivre et je l'ai reprise dans mes bras pour la serrer très fort. « Il ne faut pas faire des peurs comme ça à maman, ai-je murmuré dans ses cheveux. Sérieusement, Sophie. Je t'aime. Je ne veux jamais te perdre. Tu es ma Sophie. »

En réponse, ses petits doigts se sont enfoncés dans mes épaules pour se cramponner à moi.

Au bout d'un moment, je l'ai reposée. J'aurais dû mettre le verrou, me suis-je redit. Et il allait falloir que je pose mes clés au-dessus d'un placard, ou peut-être que je les range dans le coffre-fort avec le pistolet. Encore des choses à ne pas oublier. Encore de l'organisation dans une vie déjà surmenée.

Mes yeux me piquaient un peu, mais je n'ai pas pleuré. C'était ma Sophie. Et je l'aimais.

« Tu n'as pas eu peur ? lui ai-je demandé en la prenant par la main pour la remmener vers l'appartement et notre dîner qui refroidissait.

– Non, maman.

– Même pas quand tu étais enfermée dans le noir ?

– Non, maman.

– Vraiment ? Tu es drôlement courageuse, Sophie Leoni. »

Elle m'a serré la main. « Maman vient, a-t-elle dit simplement. Je sais. Maman vient me chercher. »

Coincée sur un lit d'hôpital au milieu de moniteurs qui bipaient, dans la rumeur constante d'une clinique animée, je me suis souvenu de ce soir-là. Sophie était forte. Sophie était courageuse. Contrairement à ce que j'avais fait croire aux enquêteurs, ma fille n'avait pas peur du noir. Je voulais qu'ils aient peur pour elle, je voulais qu'ils souffrent pour elle. N'importe quoi pour qu'ils se donnent un peu plus de mal, qu'ils la ramènent un peu plus vite à la maison.

Qu'ils me croient ou non, j'avais besoin de Bobby et D.D. Ma fille avait besoin d'eux, surtout que pour l'instant sa super-héroïne de mère ne pouvait pas se lever sans vomir.

Difficile à admettre, mais les faits étaient là : ma fille était en danger, perdue dans le noir. Et je ne pouvais strictement rien y faire.

Une heure du matin.

Je serrais le poing autour du bouton bleu, je le tenais bien fort.

« Sois courageuse, Sophie. » Je murmurais dans la chambre plongée dans la pénombre, je suppliais mon corps de guérir plus vite. « Maman vient. Maman viendra toujours te chercher. »

Ensuite je me suis obligée à passer en revue les trente-six dernières heures. J'ai contemplé toute la tragédie des jours passés. Puis j'ai considéré tous les dangers des jours à venir.

Surveiller les coins, anticiper les obstacles, prendre un coup d'avance.

L'autopsie de Brian avait été avancée à la première heure le lendemain matin. Une victoire à la Pyrrhus : j'avais obtenu ce que je voulais et, ce faisant, je m'étais certainement passé la corde au cou.

Mais j'avais aussi accéléré les opérations, j'avais un peu repris le contrôle de la situation.

Neuf heures, me suis-je dit. Neuf heures pour me remettre sur pied et ensuite, prête ou non, la partie commencerait.

J'ai pensé à Brian, agonisant sur le sol de la cuisine. J'ai pensé à Sophie, enlevée dans notre propre maison.

Et je me suis accordé un dernier instant pour pleurer mon mari. Parce que, à une époque, nous avions été heureux.

À une époque, nous avions formé une famille.

15

D.D. REGAGNA SON APPARTEMENT du North End à deux heures et demie du matin. Elle s'effondra sur son lit tout habillée et programma le réveil pour dormir quatre heures. Elle se réveilla six heures plus tard, jeta un œil au réveil et paniqua aussitôt.

Huit heures et demie ? Jamais elle n'avait de panne d'oreiller. Jamais !

Elle bondit hors de son lit, regarda autour d'elle avec des yeux effarés, attrapa son portable et composa un numéro. Bobby répondit à la deuxième sonnerie et elle lâcha sans respirer : « J'arrive j'arrive j'arrive. Donne-moi quarante minutes.

– D'accord.

– J'ai dû me planter avec mon réveil. Juste une douche, m'habiller, petit déjeuner. Je suis partie.

– D'accord.

– Merde ! Les bouchons !

– D.D., répondit Bobby, plus fermement. Ce n'est pas grave.

– Il est huit heures et demie ! » cria-t-elle avant de s'apercevoir à sa grande horreur qu'elle était au bord des larmes. Elle se laissa tomber sur le bord du lit. Seigneur, mais dans quel état elle se mettait ? Qu'est-ce qui lui arrivait ?

« Je suis encore chez moi, expliqua Bobby. Annabelle dort, je donne son biberon au bébé. Je vais te dire : je vais appeler le responsable de l'enquête sur la mort de Thomas Howe. Avec un peu de chance, on pourra se retrouver à Framingham d'ici une heure. Qu'est-ce que tu en dis ? »

D.D., docile : « D'accord.

– Je te rappelle dans trente minutes. Bonne douche. »

D.D. aurait dû dire quelque chose. Autrefois, elle n'aurait pas manqué de le faire. Au lieu de ça, elle raccrocha et resta assise là, comme un ballon de baudruche brusquement dégonflé.

Une minute passa et elle se traîna jusqu'à l'élégante salle de bain, où elle retira ses vêtements de la veille et, debout au milieu des carreaux de céramique blanche, observa son corps nu dans le miroir.

Elle toucha son ventre, passa ses mains sur sa peau lisse, essaya de détecter un indice de ce qui était en train de se passer. Cinq semaines de retard et elle ne voyait pas poindre le moindre petit bidon. Au contraire, son ventre semblait plus plat, son corps plus mince. Ça arrive, cela dit, quand on arrête le régime buffet-à-volonté pour le régime bouillon et biscuits secs.

Elle passa à l'examen de son visage, où ses boucles blondes ébouriffées encadraient des joues émaciées et des yeux meurtris. Elle n'avait pas encore fait le test de grossesse. Entre l'absence de règles et la fatigue intense entrecoupée d'incessantes nausées, elle n'avait guère de doutes sur son état. C'était bien sa chance d'interrompre trois années de désert sexuel pour se faire mettre en cloque.

Peut-être qu'elle n'était pas enceinte, se dit-elle alors. Peut-être qu'elle était mourante, en fait.

« Ne rêve pas », marmonna-t-elle avec morosité.

Mais cette phrase l'arrêta net. Elle ne pensait pas ce qu'elle disait. Ce n'était pas possible.

Elle palpa de nouveau son ventre. Peut-être que sa taille s'était épaissie. Peut-être que, juste là, elle sentait un début de renflement… Ses doigts s'attardèrent, caressèrent délicatement la zone. Et l'image d'un nouveau-né lui apparut fugitivement, visage rouge bouffi, yeux sombres bridés, bouche en cerise. Garçon ? Fille ? Peu importait. Juste un bébé. Un bébé, tout simplement.

« Je ne te ferai pas de mal, murmura-t-elle dans le silence de la salle de bain. Je ne suis pas faite pour être maman. Je vais être nulle. Mais je ne te ferai pas de mal. Jamais volontairement. »

Elle s'interrompit, poussa un grand soupir, sentit son déni commencer à se muer insensiblement en acceptation.

« Mais il va falloir m'aider sur ce coup-là. D'accord ? Tu n'as pas tiré le bon numéro, question maman. Alors on va devoir faire des compromis, tous les deux. Par exemple, tu pourrais me laisser remanger et en échange j'essaierai de me coucher avant minuit. C'est le mieux que je puisse faire. Si tu veux une meilleure offre, il faudra que tu retournes tenter ta chance à la loterie de la naissance.

» Ta maman essaie de retrouver une petite fille. Peut-être que tu t'en fiches, mais moi non. Je ne peux pas m'en empêcher. J'ai ce boulot dans la peau. »

Nouveau silence. Elle poussa encore un grand soupir, toujours en caressant son ventre du bout des doigts. « Alors il faut que je fasse ce que j'ai à faire, murmura-t-elle. Parce que le monde est un vrai merdier et qu'il faut bien y mettre de l'ordre. Sinon les petites filles comme Sophie Leoni n'auront jamais la moindre chance. Je ne veux pas vivre dans ce monde-là. Et je ne veux pas que tu grandisses dans ce monde-là. Alors on va faire ça ensemble. Je vais prendre une douche, et ensuite je vais manger. Ça te dirait, des céréales ? »

Son estomac ne s'aigrit pas immédiatement et elle prit ça pour un oui. « Va pour des céréales. Et ensuite on retourne bosser. Plus tôt on retrouvera Sophie, plus tôt je pourrai t'emmener à la maison voir ton papa.

Qui, au moins à une époque, voulait des enfants. J'espère que c'est toujours le cas. Eh, merde. Il va falloir qu'on y croie tous un peu dans cette affaire. Allez, au boulot. »

D.D. ouvrit le robinet de la douche.

Plus tard, elle mangea des Cheerios et quitta son appartement sans avoir vomi.

Pas mal, estima-t-elle. Pas mal.

L'enquêteur Butch Walthers portait bien son nom. Visage épais, épaules massives, bedaine d'ancien joueur de football américain qui s'était laissé aller. Il avait accepté de retrouver Bobby et D.D. dans un café qui servait des petits déjeuners au coin de sa rue : c'était son jour de repos et, tant qu'à parler boulot, il voulait au moins y gagner un repas.

D.D. entra, fut assaillie par une forte odeur d'œufs et de bacon et faillit ressortir. Elle avait toujours adoré les restaurants. Elle avait toujours adoré les œufs au bacon. En être maintenant réduite à ces nausées instantanées était purement et simplement cruel.

Elle inhala plusieurs fois par la bouche pour calmer ses haut-le-cœur, puis eut une inspiration et sortit des chewing-gums de son sac bandoulière. Un vieux truc appris en travaillant sur d'innombrables scènes de crime : mâcher du chewing-gum à la menthe neutralise le sens de l'odorat. Elle en fourra trois tablettes dans sa bouche, sentit le puissant goût de menthe envahir le fond de sa gorge et réussit à rejoindre le fond du restaurant, où Bobby était déjà assis face à Walthers sur une banquette.

Les deux hommes se levèrent à son arrivée. Elle se présenta à Walthers, salua Bobby et se glissa la première sur la banquette pour être à côté de la fenêtre. Coup de chance, celle-ci avait l'air de pouvoir s'ouvrir. D.D. entreprit immédiatement d'actionner les loquets.

« Un peu chaud, expliqua-t-elle. J'espère que ça ne vous dérange pas. »

Les deux hommes la regardèrent d'un œil curieux, mais ne dirent rien. C'était vrai qu'il faisait chaud dans ce restaurant, pensa D.D., sur la défensive, et le souffle d'air froid du mois de mars sentait la neige et rien d'autre. Elle se pencha vers la fente étroite.

« Un café ? proposa Bobby.

– De l'eau. »

Bobby s'étonna.

« J'ai déjà pris un kawa, mentit D.D. Je n'ai pas envie d'avoir la tremblote. »

Bobby n'était pas dupe. Elle aurait dû s'en douter. Elle se tourna vers Walthers avant que Bobby ait le temps de proposer un petit déjeuner. La voir refuser un repas signerait sans doute la fin du monde tel qu'il le connaissait.

« Merci d'avoir accepté de nous rencontrer, dit-elle. Surtout pendant votre jour de congé. »

Walthers hocha la tête d'un air obligeant. Son nez bulbeux était sillonné de capillaires rouges éclatés. Gros buveur, en déduisit D.D. Un de ces anciens combattants qui touchaient à la fin de leur carrière. S'il croyait qu'il avait la vie dure maintenant, songea-t-elle avec une pointe de compassion, qu'il attende de voir ce que serait la retraite. Toutes ces heures vides à remplir avec le souvenir du bon vieux temps et le regret des arrestations manquées.

« Surpris qu'on m'appelle pour le dossier Howe, dit Walthers. J'ai enquêté sur un paquet d'affaires à l'époque. Jamais trouvé cette enquête intéressante.

– Les faits semblaient assez clairs ?

– Oui et non. Les preuves matérielles, c'était du grand n'importe quoi, mais les antécédents de Tommy Howe étaient parlants : Tessa Leoni n'était pas la première qu'il agressait ; seulement la première qui résistait.

– Ah bon ? »

D.D. était intriguée. La serveuse arriva et les interrogea du regard. Walthers commanda un menu du Pionnier, soit quatre saucisses, deux œufs frits et une petite assiette de frites maison. Bobby commanda la même chose. D.D., dans un moment de bravoure, opta pour du jus d'orange.

Ce coup-ci, pas de doute, Bobby la regardait avec de grands yeux.

« Si vous pouviez nous retracer l'affaire, dit D.D. à Walthers dès que la serveuse se fut éloignée.

– L'appel est arrivé au 911. La mère, dans mon souvenir, en pleine crise de nerfs. Le premier intervenant a trouvé Tommy Howe mort dans le séjour, une plaie par balle, ses parents et sa sœur en peignoir autour de lui. La mère sanglotait, le père la consolait, la petite sœur était en état de choc. Les parents ne savaient rien de rien. Ils s'étaient réveillés en entendant du bruit, le père était descendu, avait trouvé le corps de Tommy, point final.

» C'était la sœur, Juliana, qui avait les réponses, mais il a fallu un moment pour les obtenir. Elle avait invité une amie à dormir…

– Tessa Leoni, précisa D.D.

– Exact. Tessa s'était endormie sur le canapé pendant qu'elles regardaient un film. Juliana était montée se coucher. Peu après une heure du matin, elle aussi avait entendu du bruit. Elle était descendue et avait découvert son frère et Tessa sur le canapé. Selon ses propres dires, elle ne savait pas très bien ce qui se passait, mais ensuite elle avait entendu un coup de feu et vu Tommy reculer en chancelant. Il était tombé par terre et Tessa s'était relevée du canapé, le pistolet toujours à la main.

– Juliana a vu Tessa tirer sur son frère ?

– Oui. Elle était plutôt chamboulée. D'après elle, Tessa lui a dit que Tommy l'avait agressée. Juliana était désemparée. Tommy mettait du sang partout, elle entendait son père dans les escaliers. Elle a paniqué et dit à Tessa de rentrer chez elle, ce que Tessa a fait.

– Tessa est rentrée chez elle en courant en pleine nuit ? intervint Bobby.

– Elle habitait la même rue, à cinq maisons de là. Pas une grosse distance à parcourir. Quand le papa est arrivé en bas, il a hurlé à Juliana que sa mère appelle le 911. Voilà la scène que j'ai découverte. Plein de sang dans le salon, un adolescent mort, une tireuse absente.

– Où Tommy avait-il pris la balle ?

– En haut de la cuisse gauche. Elle a sectionné l'artère fémorale et il s'est vidé de son sang. Pas de chance, quand on y pense, mourir d'une balle dans la jambe.

– Une seule balle ?

– Ça a suffi. »

Intéressant, songea D.D. Au moins, Brian Darby en avait pris trois dans la poitrine. C'est fou ce qu'on pouvait apprendre en vingt-cinq semaines de formation intensive au tir au pistolet.

« Et où était Tessa ?

– Après la déposition de Juliana, je suis allé chez les Leoni, où Tessa m'a ouvert dès que j'ai frappé. Elle avait pris une douche…

– C'est pas vrai !

– Je vous avais dit que c'était n'importe quoi, les preuves matérielles. Cela dit, ajouta Walthers en haussant ses solides épaules, elle avait seize ans. De son propre aveu, elle avait subi des violences sexuelles avant de tirer sur son agresseur. Comment lui en vouloir de s'être précipitée sous la douche ? »

Ça ne plaisait quand même pas à D.D. « Quelles preuves matérielles avez-vous pu recueillir ?

– Le 22. Tessa l'a donné tout de suite. Il y avait ses empreintes sur la crosse et la balistique a prouvé que la balle qui a tué Tommy Howe venait de ce pistolet. Nous avons ensaché et étiqueté les vêtements qu'elle avait enlevés. Pas de sperme sur les sous-vêtements : d'après elle, il n'avait, hum, pas pu terminer ce qu'il avait commencé. Mais du sang sur ses vêtements, même groupe que celui de Tommy Howe.

– De la poudre sur ses mains ?

– Test négatif. En même temps, elle avait pris une douche.

– Le kit de recueil de preuves en cas de viol ?

– Elle a refusé.

– Refusé ?

– Elle disait qu'elle en avait assez subi comme ça. J'ai essayé de la convaincre de laisser une infirmière l'examiner pour voir si elle avait des ecchymoses, je lui ai expliqué que ce serait dans son intérêt, mais elle n'a rien voulu savoir. Elle tremblait comme une feuille. On voyait… qu'elle était à bout de nerfs.

– Et le père, dans tout ça ? demanda Bobby.

– Il s'est réveillé quand nous sommes arrivés chez lui. Apparemment, il s'apercevait seulement que sa fille était rentrée de sa nuit chez sa copine et qu'il s'était passé quelque chose. Il avait l'air un peu… à côté de ses pompes. Dans sa cuisine, en caleçon et marcel, les bras croisés sur la poitrine, sans décrocher un mot. Je veux dire, sa fille de seize ans raconte qu'elle s'est fait agresser par un garçon et lui, il reste planté là comme une statue. Donnie, dit Walthers en claquant des doigts lorsque le nom lui revint. Donnie Leoni. Il dirigeait un garage. Je n'ai jamais pu comprendre ce type. Sans doute l'alcool, je me disais, mais je n'ai jamais eu confirmation.

– La mère ?

– Morte. Six mois plus tôt, crise cardiaque. Pas une famille heureuse, mais bon…, conclut Walthers avec résignation, c'est presque toujours comme ça.

– Donc, récapitula D.D., Tommy Howe meurt dans son salon d'une blessure par balle. Tessa avoue, mais elle s'est lavée et refuse de se soumettre à un examen médical. Je ne comprends pas. Le procureur s'est contenté de la croire sur parole ? La pauvre petite jeune fille traumatisée disait forcément la vérité ? »

Walthers secoua la tête. « Entre nous ?

– Bien sûr, l'encouragea D.D. Entre amis.

– Tessa Leoni était une énigme pour moi. Je veux dire, d'un côté, elle était là dans sa cuisine à trembler sans pouvoir s'arrêter. Et de l'autre... elle rendait compte de chaque minute de la soirée avec précision. De toute ma carrière, je n'ai jamais vu une victime se souvenir aussi clairement d'autant de détails, surtout après une agression sexuelle. Ça m'ennuyait, mais qu'est-ce que je pouvais dire : *Chérie, tu as trop bonne mémoire pour que je te prenne au sérieux ?* Par les temps qui courent, un enquêteur risque sa plaque avec ce genre de phrases et, croyez-moi, j'ai deux ex-femmes à entretenir, je vais avoir besoin de ma retraite.

– Alors pourquoi la laisser s'en tirer avec de la légitime défense ? Pourquoi ne pas l'inculper ? demanda Bobby, manifestement aussi perplexe que D.D.

– Parce que Tessa Leoni faisait peut-être une victime contestable, mais Tommy Howe était le coupable idéal. En moins de vingt-quatre heures, trois filles ont appelé pour signaler qu'il les avait agressées sexuellement. Aucune d'elles ne voulait faire une déposition officielle, notez bien, mais plus on creusait, plus on s'apercevait que Tommy s'était clairement fait une réputation auprès des demoiselles : il ne comprenait pas le mot non. Il n'employait pas nécessairement la force, ce qui explique pourquoi beaucoup hésitaient à témoigner. Il semblerait qu'il les faisait boire, quitte à corser leur boisson. Mais certaines des filles se souvenaient parfaitement qu'elles n'étaient *pas* intéressées par Tommy Howe et qu'elles s'étaient quand même réveillées dans son lit.

– Rohypnol, suggéra D.D.

– Sans doute. Nous n'en avons pas trouvé dans sa chambre d'étudiant, mais même ses copains reconnaissaient qu'il parvenait toujours à ses fins et que l'opinion de la fille sur la question ne l'intéressait pas beaucoup.

– Charmant garçon, grommela Bobby.

– Ses parents le pensaient, en tout cas, observa Walthers. Quand le procureur a annoncé qu'il n'engageait pas de poursuites et qu'il a voulu expliquer les circonstances atténuantes… On aurait dit qu'on essayait de leur prouver que la terre n'était pas ronde. Le père (James, James Howe) a piqué une crise. Il a hurlé sur le procureur, appelé mon supérieur pour lui expliquer en long, en large et en travers qu'à cause de mon enquête de merde nous allions laisser une tueuse de sang-froid se promener en liberté. Monsieur avait des relations, il nous ferait tous sauter.

– Il l'a fait ? » demanda D.D. avec curiosité.

Walthers leva les yeux au ciel. « Voyons, il était cadre moyen chez Polaroid. Des relations ? Il gagnait correctement sa vie et je suis sûr que ses sous-fifres tremblaient devant lui. Mais il ne régnait que sur un box de neuf mètres carrés et une maison de deux cents mètres carrés. Les parents…, soupira-t-il.

– M. et Mme Howe n'ont jamais cru que Tommy avait agressé Tessa Leoni ?

– Non. Ils n'ont jamais pu envisager que leur fils soit coupable, ce qui est drôle parce que Donnie Leoni n'a jamais pu envisager que sa fille soit innocente. J'ai appris par le bouche-à-oreille qu'il l'avait jetée dehors. Un de ces types qui pensent que la fille a dû le chercher, manifestement. Que voulez-vous ? » conclut-il en secouant de nouveau la tête.

La serveuse revint avec leurs commandes, fit glisser les assiettes devant Walthers et Bobby et tendit son verre de jus d'orange à D.D.

« Autre chose ? » demanda-t-elle.

Comme ils faisaient signe que non, elle s'éloigna.

Les hommes attaquèrent leur repas. D.D. se pencha vers la fenêtre entrouverte pour échapper à l'odeur grasse des saucisses. Elle retira son chewing-gum de sa bouche, fit une tentative avec le jus d'orange.

Comme ça, Tessa Leoni avait tiré une balle dans la jambe de Tommy Howe. Quand D.D. visualisait la scène, l'enchaînement paraissait logique. Tessa, seize ans, terrifiée, coincée dans les coussins du canapé sous le poids d'un homme plus grand, plus fort. Sa main droite qui tâtait à côté d'elle, sentait son sac à main qui lui rentrait dans la hanche. Cherchait le 22 de son père, empoignait enfin la crosse, glissait l'arme entre eux...

Walthers avait raison : fichue malchance pour Tommy d'être mort d'une telle blessure. Tout bien considéré, fichue malchance aussi pour Tessa, qui avait perdu son père et sa meilleure amie dans la bataille.

Ça ressemblait à de la légitime défense, vu le nombre d'autres femmes qui étaient prêtes à confirmer le passé d'agresseur sexuel de Tommy. Et cependant, qu'une même femme soit impliquée dans deux morts par arme à feu... D'abord celle d'un adolescent agressif. Ensuite celle d'un mari violent. Pour le premier, une seule balle dans la jambe, qui s'était révélée fatale. Pour le second, trois balles dans la poitrine, en plein dans la zone mortelle.

Deux morts par arme à feu. Deux cas de légitime défense. Malchance, se demanda D.D. en prenant une deuxième petite gorgée de jus d'orange, ou processus d'apprentissage ?

Walthers et Bobby terminaient leurs assiettes. Bobby prit l'addition, Walthers grommela des remerciements. Ils échangèrent leurs cartes et Walthers partit de son côté, laissant Bobby et D.D. sur le trottoir.

Bobby se retourna vers elle à la seconde où Walthers tourna au coin de la rue. « Quelque chose que tu voudrais me dire, D.D. ?

– Non. »

Il serra les dents, comme s'il allait insister, mais non. Il se détourna et se mit à étudier la marquise du restaurant. Pour un peu, D.D. l'aurait cru froissé.

« J'ai une question pour toi, dit-elle pour changer de sujet et détendre l'atmosphère. J'en reviens toujours à Tessa Leoni, contrainte de tuer deux hommes dans deux cas de légitime défense. Je me demandais si elle était malchanceuse à ce point ou bien futée à ce point ? »

La question éveilla l'attention de Bobby. Il se retourna vers D.D., concentré.

« Imagine, continua D.D. Tessa est abandonnée à son triste sort à l'âge de seize ans et elle finit seule et enceinte à vingt et un ans. Mais là, selon ses propres termes, elle reconstruit sa vie. Elle arrête de boire. Donne naissance à une magnifique petite fille, devient une policière respectable, rencontre même un mec génial. Jusqu'au jour où, ayant bu, il la frappe pour la première fois. Qu'est-ce qu'elle fait, à ce moment-là ?

– Entre flics, on ne se confie pas, remarqua Bobby avec raideur.

– Exactement. Ce serait contraire au code du patrouilleur, censé affronter n'importe quelle situation tout seul. Cela dit, Tessa aurait pu quitter son mari. La prochaine fois que Brian aurait pris la mer, Tessa et Sophie auraient eu soixante jours devant elles pour s'installer ailleurs. Mais peut-être qu'après avoir vécu dans une jolie petite maison, Tessa n'a pas envie de retourner dans un deux pièces. Peut-être qu'elle apprécie cette maison, le jardin, la belle voiture, les cinquante mille dollars à la banque.

– Peut-être qu'elle pense qu'il ne suffira pas de déménager, répliqua Bobby. Il y a des maris violents qui ne veulent pas comprendre.

– D'accord, lui accorda D.D. Ça aussi. Tessa estime qu'il lui faut une solution plus radicale. Une solution qui fasse définitivement sortir Brian Darby de sa vie et de celle de Sophie, sans pour autant la priver d'un bien immobilier exceptionnel. Alors qu'est-ce qu'elle fait ? »

Bobby la dévisage. « Tu veux me dire qu'en se fondant sur son expérience avec Tommy Howe, Tessa décide de mettre en scène une agression qui lui permettra de tuer son mari en situation de légitime défense ?

– Je me dis que l'idée a dû lui traverser l'esprit.

– D'accord. Sauf que les blessures de Tessa ne sont pas du chiqué. Commotion cérébrale, pommette fracturée, contusions multiples. Elle ne tient même pas debout.

– Peut-être que Tessa a provoqué son mari pour qu'il l'agresse. Pas bien difficile. Elle sait qu'il a bu. Suffit de le pousser à lui donner quelques torgnoles et elle peut ouvrir le feu sans danger. Brian cède à ses démons et Tessa en profite. »

Bobby, mécontent, secouait la tête. « Trop machiavélique. Et même comme ça, ça ne tient pas la route.

– Pourquoi ?

– À cause de Sophie. Mettons que Tessa fasse en sorte que son mari la frappe. Et qu'elle lui tire dessus. Comme tu le disais hier, ça explique le cadavre dans la cuisine et son séjour avec les urgentistes dans le jardin d'hiver. Mais Sophie ? Où est Sophie ? »

D.D. se renfrogna, une main posée sur le ventre. « Peut-être qu'elle voulait que Sophie ne soit pas dans la maison, pour éviter qu'elle assiste à la scène.

– Dans ce cas, elle se serait arrangée pour que Sophie dorme chez Mme Ennis.

– Attends. C'est peut-être ça, le problème. Elle ne s'est pas arrangée pour que Sophie dorme chez Mme Ennis. Sophie en a trop vu, alors Tessa a été obligée de l'escamoter pour que nous ne puissions pas l'interroger.

– Tessa aurait planqué Sophie ? »

D.D. réfléchit à cette hypothèse. « Ça expliquerait pourquoi elle a été aussi lente à coopérer. Elle n'est pas inquiète pour sa fille ; elle sait que Sophie est en sécurité. »

Mais Bobby protestait déjà. « Voyons, Tessa est agent de police. Elle sait qu'à l'instant où elle signalera la disparition de son enfant, une alerte-enlèvement sera déclenchée dans tout l'État. Quelle chance y a-t-il d'arriver à cacher une enfant dont la photo est diffusée à tous les coins de rue par les grands médias ? À qui pourrait-elle même demander une chose pareille : *Salut, il est neuf heures, dimanche matin, et je viens de tuer mon mari, ça te dirait de partir en cavale avec ma fille de six ans ?*

Nous avons déjà établi que cette femme n'a ni proches parents, ni amis. Elle aurait le choix entre Mme Ennis et Mme Ennis, or Mme Ennis n'a pas Sophie.

» Sans oublier, continua implacablement Bobby, que les recherches ne s'arrêteront pas. Tôt ou tard, nous retrouverons Sophie. Et alors nous lui demanderons ce qu'elle a vu ce matin-là. Si Sophie a été témoin de la dispute entre Tessa et Brian, retarder l'échéance de quelques jours n'y changera rien. Alors pourquoi prendre un tel risque avec son enfant ?

– Évidemment, présenté comme ça, marmonna D.D. avec dépit.

– Pourquoi c'est si difficile pour toi ? demanda brusquement Bobby. Une collègue est hospitalisée. Sa petite fille a disparu. La plupart des enquêteurs sont heureux de l'aider, mais toi, on dirait que tu cherches à tout prix une raison de l'épingler.

– Pas du...

– Est-ce que c'est parce qu'elle est jeune et jolie ? Est-ce que tu es vraiment aussi mesquine ?

– Bobby Dodge ! éclata D.D.

– Il faut qu'on retrouve Sophie Leoni ! » cria à son tour Bobby. Pendant toutes les années qu'ils avaient passées ensemble, D.D. n'était pas sûre d'avoir jamais entendu Bobby crier, mais ce n'était pas grave parce qu'elle-même avait élevé la voix.

« Je sais !

– Ça fait plus de vingt-quatre heures. À trois heures du matin, ma fille a pleuré et je n'ai pas pu m'empêcher de me demander si la petite Sophie n'était pas en train de faire la même chose quelque part.

– Je sais !

– Cette affaire me rend malade, D.D. !

– Moi aussi ! »

Bobby arrêta de crier. Reprit son souffle. D.D. poussa un soupir de frustration. Bobby passa une main dans ses cheveux courts. D.D. repoussa ses boucles blondes en arrière.

« Il faut qu'on parle à l'employeur de Brian Darby, rappela Bobby au bout d'une minute. Il nous faut une liste des amis, des relations susceptibles de savoir ce qu'il aurait pu faire de sa belle-fille. »

D.D. consulta sa montre. Dix heures. Phil avait programmé le rendez-vous téléphonique avec Scott Hale pour onze heures. « Encore une heure à attendre.

– Très bien. Commençons par appeler les salles de sport. Peut-être que Brian avait un coach personnel. Les gens avouent tout à leur coach et on aurait bien besoin d'une confession, là, tout de suite.

– Toi, tu appelles les salles de sport, dit D.D.

– Pourquoi ? Qu'est-ce que tu vas faire ? lui demanda-t-il avec méfiance.

– Retrouver Juliana Howe.

– D.D…

– Diviser pour mieux régner, l'interrompit-elle sèchement. Couvrir deux fois plus de terrain pour des résultats deux fois plus rapides.

– Bon sang. Jamais tu ne désarmes.

– C'est ce qui t'avait séduit à une époque. »

D.D. partit vers sa voiture. Bobby ne la suivit pas.

16

BRIAN ET MOI avons eu notre première dispute sérieuse après quatre mois de mariage. Pendant la deuxième semaine d'avril, une tempête de neige inattendue avait enseveli la Nouvelle-Angleterre. J'étais de service cette nuit-là et, à sept heures du matin, le Pike n'était plus qu'un enchevêtrement d'accidents en série, de véhicules à l'abandon et de piétons paniqués. Nous avions du travail jusque par-dessus la tête, le service de nuit se prolongeait en service de jour, alors même qu'on appelait des renforts et que l'essentiel des services d'urgence était sur le pied de guerre. Bienvenue dans la vie d'un policier en tenue lorsque débarque un blizzard du cap Hatteras.

À onze heures du matin, quatre heures après la fin normale de mon service, j'ai réussi à appeler chez moi. Personne n'a répondu. Je ne me suis pas inquiétée. J'ai pensé que Brian et Sophie devaient être en train de jouer dehors dans la neige. Peut-être qu'ils faisaient de la luge, qu'ils fabriquaient un bonhomme ou qu'ils creusaient pour trouver de gros crocus violets sous la neige bleu glace.

À une heure de l'après-midi, mes collègues et moi avions réussi à déblayer la plupart des accidents, à faire remorquer une trentaine de véhicules en panne et repartir une bonne vingtaine de conducteurs en rade. Dégager l'autoroute permettait aux chasse-neige et engins de sablage de faire enfin leur boulot, ce qui nous facilitait en retour le travail.

Je suis finalement retournée à mon véhicule le temps d'avaler une gorgée de café froid et de jeter un œil à mon portable, qui avait sonné plusieurs fois à ma ceinture. J'étais en train de découvrir que Mme Ennis m'avait appelée un paquet de fois quand mon biper a sonné sur mon épaule. C'était le central, qui cherchait à me joindre. Ils voulaient me mettre en relation avec un correspondant pour un appel d'urgence.

Mon cœur s'est emballé. D'instinct, je me suis raccroché au volant de ma voiture comme à une bouée de sauvetage. J'ai le vague souvenir d'avoir donné mon autorisation et d'avoir décroché la radio pour entendre la voix paniquée de Mme Ennis. Cela faisait plus de cinq heures qu'elle attendait. Où était Sophie ? Où était Brian ?

Au début, je n'ai pas compris, mais les éléments de l'histoire se sont peu à peu précisés. Brian avait appelé Mme Ennis à six heures du matin, quand la neige avait commencé à tomber. Il avait regardé la météo et, accro à l'adrénaline qu'il était, il en avait conclu que ce serait le jour idéal pour skier dans la poudreuse. La garderie de Sophie resterait certainement fermée. Est-ce que Mme Ennis pouvait s'occuper d'elle ?

Mme Ennis avait accepté, mais il allait lui falloir au moins une heure ou deux pour rejoindre la maison. Brian n'avait pas été ravi à cette idée. Les routes allaient être de plus en plus mauvaises, etc. Il avait donc plutôt proposé de déposer Sophie chez Mme Ennis en partant. Mme Ennis avait préféré cette solution, qui lui évitait de prendre le bus. Brian serait là à huit heures. Elle était convenue que Sophie aurait un petit déjeuner qui l'attendrait.

Sauf qu'il était maintenant une heure et demie de l'après-midi. Pas de Brian. Pas de Sophie. Et personne ne répondait à la maison. Que s'était-il passé ?

Je ne savais pas. Je ne voulais pas savoir. Je refusais de me représenter les possibilités qui m'étaient spontanément venues à l'esprit. La façon dont un adolescent peut être éjecté d'une voiture et projeté contre un poteau téléphonique. Ou dont la colonne de direction d'une vieille voiture sans airbag peut défoncer la cage thoracique d'un adulte et le laisser parfaitement immobile au point que vous le croiriez endormi sur le siège conducteur jusqu'au moment où vous remarquez le filet de sang au coin de sa bouche. Ou encore cette petite fille de huit ans que, tout juste trois mois auparavant, il avait fallu désincarcérer de l'avant embouti d'une berline, pendant que sa mère, relativement indemne, expliquait en hurlant que le bébé pleurait, qu'elle s'était juste retournée pour jeter un œil au bébé...

Voilà les choses que je sais. Les scènes dont je me souvenais quand j'ai démarré d'un coup sec, que j'ai mis gyrophare et sirène et que je suis rentrée chez moi, à une demi-heure de là, dans mon véhicule qui chassait de l'arrière dans la neige.

Mes mains tremblaient quand je me suis arrêtée sur les chapeaux de roues devant notre garage en brique, l'avant de la voiture sur le trottoir, l'arrière sur la chaussée. Laissant le gyrophare allumé, je suis descendue de voiture et j'ai gravi quatre à quatre les escaliers enneigés vers la maison plongée dans le noir. Ma botte s'est posée sur une première plaque de glace et je me suis retenue à la rampe métallique juste à temps pour ne pas dégringoler dans la rue. Je suis arrivée en haut, j'ai essayé d'ouvrir la porte d'entrée, manipulé mes clés d'une main tout en frappant de l'autre, même si les fenêtres sans vie me disaient tout ce que je n'avais pas envie de savoir.

Pour finir, d'un violent mouvement de poignet, j'ai tourné la clé dans la serrure, puis poussé la porte...

Rien. Cuisine vide, séjour désert. Je me suis précipitée à l'étage ; personne dans les deux chambres.

Mon ceinturon cliquetait bruyamment à ma taille et l'écho de mes bottes résonnait dans les escaliers quand je suis redescendue en courant dans la cuisine. Là, je me suis enfin arrêtée, j'ai respiré un bon coup et je me suis rappelée que j'étais officier de police. Moins d'adrénaline, plus d'intelligence. Voilà comment on résolvait les problèmes. Comment on restait aux commandes.

« Maman ? Maman, tu es rentrée ! »

Mon cœur a fait un bond immense dans ma poitrine. Je me suis retournée juste à temps pour attraper ma Sophie qui se jetait dans mes bras, m'étreignait encore et encore et se lançait sans reprendre son souffle dans le récit effréné et enfantin de sa palpitante journée de neige au point que j'en avais de nouveau le tournis.

Ensuite je me suis aperçue que Sophie n'était pas revenue seule, mais qu'une jeune voisine se tenait sur le pas de la porte. Elle m'a saluée de la main.

« Mme Leoni ? a-t-elle demandé, avant de rougir. Agent Leoni, je veux dire. »

Ça m'a pris un moment, mais j'ai fini par comprendre. Brian était bel et bien parti skier. Mais il n'avait jamais emmené Sophie chez Mme Ennis. En fait, pendant qu'il chargeait son matériel, il était tombé par hasard sur Sarah Clemons, quinze ans, qui habitait l'immeuble d'à côté. Elle déneigeait l'allée, il lui avait parlé et, avant d'avoir eu le temps de dire ouf, elle avait accepté de garder Sophie jusqu'à mon retour afin que Brian puisse quitter la ville plus rapidement.

Sophie, en adoration devant les adolescentes, avait été enthousiasmée par ce changement de programme. Sarah et elle avaient, semblait-il, passé la matinée à faire de la luge dans la rue, à se lancer des boules de neige et à regarder des épisodes de *Gossip Girl* que Sarah avait enregistrés sur son magnétoscope numérique.

Brian n'avait pas précisé l'heure de son retour, mais il avait laissé entendre à Sarah qu'elle me verrait rentrer à un moment ou un autre. Sophie avait vu ma voiture arriver dans la rue et voilà.

J'étais à la maison. Sophie était contente et Sarah soulagée de rendre l'enfant qu'on lui avait confié à l'improviste. J'ai réussi à dénicher cinquante dollars en faisant les fonds de tiroir. Ensuite j'ai appelé Mme Ennis, rendu compte au central et envoyé ma fille, dopée au chocolat chaud et aux feuilletons pour adolescentes, faire un bonhomme de neige dans le jardin. Debout sur la terrasse pour la surveiller, toujours en tenue, j'ai passé mon premier coup de fil sur le portable de Brian.

Il n'a pas répondu.

Après ça, je me suis forcée à ranger mon ceinturon dans le coffre-fort de la grande chambre, en prenant bien soin de refermer la serrure à combinaison. Il y a d'autres choses dont je me souviens. D'autres choses que je sais.

Sophie et moi sommes arrivées tant bien que mal au bout de la journée. J'ai découvert qu'on peut avoir envie de tuer son conjoint et rester un parent efficace. Nous avons mangé des macaronis au fromage pour le dîner, fait plusieurs parties de Candy Land, puis j'ai mis Sophie dans la baignoire pour son bain du soir.

À huit heures et demie, elle dormait à poings fermés dans son lit. Je faisais les cent pas entre la cuisine, le séjour et le salon d'hiver où régnait un froid glacial. Ensuite je suis ressortie dans l'espoir d'épuiser ma fureur grandissante en déneigeant le toit au râteau et en déblayant l'escalier et la terrasse.

À dix heures du soir, j'ai pris une douche bien chaude et enfilé un uniforme propre. Je n'ai pas ressorti le ceinturon du coffre. Il aurait été imprudent que j'aie mon Sig Sauer sur moi.

À dix heures et quart, mon mari est enfin rentré avec un énorme sac et ses skis. Il sifflotait, se déplaçait avec la grâce déliée d'un homme qui s'était livré toute la journée à une activité physique intense.

Il a calé ses skis contre le mur. Posé son sac. Balancé ses clés sur la table de cuisine, et il commençait à enlever ses chaussures quand il m'a vue. Il a eu l'air de voir d'abord mon uniforme, et son regard s'est dirigé par réflexe vers la pendule.

« Il est si tard que ça ? Mince, je suis désolé. Je n'ai pas vu le temps passer. »

Je le regardais d'un œil noir, les mains sur les hanches, une caricature de dragon domestique. Je n'en avais strictement rien à foutre.

« Où. Tu. Étais. »

Les mots sont sortis comme ça, secs et sévères. Brian a levé les yeux, sincèrement surpris. « Au ski. Sarah ne t'a pas dit ? La petite voisine. Elle a bien ramené Sophie, non ?

– Drôle de question à poser à une heure pareille, tu ne crois pas ? »

Il a hésité, moins sûr de lui. « Sophie est rentrée ?

– Oui.

– Sarah s'en est sortie ? Je veux dire, Sophie va bien ?

– On dirait. »

Brian a hoché la tête, paru réfléchir. « Dans ce cas... où est le problème ?

– Mme Ennis...

– Merde ! s'est-il exclamé en se relevant. J'étais censé l'appeler. En voiture. Sauf que c'était vraiment la merde sur la route, il fallait que je garde mes deux mains sur le volant, et le temps que je rejoigne l'autoroute où ça roulait mieux... Oh, zut... » Il a poussé un soupir. S'est laissé retomber sur sa chaise. « J'ai foiré, sur ce coup-là.

– *Tu as laissé ma fille avec une inconnue ! Tu es parti t'amuser alors que j'avais besoin de toi ici. Et tu as fait paniquer une vieille dame géniale qui va sans doute devoir doubler ses doses de médicaments pour le cœur pendant une semaine !*

– Ouais, a reconnu mon mari entre ses dents. J'ai déconné. J'aurais dû l'appeler. Je suis désolé.

– Comment tu as pu ? »

Il s'est remis à délacer ses chaussures. « J'ai oublié. J'étais parti pour déposer Sophie chez Mme Ennis, mais j'ai croisé Sarah, elle habite juste à côté…

– Tu as laissé Sophie toute la journée avec une inconnue…

– Holà, holà, holà. Il était déjà huit heures. Je pensais que tu serais de retour d'une minute à l'autre.

– J'ai travaillé jusqu'à plus d'une heure de l'après-midi. Et j'y serais encore si Mme Ennis n'avait pas appelé le central pour qu'on me bipe de toute urgence. »

Brian a blêmi et arrêté de triturer ses chaussures. « Oh-oh.

– Je rigole pas !

– D'accord. D'accord. C'est sûr. Aucun doute. Oublier d'appeler Mme Ennis était une connerie monumentale. Je suis désolé, Tessa. Je l'appellerai demain matin pour m'excuser.

– Tu n'as aucune idée de la peur que j'ai eue. »

Il fallait que je le dise. Il n'a rien répondu.

« Pendant tout le trajet… en voiture. Est-ce que tu as déjà tenu une tête de nouveau-né entre tes mains, Brian ? »

Il n'a rien répondu.

« C'est comme de tenir des pétales de rose. Les fragments qui ne sont pas soudés sont si fins qu'on pourrait voir à travers, si légers qu'en soufflant dessus on les ferait s'envoler. Voilà ce que je sais, Brian. Ce que je ne peux pas oublier. Alors, ne t'avise pas de déconner avec une femme comme moi, Brian. Ne t'avise pas de confier ma fille à une inconnue, ni de te débarrasser d'elle pour partir t'amuser. Tu surveilles Sophie. Sinon, tu peux sortir de nos vies. C'est clair ?

– J'ai déconné, a-t-il répondu d'une voix égale. C'est entendu. Est-ce que Sophie va bien ?

– Oui…

– Est-ce qu'elle a bien aimé Sarah ?

– Apparemment…

– Et tu as appelé Mme Ennis ?

– Évidemment !

– Alors, au moins, tout est bien qui finit bien. »

Il est retourné à ses chaussures.

J'ai traversé la cuisine à une vitesse telle que j'ai failli décoller. « Tu m'as *épousée* ! ai-je rappelé à mon mari de fraîche date. Tu m'as *choisie*. Tu as *choisi* Sophie. Comment tu oses nous laisser tomber comme ça !

– C'était juste un coup de fil, Tessa. Et, oui, j'essaierai de faire mieux la prochaine fois.

– J'ai cru que tu étais mort ! J'ai cru que Sophie était morte !

– Oui, d'accord, mais dans ce cas c'est plutôt une bonne nouvelle que je sois rentré, non ?

– Brian !

– Je sais que j'ai déconné ! » Renonçant à s'occuper de ses chaussures, il avait levé les bras au ciel. « C'est nouveau pour moi ! Je n'avais encore jamais eu de femme ni d'enfant, et ce n'est pas parce que je t'aime qu'il ne m'arrive pas d'être con. Nom d'un chien, Tessa… Je vais bientôt rembarquer. J'avais juste envie d'une dernière journée sympa. De la neige fraîche. Skier dans la poudreuse… » Il a inspiré. Expiré. Il s'est levé et a dit plus calmement : « Tessa, jamais je ne vous ferais volontairement du mal, à Sophie ou à toi. Je vous aime, toutes les deux. Et je te promets de faire mieux la prochaine fois. Fais-moi un peu confiance, d'accord ? C'est nouveau pour tous les deux et on fera sûrement des erreurs, alors, je t'en prie… Fais-moi un peu confiance. »

J'ai relâché mes épaules. Je n'avais plus envie de me battre. J'ai oublié ma colère le temps de me sentir soulagée que ma fille aille bien, que mon mari soit sain et sauf et que l'après-midi se soit finalement bien passé.

Brian m'a attirée contre lui. Je l'ai laissé me prendre dans ses bras. Je l'ai même enlacé à la taille.

« Fais attention, Brian, ai-je murmuré sur son épaule. Souviens-toi que je ne suis pas une femme comme les autres. »

Pour une fois, il n'a pas protesté.

Je me souvenais de cet épisode de notre mariage, et d'autres encore, au moment où l'infirmière s'écartait et m'invitait à faire un premier pas hésitant. À six heures du matin, j'avais réussi à manger un toast sec sans vomir. À sept heures et demie, on m'avait fait asseoir sur le fauteuil à côté de mon lit pour voir comment je supportais la station assise.

Pendant les premières minutes, la douleur de mon crâne s'était réveillée, puis elle s'était calmée et assourdie. La moitié de mon visage était encore tuméfiée et sensible, je tenais à peine sur mes jambes, mais dans l'ensemble j'avais fait des progrès pendant ces douze dernières heures. J'étais capable de me lever, de m'asseoir et de manger des toasts secs. Vaste monde, me voilà.

J'aurais voulu sortir de l'hôpital en courant comme une folle, éperdument, et sur le trottoir j'aurais retrouvé par miracle ma Sophie en train de m'attendre. Je l'aurais prise dans mes bras en virevoltant. Elle aurait lancé un joyeux *Maman !* Et je lui aurais fait des câlins, des bisous, je lui aurais dit combien j'étais désolée pour tout et je ne l'aurais plus jamais lâchée.

« Bon, a sèchement dit l'infirmière, premier pas, on voit ce que ça donne. »

Elle m'a offert son bras pour que je m'appuie dessus. Mes genoux tremblaient violemment et j'ai posé une main reconnaissante sur son bras.

Ce premier pas traînant m'a fait tourner la tête. J'ai cligné plusieurs fois des yeux et mon étourdissement est passé. Tout a repris sa place. On progressait.

J'ai avancé peu à peu, comme à petits hoquets de mes pieds, qui m'ont portée lentement mais sûrement sur le lino gris jusqu'à la salle de bain. J'y suis entrée et j'ai doucement refermé la porte derrière moi. L'infirmière m'avait apporté des articles de toilette. Deuxième test de la journée : serais-je capable d'uriner et de me doucher toute seule ? Ensuite le médecin avait dit qu'il me réexaminerait.

Après, peut-être, et seulement peut-être, que je pourrais rentrer chez moi.

Sophie. Assise par terre dans sa chambre, au milieu des fleurs orange vif et des petits lapins peints au pochoir, en train de jouer avec sa poupée préférée avec ses cheveux effilochés. *Maman, tu es rentrée ! Maman, je t'aime !*

Debout devant le lavabo, j'ai examiné mon reflet dans le miroir.

Les chairs autour de mon œil étaient tellement noires et gorgées de sang qu'on aurait dit une aubergine. Je devinais à peine l'arête de mon nez ou mon arcade sourcilière. J'ai repensé à cette scène dans un des premiers *Rocky*, celle où ils incisent sa paupière enflée avec un rasoir pour qu'il puisse voir quelque chose. Il allait peut-être falloir que je tente ça. La journée ne faisait que commencer.

Mes doigts sont passés de mon œil au beurre noir à l'entaille cinq centimètres au-dessus ; la croûte était en train de se former et tirait sur la racine de mes cheveux. J'ai ensuite passé la main sur la bosse volumineuse qui faisait toujours un renflement à l'arrière de mon crâne. Chaude et douloureuse au toucher. J'ai laissé ma main retomber et je me suis raccrochée au bord du lavabo.

Huit heures. Lundi matin.

L'autopsie devait être commencée depuis une heure. Pratiquer une incision en Y sur le torse de mon mari. Écarter les deux moitiés de sa cage thoracique. Repêcher trois balles tirées avec le Sig Sauer 9 mm qui portait mes empreintes. Et le bruit de la scie lorsqu'ils commenceraient à découper la boîte crânienne.

Huit heures. Lundi matin…

J'ai encore pensé à tous ces instants que j'aurais aimé revivre. Les endroits où j'aurais dû dire oui, les moments où j'aurais dû dire non. Alors Brian serait encore en vie, peut-être qu'il farterait ses skis en vue de sa prochaine grande sortie. Et Sophie serait à la maison, en train de jouer par terre dans sa chambre, Gertrude calée contre elle, à m'attendre.

Huit heures. Lundi matin…

« Dépêchez-vous, D.D. et Bobby, ai-je murmuré. Ma fille a besoin de vous. »

17

GRÂCE AUX PRODIGES DU GPS, Bobby identifia la salle de sport de Brian Darby dès la deuxième tentative. Il entra simplement l'adresse de Darby et demanda les salles de sport à proximité. Une demi-douzaine apparurent. Bobby commença par la plus proche de chez Brian et ainsi de suite. Ce fut une salle appartenant à une chaîne nationale qui remporta le grand lot. Bobby s'y rendit en une demi-heure et, huit minutes plus tard, il faisait la connaissance du coach personnel de Brian.

« J'ai vu les informations », dit la petite femme brune, l'air déjà inquiète. Bobby essayait de se faire une idée sur elle. Un mètre cinquante-deux, quarante-cinq kilos, plus gymnaste que coach. Elle se tordit les mains dans un geste d'anxiété et une demi-douzaine de tendons sinueux s'animèrent dans ses avant-bras.

Il révisa sa première opinion sur Jessica Ryan : petite, mais dangereuse. Un malabar en miniature.

Quand Bobby était arrivé, elle était en pleine séance avec un homme mûr qui arborait un polo de sport à cent dollars et une coupe de cheveux à quatre cents dollars. Jessica avait ostensiblement snobé Bobby pour se concentrer sur ce client qui devait bien payer. Mais Bobby avait dégainé sa plaque et, en un clin d'œil, Jessica, son tee-shirt moulant rose et ses ongles pailletés violets, avaient été tout à lui.

Le client désappointé en avait été quitte pour finir sa séance avec un gamin au cou plus épais que la cuisse de Bobby. Bobby et Jessica s'étaient retirés dans la salle de repos du personnel, dont Jessica avait vite refermé la porte.

« C'est vrai qu'il est mort ? demandait-elle maintenant en se mordant la lèvre.

– Je suis là pour enquêter sur le décès de Brian Darby, répondit Bobby.

– Et sa petite fille ? On n'arrête pas de voir sa photo aux infos. Sophie, c'est ça ? Vous l'avez retrouvée ?

– Non, madame. »

Les grands yeux bruns de Jessica se remplirent de larmes. Pour la deuxième fois en une heure, Bobby fut heureux d'avoir laissé D.D. partir enquêter de son côté. La première fois parce qu'il fallait qu'il prenne du champ pour éviter de l'étrangler. Et maintenant parce que jamais D.D. ne se serait entendue avec une coach qui avait des yeux de biche scintillants de larmes et un micro-short rose vif.

Heureux en ménage, Bobby se faisait un point d'honneur à ne laisser son regard s'attarder ni sur le micro-short, ni sur le tee-shirt moulant. De sorte qu'il en était réduit à contempler le biceps magnifiquement sculpté de la coach.

« Vous poussez combien au développé-couché ? s'entendit-il demander.

– Soixante-dix, répondit Jessica avec décontraction en se tamponnant le coin des yeux.

– Sans rire ? C'est deux fois votre poids, non ? »

Elle rougit.

Il s'aperçut qu'il venait tout bonnement de la draguer et se tut. Peut-être qu'il n'aurait pas dû se séparer de D.D. Peut-être qu'aucun homme, heureux en ménage ou pas, ne devrait se retrouver enfermé en tête à tête avec une femme comme Jessica Ryan. D'ailleurs, il se demandait si Tessa Leoni l'avait rencontrée. Et, dans ce cas, comment Brian Darby avait survécu à sa première semaine d'entraînement.

Il s'éclaircit la voix, sortit son carnet de notes à spirale et un petit dictaphone. Il alluma ce dernier et le posa sur le plan de travail à côté du micro-ondes.

« Vous avez déjà vu Sophie ? demanda-t-il.

– Une fois. L'école était fermée, alors Brian l'avait amenée avec lui pour son entraînement. Elle avait l'air vraiment mignonne ; elle s'était trouvé des haltères de cinq cents grammes qu'elle trimballait partout en imitant tous les exercices de Brian.

– Brian ne s'entraîne qu'avec vous ?

– Je suis son coach de référence, répondit Jessica avec une pointe de fierté. Mais parfois nos emplois du temps ne concordent pas, alors il arrive qu'un collègue me remplace.

– Et depuis combien de temps Brian s'entraîne-t-il avec vous ?

– Oh, pratiquement un an. Enfin, peut-être neuf mois, plutôt.

– Neuf mois ? répéta Bobby en notant l'information.

– Il est super doué ! s'extasia Jessica. Un de mes meilleurs clients. Il voulait prendre du volume musculaire. Alors, les trois premiers mois, je lui ai fait suivre un régime méchamment strict. Sans matières grasses, sel ni féculents – et il fait partie de ces mecs qui adorent leurs féculents raffinés. Pain perdu au petit déjeuner, gros sandwich au déjeuner, purée au dîner, avec un paquet de cookies en dessert. Je peux vous le dire, j'ai cru qu'il n'allait pas survivre aux deux premières semaines. Mais une fois que son organisme a été purifié et reprogrammé, on est passé à la phase suivante : depuis six mois, il suit la méthode que j'ai mise au point pour mes compétitions de culturisme...

– Des compétitions de culturisme ?

– Oui. Miss Fit New England, quatre années de suite, expliqua Jessica en souriant. C'est ma passion. »

Bobby arracha son regard à son biceps bronzé et tonique pour le reposer sur son carnet de notes.

« Donc j'ai donné à Brian un régime semaine par semaine qui exigeait de prendre six repas riches en protéines par jour, continua Jessica avec entrain. J'entends par là trente grammes de protéines par repas, toutes les deux à trois heures. Ça demande beaucoup de temps et de moyens, mais il s'en est sorti comme un chef ! Et puis je lui ai rajouté un programme de soixante minutes de cardio, suivies de soixante minutes de muscu.

– Tous les jours ? »

Bobby faisait du jogging. Du moins, il en faisait avant la naissance de Carina. Il descendit le carnet de notes de dix centimètres, jusqu'à sa ceinture qui, à ce propos, lui avait paru un peu serrée ce matin.

« La cardio cinq à sept fois par semaine, la muscu cinq fois par semaine. Et je l'ai mis aux séries de cent. Il était super doué !

– Des séries de cent ?

– Des poids plus faibles, mais plus de reps, pour voir si vous pouvez taper la centaine. Si on fait ça bien, vous n'y arriverez pas du premier coup, mais continuez à vous entraîner et retentez au bout de quatre semaines. En deux mois, Brian a réussi toutes ses séries de cent et j'ai été obligée de lui augmenter ses poids. Des résultats étonnants, vraiment. Bon, je veux pas dire, mais la plupart de mes clients sont surtout très forts pour parler. Brian, lui, il était à la hauteur.

– Il semble qu'il ait pris pas mal de poids au cours de la dernière année, observa Bobby.

– Il a pris pas de mal de *muscle*, corrigea immédiatement Jessica. Sept centimètres rien que dans les bras. Nous prenions des mesures toutes les deux semaines, si vous les voulez. Bien sûr, avec son emploi du temps, il était absent pendant plusieurs mois de suite, mais il ne lâchait pas l'affaire.

– Quand il s'embarquait, vous voulez dire ?

– Oui. Il disparaissait pendant deux mois d'affilée. La première fois, ça l'a fichu par terre. Il a perdu pratiquement tout ce que nous avions fait. La deuxième fois, je lui avais préparé tout un programme à suivre, avec régime alimentaire, cardio, muscu. Je m'étais procurée la liste de tous les appareils disponibles sur le bateau et je lui avais concocté du sur-mesure pour qu'il n'ait aucune excuse. Il a fait beaucoup mieux.

– Donc Brian s'entraînait dur avec vous quand il était ici et dur sur le bateau quand il partait. Pourquoi autant d'efforts ?

– Pour avoir meilleure allure. Se sentir mieux. C'était quelqu'un de sportif. Quand nous avons commencé, il voulait améliorer sa condition physique pour s'attaquer à de plus hauts sommets à ski, à vélo, ce genre de chose. Il était sportif, mais il ne se trouvait pas assez musclé. Nous sommes partis de là. »

Bobby posa son carnet et l'observa un instant. « Donc Brian voulait s'améliorer à ski et à vélo. Et pour ça, combien il dépensait par semaine… ? demanda-t-il en montrant la pièce coquette au sein d'un club manifestement bien équipé.

– Deux cents. Mais la santé n'a pas de prix !

– Deux cents dollars par semaine. Et combien d'heures à s'entraîner, faire les courses, préparer ses repas…

– Il faut s'investir si on veut des résultats.

– Brian s'investissait. Il obtenait des résultats. Mais il continuait à suivre le programme. Pourquoi ? Que cherchait-il ? Vingt kilos de muscles plus tard, que lui manquait-il ? »

Jessica le regarda d'un air intrigué. « Il n'essayait plus de prendre du volume. Mais Brian n'était pas un homme naturellement robuste. Quand un homme plus… chétif… »

Au nom des hommes du monde entier, Bobby grimaça.

« Quand un homme plus chétif veut se maintenir à un haut niveau de performance, il faut qu'il continue à s'entraîner. Voilà la vérité. Régime protéiné, soulever de la fonte, tous les jours. Sinon le corps retournera à son gabarit de prédilection, c'est-à-dire, dans le cas de Brian, plutôt quatre-vingt-dix que cent dix kilos. »

Bobby considéra la nouvelle, peu réjouissante vu son propre gabarit.

« Ça semble beaucoup de travail, dit-il enfin. Ce serait difficile pour n'importe qui de tenir le rythme, alors encore plus pour un parent qui travaille. J'imagine que de temps à autre l'emploi du temps de Brian était un peu serré, les heures trop courtes. Est-ce qu'il lui arrivait… d'essayer de trouver de l'aide ailleurs ?

– Comment ça ?

– Des produits qui l'auraient aidé à gagner plus de muscle et plus vite. »

Jessica, toujours perplexe, finit par comprendre. « Des stéroïdes, vous voulez dire.

– Je me pose la question. »

Mais elle secoua immédiatement la tête. « Je ne marche pas là-dedans. Si j'avais pensé qu'il se dopait, j'aurais démissionné. Et tant pis pour les deux cents dollars la semaine. Je suis sortie avec un type qui prenait des stéros. Pas moyen que je revive ça.

– Vous sortiez avec Brian ?

– Non ! Je ne voulais pas dire ça. Je voulais dire fréquenter quelqu'un qui prend des stéroïdes. Ça rend les gens dingues. Ce qu'on voit à la télé… ce n'est pas de la blague. »

Bobby la regarda, impassible. « Et pour votre propre entraînement ? »

Elle soutint son regard, tout aussi impassible. « De la sueur et des larmes, chéri. De la sueur et des larmes.

– Donc vous n'êtes pas partisane des stéroïdes…

– Non !

– Mais les autres entraîneurs du club ? Ou même en dehors du club ? Brian a très vite obtenu d'excellents résultats. À quel point vous êtes sûre que ce n'était que de la sueur et des larmes ? »

Jessica ne répondit pas immédiatement. Elle se mordilla à nouveau la lèvre inférieure, croisa les bras sur sa poitrine.

« Je ne crois pas, dit-elle enfin. Mais je ne pourrais pas en jurer. Il se passait quelque chose avec Brian. Il était revenu depuis trois semaines, mais cette fois... il était lunatique. Morose. Quelque chose le préoccupait.

– Vous connaissiez sa femme ?

– La policière ? Non.

– Mais il parlait d'elle.

– Ils le font tous, dit Jessica, philosophe.

– Ils ?

– Les clients. Je ne sais pas, mais coach, c'est comme coiffeur. Les prêtres des soins du corps. Les clients parlent. On écoute. C'est la moitié de notre boulot.

– Et que disait Brian ? »

Jessica haussa les épaules, manifestement de nouveau gênée.

« Il est mort, Jessica. Tué dans sa propre maison. Aidez-moi à comprendre pourquoi Brian Darby s'est lancé dans un grand programme de perfectionnement et pourquoi ça n'a pas suffi à le sauver.

– Il l'aimait, murmura Jessica.

– Qui ?

– Brian aimait sa femme. Vraiment, profondément, de toute son âme. Je tuerais pour qu'un homme m'aime comme ça.

– Brian aimait Tessa.

– Oui. Et il voulait être plus fort pour elle. Pour elle et pour Sophie. Il disait souvent en plaisantant qu'il fallait qu'il soit costaud parce que surveiller deux femmes, c'est quatre fois plus de boulot.

– Surveiller ? releva Bobby.

– Oui. C'était le mot qu'il employait. Je crois qu'il avait fait une connerie un jour et que Tessa lui en avait fait voir. Il fallait surveiller Sophie. Il prenait ça au sérieux.

– Vous avez couché avec Brian ? demanda d'un seul coup Bobby.

– Non. Je ne baise pas avec les clients. Connard », ajouta-t-elle dans sa barbe.

Bobby ressortit sa plaque. « Monsieur Connard, s'il vous plaît. »

Jessica se contenta de hausser les épaules.

« Est-ce que Tessa trompait Brian ? Peut-être qu'il avait découvert quelque chose, que ça l'avait lancé dans sa quête de muscles ?

– Il n'en a jamais parlé. Cela dit… Aucun mec n'avouerait ça devant une fille. Surtout si elle est jolie comme moi. Quoi, ce serait comme de dire, direct : *Je ne suis qu'une pauvre lopette.* Ils préfèrent que vous vous en aperceviez toute seule. »

Bobby ne voyait rien à redire à ce raisonnement. « Mais Brian pensait que sa femme ne l'aimait pas. »

À nouveau cette hésitation. « Je ne sais pas. J'avais l'impression… Tessa bosse dans la police d'État, c'est ça ? Agent de police. Bon, apparemment, elle n'était pas commode. Il fallait marcher droit, point barre. Brian faisait ses quatre volontés. Pour autant, elle ne trouvait pas nécessairement que c'était le mec le plus super de la planète. Juste, elle attendait qu'il fasse ses quatre volontés, surtout quand il s'agissait de Sophie.

– Elle avait beaucoup de règles concernant sa fille ?

– Brian travaillait dur. Quand il rentrait chez lui, il avait envie de s'amuser. Mais Tessa voulait qu'il fasse du baby-sitting. Je crois qu'ils se prenaient la tête, des fois. Mais il n'a jamais rien dit de mal sur elle, ajouta-t-elle précipitamment. Il n'était pas de ce genre-là.

– Quel genre ?

– Le genre qui bave sur sa femme. Croyez-moi, dit-elle en levant les yeux au ciel, ça ne manque pas dans les parages.

– Alors pourquoi Brian était-il lunatique ? demanda Bobby en revenant en arrière. Que s'était-il passé la dernière fois qu'il était parti en mer ?

– Je ne sais pas. Il ne me l'a jamais dit. Mais il avait l'air… malheureux.

– Vous pensez qu'il battait sa femme ?

– Jamais de la vie ! s'écria Jessica, horrifiée.

– Le dossier médical de Tessa tendrait à le prouver », signala Bobby.

Mais Jessica continuait à défendre Brian. « Impossible.

– Vraiment ?

– Vraiment.

– Qu'est-ce que vous en savez ?

– Il était gentil. Et les hommes gentils ne fichent pas de raclée à leur femme.

– Une fois encore, qu'est-ce que vous en savez ? »

Elle le regarda en face. « Je le sais parce que j'ai réussi à me dégoter un mari violent toute seule comme une grande. Je suis restée avec lui cinq longues années. Jusqu'au jour où j'ai compris, je me suis musclée et je l'ai jeté dehors. »

Elle montra ses biceps d'un air entendu. Miss Fit New England quatre années de suite, pas d'erreur. « Brian aimait sa femme. Il ne la frappait pas et il ne méritait pas de mourir. On a fini ? »

Bobby sortit sa carte de sa poche. « Réfléchissez à la raison pour laquelle Brian était lunatique depuis son retour. Et passez-moi un coup de fil si quoi que ce soit vous revient. »

Jessica prit sa carte en regardant le bras tendu de Bobby, pas vraiment aussi tonique que le sien.

« Je pourrais vous aider pour ça, dit-elle.

– Non.

– Pourquoi pas ? Le coût ? Vous êtes policier. Je pourrais vous faire un prix.

– Vous ne connaissez pas ma femme.

– Elle est aussi dans la police ?
– Non. Mais elle est très douée avec une arme. »
Bobby prit son dictaphone, son carnet de notes et la tangente.

18

D.D. N'EUT AUCUN MAL à retrouver l'amie d'enfance de Tessa, Juliana MacDougall, née Howe, mariée depuis trois ans, mère depuis un an, domiciliée dans une maison de cent cinquante mètres carrés à Arlington. Il se pouvait que D.D. ait un tout petit peu menti. Elle avait dit appeler de la part du lycée, qui cherchait à retrouver ses anciens élèves pour organiser une réunion.

Quoi, tout le monde n'a pas envie de prendre les appels de la police et il est probable que moins de gens encore ont envie de répondre pour la énième fois à des questions sur le coup de feu qui a tué leur frère dix ans plus tôt.

D.D. trouva l'adresse de Juliana, s'assura qu'elle était chez elle et s'y rendit. Pendant le trajet, elle écouta sa messagerie et y trouva un joyeux bonjour d'Alex, qui lui souhaitait toute la réussite possible dans son affaire de disparition et l'informait qu'il était d'humeur à mijoter une petite sauce Alfredo si elle-même était d'humeur à la manger.

Son estomac gronda. Puis se crispa. Gronda de nouveau. On pouvait lui faire confiance pour porter un bébé aussi contrariant qu'elle-même.

Elle devrait appeler Alex. Elle devrait prendre un peu de temps ce soir, ne serait-ce qu'une demi-heure pour parler tranquillement. Elle essaya d'imaginer la conversation, mais elle n'était pas encore sûre du tour qu'elle prendrait.

ELLE : Tu te rappelles la fois où tu m'as dit qu'il y a quelques années, avec ta première femme, vous aviez essayé d'avoir un bébé, mais que ça n'avait pas marché ? Eh bien figure-toi que le problème ne venait pas de toi.

LUI :

ELLE :

LUI :

ELLE :

On ne pouvait pas appeler ça une conversation. Peut-être parce qu'elle n'avait pas beaucoup d'imagination, ni la moindre expérience de ces situations. En ce qui la concernait, elle était plutôt spécialiste de la conversation « Ne m'appelle pas, je t'appelle. »

Est-ce qu'il proposerait de l'épouser ? Est-ce qu'elle devrait accepter un tel arrangement, sinon pour elle, du moins pour le bébé ? Ou bien est-ce que ça n'avait plus d'importance de nos jours ? Est-ce qu'elle pensait simplement qu'il l'aiderait ? Ou bien est-ce que lui penserait qu'elle ne le laisserait jamais faire ?

Elle eut de nouveau mal au ventre. Elle ne voulait plus être enceinte. C'était trop déroutant et elle n'était pas très douée pour affronter les grandes questions de la vie. Elle préférait les débats plus terre à terre : pourquoi, par exemple, Tessa Leoni avait-elle tué son mari, et quel était le rapport avec le meurtre de Thomas Howe dix ans auparavant ?

Voilà une question digne de réflexion.

D.D. suivit son système de navigation dans un labyrinthe de petites rues. Un virage à gauche, deux virages à droite et elle arriva devant une plaisante maison rouge de style Cape Cod, avec des finitions blanches et un jardin enneigé grand comme la voiture de D.D. Elle se gara le long du trottoir, prit son gros blouson et se dirigea vers la porte.

Juliana MacDougall ouvrit au premier coup de sonnette. Elle avait de longs cheveux blond foncé ramenés en une queue de cheval désordonnée et un gros bébé baveux en équilibre sur une hanche vêtue de jean. Elle regarda D.D. d'un air interrogateur et son visage se ferma complètement lorsque D.D. montra sa plaque.

« Commandant D.D. Warren, police de Boston. Est-ce que je peux entrer ?

– C'est à quel sujet ?

– Je vous en prie, dit D.D. en montrant l'intérieur de la maison parsemé de jouets. Il fait froid dehors. Je crois que nous serions tous mieux à l'intérieur pour discuter. »

Juliana pinça les lèvres et ouvrit silencieusement la porte pour D.D. La maison comprenait une petite entrée carrelée qui donnait sur un séjour avec de jolies fenêtres et un parquet rénové de frais. Ça sentait la peinture et le talc – une nouvelle petite famille qui s'installait dans une nouvelle petite maison.

Un panier à linge occupait l'unique canapé vert foncé. Juliana rougit et posa le bac en plastique par terre sans lâcher son bébé. Quand elle s'assit enfin, elle se jucha au bord du coussin, son enfant sur les genoux comme première ligne de défense.

D.D. s'assit à l'autre bout du canapé. Elle regarda le bébé baveux. Le bébé baveux la regarda, puis fourra tout son poing dans sa bouche et prononça une sorte de « Gaa ».

« Mignon, dit D.D. d'une voix clairement sceptique. Quel âge ?

– Nathaniel a neuf mois.

– Un garçon.

– Oui.

– Il marche ?

– Il vient d'apprendre le quatre-pattes, répondit fièrement Juliana.

– Bien joué, bonhomme », dit D.D. Et voilà, avec ça, elle avait atteint ses limites en matière de babillage enfantin. Seigneur, comment est-ce qu'elle était censée devenir maman si elle n'était même pas fichue de parler avec un bébé ?

« Vous travaillez ? demanda-t-elle.

– Oui, répondit Juliana avec orgueil, j'élève mon enfant. »

D.D. accepta cette réponse, passa à la suite. « Bon, reprit-elle sèchement. J'imagine que vous avez vu les informations. La disparition d'une petite fille à Allston-Brighton. »

Juliana la regarda d'un air ébahi. « Pardon ?

– L'alerte-enlèvement ? La petite Sophie Leoni, six ans, qui a disparu de chez elle à Allston-Brighton ? »

Juliana fronça les sourcils, serra un peu plus son bébé contre elle. « En quoi ça me regarde ? Je ne connais aucun enfant à Allston-Brighton. J'habite Arlington.

– Quand avez-vous vu Tessa Leoni pour la dernière fois ? »

La réaction de Juliana fut immédiate. Elle se raidit, détourna les yeux et son regard bleu descendit vers le parquet. Un cube orné d'une lettre E et d'une image d'éléphant se trouvait à côté de son pied chaussé d'une pantoufle. Elle le ramassa et le proposa à son bébé, qui le prit et essaya de l'enfourner tout entier dans sa bouche.

« Il fait ses dents, murmura-t-elle d'un air absent en caressant la joue enflammée de son enfant. Ça fait des nuits que ce pauvre choupinet ne dort pas, et il pleurniche toute la journée pour être dans les bras. Je sais que tous les bébés passent par là, mais je ne pensais pas que ce serait si dur. De voir mon enfant souffrir. En sachant que je ne peux rien faire d'autre qu'attendre. »

Silence de D.D.

« Parfois, la nuit, quand il pleure, je me balance et je pleure avec lui. Je sais que ça a l'air bête, mais on dirait que ça l'aide. Peut-être que personne, même les bébés, n'aime pleurer tout seul. »

Silence de D.D.

« Oh, mon Dieu ! s'exclama d'un seul coup Juliana MacDougall. Sophie Leoni. *Sophia* Leoni. C'est la fille de Tessa. Tessa a eu une petite fille. Oh. Mon. Dieu. »

Puis Juliana Howe se referma complètement et resta assise là avec son petit garçon qui mordillait toujours le cube en bois.

« Qu'est-ce que vous avez vu, cette nuit-là ? » demanda doucement D.D. à la jeune maman. Inutile de préciser quelle nuit. Toute la vie de Juliana devait certainement tourner en permanence autour de cet épisode.

« Je n'ai rien vu. Pas vraiment. J'étais à moitié endormie, j'ai entendu du bruit, je suis descendue. Tessa et Tommy... Ils étaient sur le canapé. Il y a eu un bruit, Tommy s'est relevé, il a fait comme un pas en arrière et il est tombé. Ensuite Tessa s'est relevée, elle m'a vue et elle s'est mise à pleurer. Elle a tendu la main vers moi, elle tenait un pistolet. C'est la première chose que j'ai vraiment remarqué. Tessa avait un pistolet. De là, j'ai commencé à comprendre.

– Qu'est-ce que vous avez fait ? »

Juliana resta silencieuse. « Ça fait longtemps. »

D.D. attendit.

« Je ne comprends pas. Pourquoi ces questions aujourd'hui ? J'ai tout dit à la police. Aux dernières nouvelles, c'était une affaire vite vue. Tommy avait une réputation... D'après l'enquêteur, Tessa n'était pas la première à qui il s'en prenait.

– Qu'est-ce que vous en pensez ? »

Juliana haussa les épaules. « C'était mon frère, murmura-t-elle. Franchement, j'essaie de ne pas y penser.

– Avez-vous cru Tessa cette nuit-là ? Sur le fait qu'elle s'était simplement défendue ?

– Je ne sais pas.

– Est-ce qu'elle avait montré de l'intérêt pour Tommy avant ça ? Est-ce qu'elle posait des questions sur son emploi du temps ? Battait des cils dans sa direction ? »

Juliana secoua la tête, toujours sans regarder D.D.

« Mais vous ne lui avez plus jamais reparlé. Vous l'avez bannie. Comme son père. »

Là, Juliana s'empourpra. Ses mains se crispèrent autour de son bébé. Il pleurnicha et elle lâcha immédiatement prise.

« Il y avait un truc qui n'allait pas chez Tommy », dit-elle brusquement.

D.D. attendit.

« Mes parents ne le voyaient pas. Mais il était... méchant. Quand il voulait quelque chose, il le prenait. Même quand nous étions petits, si j'avais un jouet et qu'il le voulait... il préférait le casser plutôt que de me le laisser. Mon père disait que les garçons sont comme ça et il laissait faire. Mais j'ai compris la leçon. Tommy ne renonçait jamais à ce qu'il voulait, quitte à vous marcher dessus.

– Vous pensez qu'il a agressé Tessa.

– Je pense que quand l'enquêteur nous a dit que d'autres filles avaient appelé pour dénoncer Tommy, ça ne m'a pas étonnée. Mes parents étaient horrifiés. Mon père... il n'y croit toujours pas. Mais moi, je pouvais. Tommy ne renonçait jamais à ce qu'il voulait, quitte à vous marcher dessus.

– Est-ce que vous l'avez dit à Tessa ?

– Je n'ai pas parlé à Tessa Leoni depuis dix ans.

– Pourquoi ?

– Parce que. » Toujours ce haussement d'épaules. « Tommy n'était pas seulement mon frère. C'était le fils de mes parents. Et quand il est mort... Mes parents ont mis toutes leurs économies dans les funérailles. Ensuite mon père a été incapable de reprendre le travail et nous avons perdu notre maison. Mes parents ont été obligés de se déclarer en faillite. Et ils ont fini par divorcer. Ma mère et moi sommes parties nous installer chez ma tante. Mon père a fait une dépression. Il vit en maison de repos et passe ses journées à feuilleter l'album-souvenir de Tommy. Il n'arrive pas à s'en remettre. Il ne peut pas. Le monde est un endroit horrible où le meurtre de votre enfant peut être étouffé par la police. »

Juliana caressa la joue de son bébé. « C'est drôle, murmura-t-elle. À une époque, je pensais que ma famille était parfaite. C'était même ce que Tessa préférait chez moi. Je venais de cette famille formidable qui n'avait rien de commun avec la sienne. Et puis, en une nuit, nous sommes devenus eux. Pas seulement parce que j'avais perdu mon frère, mais parce que mes parents avaient perdu leur fils.

– Est-ce qu'elle a tenté de reprendre contact avec vous ?

– Les derniers mots que j'ai dits à Tessa Leoni ont été : "Il faut que tu rentres chez toi, vite !" Et c'est ce qu'elle a fait. Elle a pris son pistolet et elle est sortie de chez moi en courant.

– Et vous ne l'avez pas recroisée dans le quartier ?

– Son père l'avait mise à la porte. Donc elle n'était plus dans le quartier.

– Vous ne vous êtes jamais demandé ce qu'elle était devenue ? Vous ne vous êtes jamais inquiétée de savoir votre meilleure amie perdue dans le vaste monde parce qu'elle avait dû résister à votre frère ? Vous l'aviez invitée à dormir. D'après sa première déposition, Tessa avait demandé si Tommy serait présent ce soir-là.

– Je ne me souviens pas.

– Est-ce que vous aviez dit à Tommy qu'elle allait venir ? »

Juliana pinça les lèvres. D'un seul coup, elle posa le bébé par terre et se leva. « Vous devriez y aller maintenant, commandant. Je n'ai pas parlé à Tessa depuis dix ans. Je ne savais pas qu'elle avait une fille et je sais encore moins où elle se trouve. »

Mais D.D. ne bougea pas ; assise au bord du canapé, elle dévisageait l'ancienne meilleure amie de Tessa.

« Pourquoi avoir laissé Tessa dans le salon, cette nuit-là ? insista-t-elle. Puisqu'elle était invitée à dormir chez vous, pourquoi ne pas avoir réveillé votre meilleure amie pour qu'elle monte dans votre chambre ? Qu'est-ce que Tommy vous avait demandé de faire ?

– *Taisez-vous !*

– Vous vous en doutiez, n'est-ce pas ? Vous saviez ce qu'il manigançait et c'est pour ça que vous êtes descendue. Vous aviez peur de votre frère, vous étiez inquiète pour votre amie. Est-ce que vous aviez averti Tessa, Juliana ? Est-ce que c'est pour ça qu'elle avait apporté le pistolet ?

– Non !

– Vous saviez que votre père n'écouterait pas. Les garçons sont comme ça. Apparemment, votre mère avait déjà intériorisé le message. Tessa et vous étiez donc livrées à vous-mêmes. Deux jeunes filles de seize ans qui tentaient de résister à un grand frère brutal. Est-ce qu'elle pensait simplement lui faire peur ? Qu'elle lui agiterait le pistolet sous le nez et que tout s'arrêterait ? »

Juliana ne répondit pas. Elle était blanche comme un linge.

« Sauf que le coup est parti, continua D.D. sur un ton badin. Et que Tommy a été touché. Que Tommy est *mort.* Que toute votre famille a volé en éclats. Tout ça parce que Tessa et vous ne saviez pas vraiment ce que vous faisiez. Qui avait eu l'idée d'apporter le pistolet ce soir-là ?

– Sortez.

– Vous ? Elle ? Mais qu'est-ce que vous aviez dans le crâne, toutes les deux ?

– Sortez !

– Je vais vérifier la liste de vos appels téléphoniques. Un coup de fil. C'est tout ce qu'il me faut. Un coup de fil que vous auriez reçu de la part de Tessa, et votre nouvelle petite famille volera aussi en éclats, Juliana. Je la mettrai en pièces, si jamais j'apprends que vous m'avez caché quelque chose.

– *Sortez !* » cria Juliana. Par terre, le bébé se mit à pleurer en entendant sa mère.

D.D. se leva du canapé. Sans quitter des yeux Juliana MacDougall, son visage pâle, son souffle court, son regard affolé. On aurait dit une biche prise dans les phares d'une voiture. Une femme prisonnière d'un mensonge vieux de dix ans.

D.D. fit une dernière tentative : « Que s'est-il passé cette nuit-là, Juliana ? Qu'est-ce que vous ne me dites pas ?

– Je l'aimais, dit soudain Juliana. Tessa était ma meilleure amie pour toujours et je l'aimais. Ensuite mon frère est mort, ma famille s'est brisée et mon monde tout entier s'est écroulé. Je ne reviendrai pas en arrière. Ni pour elle, ni pour vous, ni pour personne. Ce qui a pu arriver à Tessa cette fois-ci, je n'en sais rien et ça m'est égal. Alors maintenant, sortez de chez moi et laissez-nous tranquilles, ma famille et moi. »

Juliana tenait la porte ouverte. Son bébé sanglotait toujours par terre. D.D. finit par se résigner et partir. La porte claqua derrière elle et le verrou fut tiré pour faire bonne mesure.

Mais lorsque D.D. se retourna, elle aperçut Juliana par la fenêtre. Elle avait pris son fils en pleurs dans ses bras et elle le berçait sur sa poitrine. Pour le consoler ou pour que l'enfant la console ?

Peut-être que cela n'avait pas d'importance. Peut-être que ces choses-là marchent comme ça.

Juliana MacDougall aimait son fils. Comme ses parents avaient aimé son frère. Comme Tessa Leoni aimait sa fille.

Des cycles, se dit D.D. Fragments d'un mécanisme plus vaste. Sauf qu'elle n'arrivait vraiment ni à le démonter ni à le reconstituer.

Les parents aiment leurs enfants. Certains ne reculeraient devant rien pour les protéger. Tandis que d'autres…

D.D. eut un mauvais pressentiment.

Et son portable sonna.

19

LE COMMANDANT D.D. WARREN et le capitaine Bobby Dodge sont venus me chercher à 11 h 43. J'ai entendu leurs pas dans le couloir de l'hôpital, vifs et concentrés. J'avais une fraction de seconde ; je m'en suis servi pour planquer le bouton bleu au fond du tiroir inférieur de la table de chevet.

Mon seul lien avec Sophie.

La dernière chose qui me rappelait, inutilement, que je devais suivre les règles du jeu.

Peut-être qu'un jour je pourrais venir chercher ce bouton. Si j'avais de la chance, peut-être que Sophie et moi pourrions le faire ensemble, récupérer l'œil qui manquait à Gertrude et le recoudre sur son placide visage de poupée.

Si j'avais de la chance.

Je venais de me rasseoir au bord de mon lit d'hôpital quand le rideau de séparation a été violemment écarté et que D.D. est entrée à grands pas. Même en sachant ce qui allait se passer, j'ai dû me mordre la lèvre pour retenir un cri de protestation.

« *J'ai perdu mes dents, mes dents de devant…* »

Je me suis rendu compte avec un temps de retard que je fredonnais la comptine. Par chance, ni l'un ni l'autre des enquêteurs n'a paru le remarquer.

« Tessa Marie Leoni », a commencé D.D. J'ai raidi l'échine. « Vous êtes en état d'arrestation pour le meurtre de Brian Anthony Darby. Levez-vous, je vous prie. »

Encore des pas dans le couloir. Probablement le procureur et son assistant, qui ne voulaient pas manquer le clou du spectacle. Ou bien quelques chefaillons de la police de Boston, jamais en retard pour être sur la photo dans une affaire fortement médiatisée. Sans doute quelques gradés de la police d'État aussi. Ils n'allaient pas me laisser tomber tout de suite. J'étais une jeune policière victime de brutalités, ils ne pouvaient pas se permettre d'avoir l'air de manquer de cœur à ce point-là.

La presse devait être en train d'arriver dans le parking, me suis-je dit, impressionnée de mon propre détachement, en me levant et en tendant mes deux poignets à mes collègues. Shane, délégué syndical, serait bientôt là. Mon avocat aussi. À moins qu'ils ne me rejoignent au tribunal, où je serais officiellement inculpée pour le meurtre de mon mari.

J'ai eu un flash-back : j'étais assise à une table de cuisine, mes cheveux fraîchement lavés sous la douche dégoulinaient dans mon dos et un robuste enquêteur me harcelait de questions : « *Où donc vous l'avez pris, ce pistolet, pourquoi donc vous l'avez apporté, pourquoi vous avez tiré...* »

Mon père, impassible sur le pas de la porte, les bras croisés sur son tee-shirt blanc sale. Et moi, qui comprenais déjà que je l'avais perdu. Que mes réponses n'avaient plus d'importance. J'étais coupable, je serais toujours coupable.

C'est parfois le prix à payer quand on aime.

Le commandant Warren m'a lu mes droits. Je n'ai pas ouvert la bouche ; que restait-il à dire ? Elle s'apprêtait à m'emmener après m'avoir passé les menottes quand elle s'est heurtée à la première difficulté logistique : je n'avais pas de vêtements. Mon uniforme avait été ensaché et étiqueté comme pièce à conviction lors de mon admission, puis transféré dans l'après-midi au laboratoire de la police criminelle. Je me retrouvais donc en blouse d'hôpital et même D.D. voyait le risque politique qu'il y aurait à ce qu'une policière municipale soit photographiée en train d'emmener de force une policière d'État amochée et vêtue d'une seule blouse d'hôpital.

Elle en a rapidement discuté avec le capitaine Dodge dans un coin de la pièce. Je me suis rassise au bord du lit. Une infirmière, entrée dans la chambre, observait les événements avec inquiétude. Elle s'est approchée de moi.

« La tête ?

– J'ai mal. »

Elle a pris mon pouls, m'a demandé de suivre son doigt du regard avant de hocher la tête avec satisfaction. Apparemment, j'étais seulement endolorie, pas dans un état critique. S'étant assurée que sa patiente ne courait aucun danger immédiat, elle se retira.

« On ne peut pas utiliser une combinaison de prisonnier, disait D.D. à mi-voix à Bobby. Son avocat prétendra que nous avons influencé le juge en la faisant comparaître en tenue orange. Même problème avec la blouse d'hôpital, sauf que là, ça nous donne l'air de salauds inhumains. Il nous faut des vêtements. Un jean et un pull classique, passe-partout. Tu vois l'idée.

– Demande à un agent de faire un saut chez elle », a marmonné Bobby.

D.D. l'a regardé un instant et s'est tournée vers moi :

« Vous avez une tenue préférée ?

– Wal-Mart, ai-je dit en me levant.

– Quoi ?

– À quelques rues d'ici. Un jean taille 36, un pull taille M. J'apprécierais aussi des sous-vêtements, et des chaussettes et des chaussures.

– Je ne vais pas vous acheter de vêtements, a répondu D.D. avec mauvaise humeur. On va aller en chercher chez vous.

– Non. » Là-dessus, je me suis rassise.

D.D. me fusillait du regard. Je l'ai laissée faire. Elle était en train de m'arrêter, après tout, pourquoi est-ce qu'elle était en rogne comme ça ? Je ne voulais pas de vêtements pris chez moi, des effets personnels que la prison de Suffolk County confisquerait et garderait sous séquestre pendant toute la durée de mon incarcération. Plutôt arriver en blouse d'hôpital. Et pourquoi pas ? Ça m'attirerait la sympathie des gens, et toute aide serait bonne à prendre.

D.D. aussi l'avait compris, apparemment. Elle a fait venir un agent en tenue, lui a donné des instructions. Le patrouilleur n'a même pas sourcillé quand on lui a demandé d'aller acheter des vêtements de femme. Il est ressorti, me laissant de nouveau seule avec D.D. et Bobby.

Les autres devaient faire le pied de grue dans le couloir. Les chambres d'hôpital ne sont pas non plus immenses ; autant attendre dehors que le spectacle commence.

J'ai démarré un compte à rebours, mais je ne savais pas avant quoi.

« De quoi vous vous êtes servie ? m'a brusquement demandé D.D. Sacs de glace ? Neige ? C'est marrant, vous savez. Hier, j'avais remarqué la tache d'humidité sur le sol du garage. Ça m'avait paru curieux. »

Je n'ai rien dit.

Elle s'est approchée de moi, les yeux plissés, comme si elle étudiait un spécimen particulier. J'ai remarqué qu'elle marchait avec une main sur le ventre et l'autre sur la hanche. J'ai aussi remarqué qu'elle avait le visage pâle et les yeux cernés de noir. Apparemment, j'empêchais notre chère enquêtrice de dormir. Un point pour moi.

Je l'ai scrutée de mon œil valide. Pour la mettre au défi de regarder mon visage démoli, enflé, violacé, et de me juger.

« Vous connaissez le légiste ? » m'a-t-elle demandé en changeant de ton, comme pour faire la conversation. Elle s'est arrêtée devant moi. De là où j'étais, assise au bord du lit d'hôpital, j'étais obligée de lever la tête vers elle.

Je n'ai rien dit.

« Ben est doué. Un des meilleurs qu'on ait jamais eus, a-t-elle continué. Un autre légiste n'aurait peut-être rien remarqué. Mais Ben adore les détails. Le corps humain est comme n'importe quelle viande, paraît-il. On peut le congeler et le décongeler, mais ça ne va pas sans provoquer quelques changements de (comment il a dit ?) consistance. La chair des extrémités de votre mari lui a paru bizarre. Alors il a pris quelques échantillons, il les a mis sous un microscope et, je ne suis pas trop forte en science, mais bref il a constaté des dommages cellulaires qui correspondent à ce qui se produit quand on congèle des tissus humains. Vous avez tué votre mari, Tessa. Et ensuite vous l'avez mis au frais. »

Je n'ai rien dit.

D.D. s'est penchée vers moi. « Mais c'est ça que je ne comprends pas. Visiblement, vous cherchiez à gagner du temps. Il fallait que vous accomplissiez quelque chose. Mais quoi, Tessa ? Que faisiez-vous pendant que le cadavre de votre mari attendait congelé au sous-sol ? »

Je n'ai rien dit. Au lieu de ça, j'écoutais une comptine, qui me trottait dans la tête. *J'ai perdu mes dents, mes dents de devant. Mais pourtant maman…*

« Où est-elle ? a murmuré D.D., comme si elle lisait dans mes pensées. Tessa, qu'avez-vous fait de votre petite fille ? Où est Sophie ?

– Vous êtes enceinte de combien ? » ai-je demandé.

D.D. a reculé comme si elle venait de prendre une balle et Bobby, à deux mètres de là, s'est étranglé.

Il ne savait pas, en ai-je conclu. Ou alors il savait sans le savoir, comme souvent les hommes. J'ai trouvé ça intéressant.

« C'est le père ?

– Taisez-vous », m'a rembarrée D.D.

Alors je me suis souvenue. « Non, me suis-je corrigée en regardant Bobby comme si elle n'avait rien dit. Vous êtes marié avec une autre, depuis l'affaire de l'asile psychiatrique, il y a quelques années. Et vous avez un bébé maintenant, c'est ça ? Depuis pas très longtemps. J'en ai entendu parler. »

Il n'a rien dit. S'est contenté de fixer calmement son regard gris sur moi. Est-ce qu'il pensait que je menaçais sa famille ? Est-ce que c'était le cas ?

Peut-être que j'avais seulement besoin de faire la conversation, pour éviter de dire ce qu'il ne fallait pas dire. Par exemple que j'avais utilisé de la neige parce que c'était relativement facile à pelleter et que ça ne laissait pas de preuves matérielles, comme l'auraient fait une douzaine de sacs de glace vides. Et que Brian était lourd, plus lourd que je ne l'avais imaginé. Tout cet entraînement, toute cette gonflette, juste pour qu'un tueur à gages et moi nous retrouvions à traîner vingt kilos de plus dans les escaliers qui descendaient vers son précieux garage où le moindre outil était toujours à sa place.

J'avais pleuré en amoncelant la neige sur le cadavre de mon mari. Les larmes chaudes creusaient de petits trous dans la neige blanche, alors il fallait que j'en remette une pelletée, avec des mains qui n'arrêtaient pas de trembler. Je me forçais à me concentrer. Une pelletée de neige, une deuxième, une troisième. Il en avait fallu vingt-trois.

Vingt-trois pelletées de neige pour ensevelir un homme.

J'avais prévenu Brian. Je lui avais dit dès le début qu'une femme comme moi en savait trop. Qu'il fallait se tenir à carreau avec une femme qui sait ce que je sais.

Trois tampons pour boucher les plaies par balle. Vingt-trois pelletées de neige pour cacher un corps.

J'ai perdu mes dents, mes dents de devant. Mais pourtant maman...

Je t'aime encore plus fort, m'avait-il dit en mourant.

Pauvre connard d'abruti.

Je n'ai plus rien dit. D.D. et Bobby sont aussi restés silencieux pendant bien dix ou quinze minutes. Trois membres des forces de l'ordre qui se fuyaient du regard. Pour finir, la porte s'est ouverte avec fracas et Ken Cargill a fait irruption, avec son manteau de laine noir qui battait autour de lui, ses cheveux bruns clairsemés tout décoiffés. Il s'est arrêté net, a remarqué mes poignets entravés et s'est tourné vers D.D. avec toute la fureur d'un bon avocat de la défense.

« Mais qu'est-ce que ça signifie !

– Votre cliente, Tessa Marie Leoni, est inculpée pour le meurtre de son mari, Brian Anthony Darby. Nous lui avons donné lecture de ses droits et nous attendons maintenant son transfèrement au tribunal.

– Quel est le chef d'accusation ? a demandé Cargill, dûment indigné.

– Assassinat. »

Il a ouvert des yeux comme des soucoupes. « Donc meurtre avec préméditation ? Vous avez perdu la tête ? Qui a donné son accord pour ce chef d'accusation ? Est-ce que vous avez seulement *regardé* ma cliente récemment ? L'œil au beurre noir, la pommette fracturée et, j'oubliais, la *commotion cérébrale* ? »

D.D. s'est contentée de le regarder et s'est retournée vers moi. « Glace ou neige, Tessa ? Allez, si vous ne le faites pas pour nous, faites-le au moins pour votre avocat : dites-lui comment vous avez congelé le cadavre.

– *Pardon ?* »

Je me suis demandé si tous les avocats prenaient des cours de théâtre ou si ça leur venait naturellement, comme aux policiers.

Le premier agent en tenue était de retour, à bout de souffle ; il avait dû courir dans tout l'hôpital avec l'énorme sac Wal-Mart. Il l'a mis dans les mains de D.D., qui s'est fait un devoir d'expliquer ma nouvelle garde-robe à Cargill.

Elle m'a ensuite détaché les mains. On m'a donné la pile de vêtements neufs, non sans avoir retiré les cintres et autres objets pointus, et on m'a permis de passer dans la salle de bain pour me changer. L'agent ne s'en était pas mal sorti. Un jean large, raide comme du carton tellement il était neuf. Un pull vert à encolure ras du cou. Soutien-gorge de sport, culotte unie, chaussettes unies, chaussures de tennis blanc brillant.

Avec des mouvements lents, j'ai passé le soutien-gorge, puis le pull, autour de ma tête meurtrie. J'ai eu moins de mal avec le jean, mais lacer mes chaussures s'est révélé impossible. Mes doigts tremblaient trop.

Vous savez ce qui a été le plus dur quand j'ai enseveli mon mari ?

Attendre qu'il se vide de son sang. Attendre que son cœur s'arrête, que le dernier centilitre de sang s'immobilise et refroidisse dans sa poitrine, parce que sinon il allait goutter. Il allait laisser une traînée, et même si elle était petite et que je la nettoyais avec de l'eau de Javel, le luminol la révélerait.

Alors je suis restée assise sur une chaise dure dans la cuisine, pour une veillée que je n'aurais jamais cru devoir accomplir. Et pendant tout ce temps, je n'arrivais pas à me décider : Qu'est-ce qui était pire ? Abattre un jeune garçon et m'enfuir avec du sang encore frais sur mes mains ? Ou abattre un homme et rester là, à attendre que son sang sèche pour pouvoir nettoyer correctement ?

J'ai mis trois tampons dans les trous du torse de Brian, par sécurité.

« Qu'est-ce que tu fais ? m'a demandé l'autre.

– Je ne peux pas laisser une traînée de sang, ai-je expliqué posément.

– Oh. » Et il m'a laissée partir.

Trois tampons ensanglantés. Deux dents de devant. C'est drôle, les talismans qui peuvent vous donner du courage.

J'ai fredonné la comptine. Lacé mes chaussures. Ensuite je me suis relevée et j'ai pris une dernière minute pour m'observer dans le miroir. Je n'ai pas reconnu mon reflet. Ce visage déformé, ces joues creuses, ces cheveux bruns tombants.

Il valait mieux, me suis-je dit, me faire l'effet d'une étrangère. C'était parfait pour ce qui allait venir.

« Sophie, ai-je murmuré, parce que j'avais besoin d'entendre le nom de ma fille. Sophie, je t'aime encore plus fort. »

Ensuite j'ai rouvert la porte de la salle de bain et j'ai de nouveau présenté mes poignets.

Les menottes étaient froides ; elles se sont refermées avec un déclic.

C'était l'heure. D.D. d'un côté. Bobby de l'autre. Mon avocat fermant la marche.

Nous sommes sortis dans le couloir blanc lumineux et le procureur s'est écarté du mur, prêt à mener la procession en triomphante majesté. J'ai vu le lieutenant-colonel, le visage fermé, qui n'a pas détourné les yeux devant son agent menotté. J'ai vu d'autres hommes en tenue, dont je connaissais les noms, dont j'avais serré les mains.

Ils ne m'ont pas regardée, alors je leur ai rendu la pareille.

Nous avons parcouru le couloir vers les grandes portes vitrées et la foule hurlante des journalistes qui attendait de l'autre côté.

Se donner de la prestance. Ne jamais leur laisser voir qu'on transpire.

Les portes coulissantes se sont ouvertes et le monde a explosé dans un crépitement de flashs blancs.

20

« IL FAUT TOUT REPRENDRE DE ZÉRO », disait D.D. une heure et demie plus tard. Au tribunal, ils avaient remis Tessa au bureau du shérif de Suffolk County. Le procureur allait présenter les éléments à charge. L'avocat indiquerait s'il plaiderait coupable ou non, le montant de la caution serait fixé et un titre de détention préparé par le parquet, autorisant le comté à garder Tessa Leoni incarcérée tant que les conditions de sa mise en liberté sous caution ne seraient pas réunies. À ce stade, soit Tessa serait libérée sous caution, soit elle serait transférée à la prison de Suffolk County. Étant donné que le procureur allait soutenir qu'il y avait risque de fuite et donc ne requérir aucune caution, il y avait de fortes chances qu'à l'heure où ils parlaient, elle soit déjà en route vers la maison d'arrêt pour femmes.

Ce qui ne résolvait pas pour autant tous leurs problèmes.

« Nous avions établi la chronologie en fonction des premières déclarations de Tessa à la police », expliquait maintenant D.D.

De retour au commissariat central, elle avait convoqué d'urgence tous les membres de la cellule d'enquête.

« En nous fondant sur son récit des événements, nous étions partis de l'idée que Brian Darby avait été abattu dimanche matin, après une altercation où il en était venu aux mains. Mais d'après le légiste, le corps de Darby a été congelé avant dimanche matin et très probablement *décongelé* pour que Tessa nous joue sa grande scène du II.

– Il sait dire combien de temps il est resté congelé ? » demanda Phil au premier rang.

D.D. laissa Neil, le troisième membre de l'équipe, répondre à la question, puisque c'était lui qui avait assisté à l'autopsie.

« Sans doute moins de vingt-quatre heures, répondit-il en s'adressant à toute la salle. Ben dit qu'il a constaté des dommages cellulaires qui correspondent aux effets d'une congélation dans les extrémités, mais pas dans les organes internes. Donc le corps a été mis au froid, mais pas suffisamment longtemps pour geler complètement. Les membres, le visage, les doigts, les orteils, oui. Les profondeurs du buste, non. Donc il est donc sans doute resté au froid entre douze et vingt-quatre heures. Ben ne peut fournir qu'une estimation parce que cette durée varie en fonction de la température de la pièce. Ajoutez à ça au moins quelques heures pour que le corps revienne à température ambiante... Il suppose (et je dis bien *suppose*) que Brian Darby a en fait été tué vendredi soir ou samedi matin.

– Donc, reprit D.D. en retournant l'attention de la salle vers elle, nous allons devoir de nouveau interroger tous les voisins, amis et parents : quand a-t-on vu ou entendu Brian Darby pour la dernière fois ? Est-ce qu'on part sur vendredi soir ou sur samedi matin ?

– Il a passé un appel sur son portable vendredi soir, intervint un autre enquêteur, Jake Owens. J'ai vu ça en parcourant les relevés hier.

– Un appel long ? Comme s'il avait parlé avec quelqu'un ?

– Huit ou neuf minutes, donc pas simplement pour laisser un message. Je vais retrouver le numéro et avoir une petite conversation avec le destinataire de l'appel.

– Assure-toi que cette personne a bien parlé à Brian, ordonna sèchement D.D., et que ce n'était pas Tessa qui se servait de son téléphone.

– Je ne comprends pas. » Phil avait fait toutes les recherches sur les antécédents et, à bien des égards, il en savait plus que quiconque sur les détails de cette affaire. « Nous sommes en train de supposer que Tessa a tué son mari, congelé le corps et organisé toute une mise en scène le dimanche matin. Pourquoi ? »

D.D. haussa les épaules. « Bizarrement, elle n'a pas voulu nous le dire.

– Pour gagner du temps, dit Bobby de là où il se trouvait, appuyé contre le mur à l'avant de la salle. Pas d'autre bonne raison. Elle voulait gagner du temps.

– Mais pourquoi ? insista Phil.

– Très probablement pour s'occuper de sa fille. »

La salle resta sans voix. D.D. regarda Bobby avec désapprobation. Manifestement, son hypothèse ne lui plaisait pas. Tant pis. À lui, ça ne lui plaisait pas d'avoir appris qu'elle était enceinte de la bouche d'une femme soupçonnée d'assassinat. Peut-être qu'il était vieux jeu, mais ça lui restait en travers de la gorge et il se sentait d'humeur querelleuse.

« Vous pensez qu'elle s'en est pris à sa fille ? » demanda Phil, méfiant. Il avait quatre enfants à la maison.

« Un voisin a vu la Denali de Brian quitter la maison samedi après-midi, répondit Bobby. Dans un premier temps, nous avons supposé que Brian était au volant. Comme les techniciens de labo pensent qu'un cadavre a été déposé à l'arrière du véhicule, nous avons aussi supposé que Brian avait tué sa belle-fille et qu'il s'était débarrassé des preuves. Sauf que Brian Darby était très certainement mort samedi après-midi. Et que donc ce n'est pas lui qui a transporté un cadavre. »

L'air pincé, D.D. approuva sèchement. « Je crois que nous devons envisager l'hypothèse que Tessa Leoni ait tué toute sa famille. Dans la mesure où Sophie était à l'école vendredi, je dirais qu'il s'est passé un drame familial soit vendredi soir, avant la patrouille de Tessa, soit samedi matin, à son retour. Le corps de Brian a été mis à congeler dans le garage et celui de Sophie emporté dans un lieu inconnu pour y être abandonné. Tessa a de nouveau a pris son service le samedi soir. Et le dimanche matin, elle nous a servi son numéro.

– Elle a tout mis en scène, marmonna Phil. Fait croire que son mari s'en était pris à Sophie. Qu'ensuite Brian et elle s'étaient disputés et qu'elle l'avait tué en situation de légitime défense. »

D.D. hocha la tête ; Bobby aussi.

« Mais les blessures au visage ? objecta Neil depuis le fond de la salle. Impossible qu'elle ait pu assurer sa patrouille dans la nuit de samedi à dimanche avec une commotion cérébrale et un visage fracassé. Hier, elle était incapable de tenir debout, encore plus de conduire.

– Bien vu », estima D.D. Elle se posta devant le tableau blanc, où elle avait écrit : *Chronologie.* Et elle ajouta un tiret : *Blessures de Tessa Leoni : Dimanche matin.* « Ces blessures sont forcément récentes. Est-ce qu'un médecin pourrait le confirmer ? » demanda-t-elle à Neil, ancien ambulancier qui leur servait d'expert médical à demeure.

« C'est difficile avec les contusions. On cicatrise tous à des vitesses différentes. Mais la gravité des blessures suggère qu'elles sont intervenues tard. Elle ne pouvait plus être d'une efficacité délirante après avoir pris des coups aussi violents sur le crâne.

– Qui l'a tabassée ? demanda un autre enquêteur.

– Un complice », suggéra Phil au premier rang.

D.D. approuva. « En plus de bouleverser notre chronologie, cette nouvelle information signifie aussi que nous devons repenser les contours de l'affaire. Si Brian Darby n'a pas battu sa femme, qui l'a fait et pourquoi ?

– Un amant, dit posément Bobby. C'est l'explication la plus logique. Pourquoi Tessa Leoni a-t-elle tué son mari et sa fille ? Parce qu'elle ne voulait plus d'eux. Pourquoi ne voulait-elle plus d'eux ? Parce qu'elle avait rencontré quelqu'un d'autre.

– Tu as eu vent de quelque chose ? lui demanda D.D. Une rumeur qui courrait dans la caserne, par exemple.

– Non, mais je n'ai pas vraiment mes entrées là-bas. Je suis enquêteur, pas agent en tenue. Il va falloir interroger le lieutenant.

– Première heure cet après-midi, lui assura D.D.

– Je dois dire, intervint Phil, que cette théorie cadre mieux avec ce que m'a dit le patron de Darby, Scott Hale. Je lui ai parlé à onze heures et il m'a juré ses grands dieux que Darby n'avait pas une once de violence en lui. L'équipage est plutôt tendu sur un tanker. Les gens ne dorment pas assez, leur famille leur manque, ils sont sous pression et ils doivent rester sur le pont en permanence. En tant qu'ingénieur, Darby devait régler toutes les crises techniques et apparemment gros bateau égale grosses avaries : eau dans le carburant, circuits électriques grillés, logiciels de surveillance détraqués. Et pourtant, jamais Hale n'a vu Darby perdre son sang-froid. En fait, plus le problème était grave, plus l'idée de trouver une solution l'excitait. Hale ne peut pas croire qu'un type comme ça battait sa femme en rentrant chez lui.

– Darby était un employé modèle, résuma D.D.

– Darby était l'ingénieur que tout le monde préférait. Et apparemment, il n'était pas mauvais à *Guitar Hero* – ils ont une salle de détente à bord. »

D.D. soupira, croisa les bras. Elle jeta un œil vers Bobby, sans tout à fait rencontrer son regard, mais enfin elle regardait plus ou moins dans sa direction. « Qu'est-ce que tu as appris à la salle de sport ?

– Brian avait passé les neuf derniers mois à suivre un solide programme d'entraînement pour se muscler. Son coach personnel jure qu'il ne prenait pas de stéroïdes, qu'il n'y mettait que du sang, de la sueur et des larmes. Elle ne l'a jamais entendu dire que du bien de sa femme, mais elle pense que ce n'était pas facile pour lui d'avoir une épouse dans la police. Oh, et ces trois dernières semaines, depuis qu'il était rentré de son dernier voyage, Darby était clairement lunatique, mais il refusait d'en parler.

– Comment ça, lunatique ?

– D'après elle, il était plus sombre, soupe-au-lait. Elle l'a interrogé deux-trois fois en se disant qu'il devait avoir des problèmes chez lui, mais il n'a rien voulu dire. Ce qui faisait de lui un oiseau rare. Apparemment, la plupart des clients s'épanchent sur leurs états d'âme pendant l'entraînement. La salle de gym leur tient lieu de confessionnal. »

D.D. s'anima. « Donc quelque chose préoccupait Darby, mais il refusait d'en parler.

– Peut-être qu'il avait découvert que sa femme le trompait, observa Neil depuis le fond de la salle. Vous dites que c'était à son retour, autrement dit il venait de laisser sa femme toute seule pendant soixante jours...

– Sur le bateau, en plus de la salle de détente, l'équipage dispose d'une salle informatique, intervint Phil. Je suis en train de préparer le mandat pour obtenir copie de tous les courriels reçus et envoyés par Darby. On trouvera peut-être quelque chose.

– Mettons que Tessa ait rencontré un autre homme, raisonna D.D., qu'elle ait décidé de se débarrasser de son mari. Pourquoi le tuer ? Pourquoi ne pas divorcer ? »

La question s'adressait à toute la salle, comme un défi.

« Assurance-vie, proposa l'un.

– Pour gagner du temps, dit un autre. Peut-être qu'il avait menacé de refuser le divorce.

– Peut-être qu'il savait quelque chose sur elle et menaçait de s'en servir si elle divorçait. »

D.D. nota chacun des points et parut particulièrement intéressée par le troisième. « De son propre aveu, Tessa est une alcoolique qui avait déjà commis un meurtre à l'âge de seize ans. Si elle est prête à reconnaître *ça*, qu'est-ce qu'elle pourrait bien vouloir cacher ? »

Elle se retourna vers le groupe. « Bon, et pourquoi tuer sa fille ? Brian est son beau-père, il ne peut pas en réclamer la garde. C'est une chose de mettre fin à son mariage. Mais pourquoi tuer son enfant ? »

La salle fut plus lente à répondre à cette question. Étonnamment, ce fut Phil qui osa enfin une hypothèse : « Parce que son amant ne voulait pas d'enfant. C'est comme ça que ça se passe, non ? Je vous renvoie à l'affaire Diane Downs, etc. Les femmes tuent leurs enfants quand ils deviennent une gêne. Tessa voulait se lancer dans une nouvelle vie. Sophie ne pouvait pas en faire partie, donc Sophie devait mourir. »

Personne n'avait rien à ajouter.

« Il faut qu'on identifie l'amant, murmura Bobby.

– Il faut qu'on retrouve le corps de Sophie, ajouta D.D. avec un gros soupir. Qu'on prouve une bonne fois pour toutes de quoi Tessa Leoni est capable. »

Elle reposa son feutre et regarda le tableau blanc.

« Bon, reprenons. Voilà nos hypothèses : Tessa Leoni aurait tué mari et enfant, sans doute dans la soirée de vendredi ou la matinée de samedi. Elle aurait congelé le corps de son mari dans le garage. Elle se serait débarrassée de sa fille pendant le trajet en voiture du samedi après-midi. Ensuite elle aurait pris son service (très probablement après avoir mis le corps de son mari à décongeler dans la cuisine) et quand elle serait rentrée chez elle, elle aurait laissé son amant la tabasser avant d'appeler ses collègues. Ça se tiendrait. Maintenant, sortez d'ici et trouvez-moi des *faits*. Je veux des courriels et des messages téléphoniques entre elle et son amant. Je veux un voisin qui l'aurait vue décharger de la glace ou pelleter de la neige. Je veux savoir exactement où s'est rendue la Denali blanche de Brian Darby le samedi après-midi. Je veux le corps de Sophie. Et, si c'est bien ce qui s'est passé, je veux que Tessa Leoni passe le restant de ses jours derrière des barreaux. Des questions ?

– L'alerte-enlèvement ? demanda Phil en se levant.
– Elle reste en vigueur jusqu'à ce que nous retrouvions Sophie Leoni, d'une manière ou d'une autre. »
La cellule d'enquête comprit ce qu'elle voulait dire : jusqu'à ce qu'ils retrouvent l'enfant en vie ou jusqu'à ce qu'ils découvrent son cadavre. Les enquêteurs quittèrent un à un la pièce. Bientôt, il ne resta plus que Bobby et D.D., seuls.
Il s'écarta le premier du mur et se dirigea vers la porte.
« Bobby. »
Il y avait juste assez de tremblement dans sa voix pour qu'il se retourne.
« Je ne l'ai même pas dit à Alex. D'accord ? Je ne l'ai même pas encore dit à Alex.
– Pourquoi ?
– Parce que… Parce que.
– Tu vas garder le bébé ? »
Les yeux de D.D. s'agrandirent d'effroi. Elle montra la porte ouverte avec affolement, alors il la ferma pour lui faire plaisir. « Tu vois, c'est pour ça que je n'ai rien dit, éclata-t-elle. C'est exactement le genre de conversation que je n'avais pas envie d'avoir ! »
Il resta sans bouger, à la regarder. Elle avait une main sur le bas du ventre. Comment lui, l'ancien tireur d'élite, ne l'avait-il pas remarqué ? Ce geste, presque protecteur. Il se sentit ridicule et comprit qu'il n'aurait même pas dû avoir besoin de lui poser la question. Il suffisait de regarder sa façon de se tenir : elle gardait le bébé. Voilà ce qui la terrifiait à ce point.
Le commandant D.D. Warren allait être maman.
« Ça va aller, dit-il.
– Oh, mon Dieu !
– D.D., tu as toujours réussi tout ce que tu as voulu faire. Pourquoi ce serait différent cette fois-ci ?
– Oh, mon Dieu ! répéta-t-elle, le regard paniqué.
– Tu veux que je t'apporte quelque chose ? De l'eau ? Des cornichons ? Et pourquoi pas des bonbons au gin-

gembre ? Annabelle ne se nourrissait que de ça. Elle disait que ça calmait ses nausées.

– Des bonbons au gingembre ? » D.D. prit un temps, un peu moins affolée, un peu plus curieuse. « Ah bon ? »

Bobby lui sourit, traversa la pièce et, parce que ça lui semblait naturel, la prit dans ses bras. « Félicitations, lui murmura-t-il à l'oreille. Je le pense, D.D. Bienvenue dans la plus grande aventure de ta vie.

– Tu crois ? » Les yeux un peu embués, elle se surprit à lui rendre son étreinte. « Merci, Bobby. »

Il lui donna une tape sur l'épaule. Elle posa la tête sur sa poitrine. Puis ils se redressèrent tous les deux, se tournèrent vers le tableau blanc et se remirent au travail.

21

DEBOUT, les mains menottées dans le dos, j'ai écouté le procureur lire les chefs d'accusation. D'après lui, j'avais délibérément tiré sur mon mari. Il y avait par ailleurs des raisons de penser que j'avais également tué ma fille. Pour l'heure, il demandait mon inculpation pour assassinat et, vu la gravité des charges pesant contre moi, ma détention sans possibilité de caution.

Mon avocat, Cargill, a fait retentir ses protestations. J'étais une policière bien sous tous rapports, qui avait derrière elle une brillante et longue carrière (quatre ans ?) dans la police d'État. Le procureur n'avait pas de preuves suffisantes contre moi et il était grotesque d'imaginer qu'une policière aussi respectée et une mère aussi dévouée que moi s'en serait pris à toute sa famille.

Le procureur a fait observer que l'analyse balistique avait déjà démontré que les balles retrouvées dans la poitrine de mon mari venaient de mon Sig Sauer de service.

Cargill a fait valoir mon œil au beurre noir, mon visage fracturé et ma commotion cérébrale. Manifestement, mon geste avait été provoqué.

Le procureur a répliqué que l'argument aurait pu tenir si le corps de mon mari n'avait pas été congelé après sa mort.

La nouvelle a manifestement laissé le juge perplexe, qui m'a lancé un regard interloqué.

Bienvenue dans mon monde, ai-je eu envie de lui dire. Mais je n'ai rien dit, rien montré, parce que même le plus petit geste, qu'il soit de bonheur, de colère ou de tristesse, m'aurait conduite au même point : l'hystérie.

Sophie, Sophie, Sophie.

J'ai perdu mes dents, mes dents de devant. Mais pourtant maman...

J'allais me mettre à chanter. Et ensuite j'allais tout bonnement me mettre à hurler parce que c'est ce qu'une mère a envie de faire quand elle écarte les couvertures et découvre le lit de son enfant vide. Elle a envie de hurler, sauf que moi je n'avais jamais eu la possibilité de le faire.

Il y avait eu du bruit au rez-de-chaussée. Sophie, m'étais-je dit une nouvelle fois. Et j'étais précipitamment sortie de la chambre, j'avais couru dans les escaliers, filé droit à la cuisine, et là j'avais trouvé mon mari ; avec un homme qui braquait un pistolet sur sa tempe.

« Qui tu aimes ? » avait-il demandé, et cette simple question avait posé mon dilemme. Je pouvais obéir et sauver ma fille. Ou alors je pouvais résister et perdre toute ma famille.

Brian me fixait, et il se servait de son regard pour me dire ce que je devais faire. Parce que, sombre raté ou pas, il était encore mon mari et, surtout, il était le père de Sophie. Le seul homme qu'elle ait jamais appelé papa.

Il l'aimait. Malgré tous ses défauts, il nous aimait toutes les deux.

C'est drôle, les choses qu'on n'apprécie vraiment que quand il est trop tard.

J'avais posé mon ceinturon sur la table de cuisine.

Et l'homme s'était avancé, s'était emparé de mon Sig Sauer dans son étui et avait tiré trois balles dans la poitrine de Brian.

Boum, boum, boum.

Mon mari était mort. Ma fille avait disparu. Et moi, la policière de métier, j'étais là, complètement sous le choc, avec ce hurlement toujours coincé dans la poitrine.

Un marteau de juge s'est abattu.

La brusque détonation m'a fait sursauter au garde-à-vous. Mes yeux se sont tournés d'instinct vers la pendule : 14 h 43. Est-ce que l'heure avait encore une importance ? J'espérais que oui.

« La caution est fixée à un million de dollars », a sèchement annoncé le juge.

Le procureur a souri. Cargill, grimacé.

« Tiens le coup, a marmonné Shane derrière moi. Ça va aller. Tiens le coup. »

Je ne me suis même pas donné la peine de répondre à ces banalités insignifiantes. Bien sûr, le syndicat de police avait de l'argent de côté en cas de caution à payer, de même qu'il aidait à prendre un avocat tout agent qui avait maille à partir avec la justice. Malheureusement, le pécule du syndicat était loin de se monter à un million de dollars. Réunir une telle somme prendrait du temps, sans compter que cela devrait faire l'objet d'un vote. Donc j'étais sans doute mal barrée.

Comme si le syndicat allait s'engager davantage aux côtés d'une policière accusée d'avoir assassiné mari et enfant. Comme si mes mille six cents collègues masculins risquaient de voter oui.

Je n'ai rien dit, rien montré, parce que le hurlement me remontait dans la gorge, une sensation d'oppression dans ma poitrine qui grandissait inexorablement. J'aurais voulu avoir le bouton bleu, j'aurais voulu pouvoir le conserver parce que, paradoxalement, le tenir m'avait permis de rester saine d'esprit. Ce bouton représentait Sophie. Il représentait le fait qu'elle était là, quelque part, et qu'il me suffisait de la retrouver.

Le gardien du tribunal s'est approché et m'a prise par le coude. Il m'a brusquement tirée vers l'avant et j'ai commencé à marcher, un pied devant l'autre, parce que c'était ce qu'il fallait faire, ce qu'on attendait de moi.

Cargill était à mes côtés. « Famille ? » m'a-t-il demandé posément.

Je savais ce qu'il voulait dire : est-ce que j'avais une famille qui pourrait payer la caution ? J'ai pensé à mon père, senti le hurlement monter de ma poitrine dans ma gorge. J'ai fait signe que non.

« Je vais discuter avec Shane, qu'on expose votre affaire au syndicat », m'a-t-il dit, mais je devinais déjà son scepticisme.

Je me suis souvenue de mes supérieurs, qui ne m'avaient pas regardée dans les yeux quand j'étais passée dans ce couloir d'hôpital. La marche de la honte. La première d'une longue série.

« Je peux demander un régime spécial à la prison », expliquait Cargill, en parlant vite maintenant, car nous approchions de la porte de la cellule de détention, d'où je serai officiellement transférée. « Vous êtes fonctionnaire de police. On vous accordera l'isolement si vous le souhaitez. »

J'ai refusé. Je connaissais la maison d'arrêt de Suffolk County ; le quartier d'isolement était le plus déprimant de tous. J'y aurais bénéficié d'une cellule individuelle, mais j'y aurais aussi été cloîtrée vingt-trois heures sur vingt-quatre. Aucun privilège du style laissez-passer pour la salle de gym ou pour une heure en bibliothèque, aucune salle commune où trônerait une télé capricieuse ou le plus vieux vélo d'appartement du monde pour tuer le temps. Marrant, les choses qui allaient devenir des objets de luxe à mes yeux.

« Examen médical », a-t-il insisté. Il voulait dire que je pouvais aussi demander des soins médicaux, ce qui me vaudrait d'aller à l'infirmerie.

« Avec tous les autres psychopathes », ai-je grommelé. La dernière fois que j'avais fait un tour dans cette prison, tous les gueulards étaient à l'unité de soins, où ils hurlaient à toute heure du jour et de la nuit – sur eux-mêmes, sur les surveillants, sur les autres détenus. N'importe quoi, j'imagine, pour ne plus entendre ces voix dans leur tête.

Nous étions arrivés devant la cellule, et le gardien a lancé à Cargill un regard éloquent. Un instant, mon défenseur exténué a hésité. Il m'a regardée avec quelque chose comme de la compassion et j'aurais préféré qu'il s'abstienne, parce que cela ne servait qu'à faire monter le hurlement de ma gorge vers ma bouche caverneuse. J'ai dû pincer les lèvres, serrer les dents pour l'empêcher de s'échapper.

J'étais forte, j'étais solide. Il n'y avait là rien que je n'avais déjà vu. D'habitude, j'étais de l'autre côté des barreaux, simple détail.

Cargill a pris mes mains menottées. Il a serré mes doigts.

« Faites-moi demander, Tessa, a-t-il murmuré. La loi vous donne le droit de consulter votre avocat à n'importe quel moment. Appelez et je viendrai. »

Et il est parti. La porte de la cellule s'est ouverte. J'y suis entrée d'un pas mal assuré et j'ai rejoint cinq autres femmes au visage aussi pâle et détaché que le mien. Alors que je les regardais, l'une d'elles s'est dirigée vers les toilettes en inox, a remonté sa mini-jupe en lycra noir et uriné.

« Quesse-tu regardes, connasse ? » a-t-elle demandé dans un bâillement.

La porte de la cellule s'est refermée en claquant derrière moi.

Que je vous explique comment se danse la gigue de South Bay : pour exécuter cette vénérable chorégraphie lors de son transfèrement, chaque détenue doit donner le bras à ses deux voisines et joindre les mains au niveau de la taille, où on lui passera les menottes. Une fois que chaque détenue est ainsi « tressée » avec ses voisines, on lui entrave aussi les chevilles et une chaîne de six femmes peut rejoindre cahin-caha le fourgon du shérif.

Les femmes s'assoient d'un côté du fourgon. Les hommes de l'autre. Une cloison de plexiglas transparent les sépare. La blonde décolorée assise à côté de moi a passé les trois quarts du trajet à faire des mouvements de langue suggestifs. Le Noir de cent vingt kilos couvert de tatouages assis en face de nous l'encourageait des hanches.

Encore trois minutes et je pense qu'ils auraient conclu leur petite affaire. Malheureusement pour eux, nous sommes arrivés à la maison d'arrêt.

Le fourgon est entré dans la cour. Une lourde porte de garage métallique est descendue et s'est verrouillée, ce qui rendait les lieux totalement hermétiques. Ensuite les portes du véhicule se sont enfin ouvertes.

Les hommes ont débarqué les premiers, sortant du fourgon à la queue-leu-leu pour entrer dans le sas. Au bout de quelques instants, notre tour est venu.

Le plus difficile était de descendre du fourgon. Je sentais la pression de mes compagnes : il ne fallait ni trébucher ni tomber, car j'aurais entraîné toute la chaîne avec moi. Le fait que j'étais blanche et que je portais des vêtements neufs suffisait déjà à me distinguer, car la plupart de mes codétenues semblaient travailler dans le milieu du sexe et de la drogue. Les plus propres sur elles faisaient sans doute ça pour de l'argent. Les moins ragoûtantes pour avoir leur dose.

La plupart n'avaient pas dormi de la nuit et, à en juger par les diverses odeurs, elles n'avaient pas chômé.

Curieusement, la femme aux cheveux orange à ma droite a plissé le nez devant mon odeur particulière d'antiseptique d'hôpital et de jean tout neuf. Tandis que, voyant mon visage défoncé, la fille à ma gauche (dix-huit, dix-neuf ans ?) a dit : « Oh, chérie, la prochaine fois, donne-lui l'argent, il cognera moins fort. »

Les portes se sont ouvertes. Nous sommes entrées dans le sas. Les portes se sont refermées derrière nous.

D'autres portes à notre gauche se sont ouvertes dans un bruit métallique.

Droit devant moi, je voyais le greffe, tenu par deux surveillants en uniforme bleu foncé. J'ai gardé la tête basse, de peur d'apercevoir un visage familier.

Nous avons continué clopin-clopant, progressant lentement, épaule contre épaule, hanche contre hanche, dans un long couloir, entre des murs de béton jaune pisseux, dans l'odeur âcre qui est celle des établissements publics du monde entier – mélange de sueur, d'eau de Javel et d'apathie.

Nous sommes arrivées à la « cellule d'attente », une autre grande cellule, très semblable à celle du tribunal. Des bancs en bois le long d'un mur. Des toilettes et un lavabo en métal. Deux téléphones publics. Tous les appels devaient être passés en PCV, nous expliquera-t-on, et un message automatique informerait le destinataire que l'appel venait de la maison d'arrêt de Suffolk County.

On nous a enlevé nos fers. Le surveillant est sorti. La porte métallique s'est refermée en claquant, et voilà.

Je me suis massé les poignets, puis j'ai remarqué que j'étais la seule à faire ça. Tout le monde se mettait déjà dans la file d'attente pour téléphoner. Se préparait à appeler qui pourrait payer la caution.

Je ne me suis pas mise dans la queue. Je me suis assise sur le banc en bois et j'ai regardé ces prostituées et ces dealeuses qui avaient quand même plus de gens que moi qui les aimaient.

Le surveillant a appelé mon nom en premier. J'avais beau savoir que ça viendrait, j'ai connu un instant de panique. Je me suis cramponnée au bord du banc. Je n'étais pas sûre d'arriver à lâcher prise.

Jusque-là, j'avais tenu le choc. Face à tellement de choses. Mais maintenant, la mise sous écrou. L'agent Tessa Leoni allait officiellement cesser d'exister. La détenue n° 55669021 allait prendre sa place.

Je ne pouvais pas. Je ne voulais pas.

Le surveillant a répété mon nom. Depuis le couloir, c'était moi qu'il regardait par la fenêtre de la porte métallique. Et j'ai su qu'il savait. Évidemment, il savait. Ils étaient en train d'écrouer une policière. Ça devait être le ragot le plus croustillant du moment. Une femme accusée d'avoir tué son mari et soupçonnée du meurtre de sa fille de six ans. Exactement le genre de détenue que les surveillants aiment détester.

Je me suis obligée à lâcher le banc. À me lever.

Se donner de la prestance, me suis-je dit, avec une certaine frénésie. Ne jamais leur laisser voir qu'on transpire.

Je suis arrivée à la porte. Le surveillant m'a passé les menottes et prise par le coude. Sa poigne était ferme, son visage imperturbable.

« Par ici », m'a-t-il dit en me tirant brutalement vers la gauche.

Nous sommes retournés au greffe, où j'ai subi la batterie de questions classiques : taille, poids, date de naissance, proches parents, coordonnées, adresses, numéros de téléphone, tatouages, etc. Ensuite on m'a photographiée, debout devant le mur en parpaing avec sur une pancarte un numéro qui allait être mon nouveau nom. Le produit fini devint ma nouvelle carte d'identité, que je devrais en permanence garder sur moi.

Retour dans le couloir. Pièce suivante, où on m'a pris mes vêtements et où j'ai dû m'accroupir complètement nue devant une policière qui inspectait mes orifices naturels avec une lampe-torche. On m'a donné une tenue de prisonnière marronnasse (un pantalon, une chemise), une paire de tennis plates blanches, surnommées « Air Cabral » en hommage au shérif, Andrea Cabral, et une trousse de toilette en plastique transparent. La trousse contenait une brosse à dents transparente grande comme le petit doigt, un petit déodorant transparent, un shampoing transparent et un tube de dentifrice blanc. Les produits d'hygiène étaient transparents pour qu'il soit plus difficile aux détenus de dissimuler de la drogue dans leur contenant. La brosse à dents était petite de manière à ce qu'elle soit moins dangereuse quand elle serait inévitablement transformée en couteau.

Si je désirais d'autres produits d'hygiène, disons de l'après-shampoing, de la lotion pour les mains, du baume à lèvres, il fallait les acheter à la cantine. Baume à lèvres : $ 1.10. Lotion : $ 2.21. Je pouvais aussi m'acheter de meilleures chaussures de tennis, entre 28 et 47 dollars.

Étape suivante, l'infirmerie. L'infirmière a examiné mon œil au beurre noir, ma joue tuméfiée et mon front entaillé. Après quoi il a fallu que je réponde au questionnaire médical d'usage pendant qu'on me vaccinait contre la tuberculose, toujours à craindre en milieu carcéral. L'infirmière s'est attardée sur l'évaluation psychiatrique, sans doute pour déterminer si j'étais le genre de femme susceptible de commettre un geste irréfléchi, par exemple de me pendre avec mes draps vieillis par la Javel.

Elle a signé ma fiche médicale. Puis le surveillant m'a escortée dans le couloir de béton jusqu'aux ascenseurs. Il a appuyé sur le 9, l'étage des prévenues. J'avais le choix entre l'unité 1-9-1 ou l'unité 1-9-2. J'ai eu la 1-9-2.

Les unités des prévenues pouvaient accueillir de soixante à quatre-vingts femmes en même temps. Seize cellules par unité. Deux à trois femmes par cellule.

On m'a conduite à une cellule où il n'y avait qu'une seule autre détenue. Elle s'appelait Erica Reed. Elle dormait sur la couchette du haut, avait disposé ses effets personnels sur celle du bas. Je n'avais qu'à m'installer confortablement sur la table en bois qui tenait aussi lieu de bureau.

À la seconde où la porte métallique s'est refermée derrière moi, Erica s'est mise à ronger ses ongles noirâtres, découvrant une rangée de dents de la même couleur. Accro à la meth. Ce qui expliquait son visage pâle et décharné, ses cheveux bruns en baguette de tambour.

« Vous êtes la flic ? m'a-t-elle immédiatement demandé, tout excitée. Tout le monde dit qu'on va avoir une flic ! J'espère trop que c'est vous ! »

C'est là que j'ai su que j'étais encore plus mal barrée que je ne le croyais.

22

LE LIEUTENANT-COLONEL Gerard Hamilton n'eut pas l'air emballé à l'idée de parler à D.D. et Bobby ; résigné à son sort, plutôt. Un de ses agents était impliqué dans une « regrettable affaire ». L'équipe d'enquêteurs allait naturellement devoir l'interroger.

Par courtoisie, D.D. et Bobby lui rendirent visite dans son bureau. Il serra la main de D.D. et accueillit Bobby en le prenant familièrement par l'épaule. Il sautait aux yeux que les deux hommes se connaissaient et D.D. se félicita de la présence de Bobby – sans lui, Hamilton ne se serait peut-être pas montré aussi confraternel.

Elle laissa Bobby assurer la direction de l'entretien pendant qu'elle-même examinait le bureau de Hamilton. La police d'État du Massachusetts était connue pour son attachement à sa hiérarchie de type militaire. Si D.D. travaillait dans un modeste bureau paysagé dont la décoration évoquait le milieu de l'entreprise, le bureau de Hamilton lui faisait en revanche penser à celui d'un politicien aux dents longues. Sur les murs lambrissés, des photos montraient Hamilton en compagnie de tous les hommes politiques qui comptaient dans l'État et, sur l'une d'elles, particulièrement imposante, il figurait aux côtés du sénateur républicain Scott Brown. D.D. repéra un diplôme de l'université du Massachusetts à Amherst, un autre de l'académie du FBI. L'impressionnant alignement de ramures au-dessus du bureau du lieutenant témoignait de ses talents de chasseur et, au cas où cela n'aurait pas suffi, une autre photo montrait Hamilton en treillis vert et veste de chasse orange à côté d'une proie fraîchement abattue.

D.D. ne s'attarda pas trop sur cette photo. Elle commençait à avoir l'impression que Bébé Warren était végétarien. Beurk, la viande rouge. Les céréales ? fallait voir.

« Je connais l'agent Leoni, naturellement », expliquait Hamilton. C'était un haut gradé, l'air distingué. Affûté, une carrure athlétique, des cheveux bruns grisonnants aux tempes, le visage hâlé en permanence après des années passées au grand air. D.D. aurait parié que les jeunes recrues masculines l'admiraient ouvertement, tandis que les jeunes recrues féminines le trouvaient secrètement sexy. Tessa Leoni était-elle l'une d'elles ? Et ce sentiment était-il réciproque ?

« Un bon élément, continua-t-il sur le même ton. Jeune, mais compétente. Pas d'incidents ni de plaintes à signaler. »

Hamilton avait le dossier de Tessa ouvert sur son bureau. Il confirma qu'elle avait travaillé dans les nuits de vendredi et de samedi. Bobby et lui parcoururent ensuite ses mains courantes, dont l'essentiel restait obscur à D.D. Le travail d'un enquêteur consiste en enquêtes en cours, affaires élucidées, demandes de mandat, interrogatoires, etc. Celui d'un agent en tenue consiste, entre autres, en contrôles routiers, amendes pour infraction au code de la route, demandes d'intervention, exécutions de mandat, confiscations de biens et appels en renfort à n'en plus finir. Aux yeux de D.D., cela ressemblait plus à du basket qu'à du travail de police : les agents passaient leur temps soit à siffler des fautes, soit à aider leurs collègues à arbitrer.

Quoi qu'il en soit, Tessa avait des mains courantes particulièrement fournies, même vendredi et samedi soir. Rien que dans la nuit du samedi au dimanche, elle avait procédé à deux arrestations pour conduite en état d'ivresse, ce qui, dans le deuxième cas, l'avait obligée non seulement à emmener le conducteur en garde à vue, mais à organiser le remorquage du véhicule.

Bobby fit la grimace. « Vous avez vu les procès-verbaux ? demanda-t-il en pointant ces deux arrestations.

– Son supérieur me les a transmis il y a quelques heures. Ils sont corrects. »

Bobby regarda D.D. « Alors c'est clair qu'elle n'avait pas de commotion cérébrale samedi soir. Je suis déjà pratiquement incapable de remplir ces formulaires quand je suis en pleine possession de mes moyens, alors avec un gros traumatisme crânien, je ne te dis pas.

– Elle a pris des appels personnels samedi soir ? » demanda D.D. au lieutenant.

Hamilton l'ignorait. « Les agents patrouillent avec leur portable personnel, pas seulement leur biper de service. Il est possible qu'elle ait pris toutes sortes d'appels personnels. Rien qui soit passé par les canaux officiels, cela dit. »

D.D. le nota. Elle était surprise que les agents soient encore autorisés à emporter leur mobile. Beaucoup de forces de l'ordre commençaient à les interdire parce que les agents en tenue, souvent premiers arrivés sur les lieux d'un crime, avaient une fâcheuse tendance à s'en servir pour prendre des photos. Ils trouvaient une tête rigolote au type qui s'était fait sauter la cervelle ou alors ils voulaient montrer cette éclaboussure de sang particulière à un pote d'un autre commissariat. Mais, au regard de la loi, toute photo de scène de crime constituait une pièce du dossier et devait être communiquée sans restriction à la défense. Autrement dit, si de telles photos apparaissaient au grand jour une fois l'affaire jugée, leur seule existence pouvait entacher le procès d'un vice de procédure.

Les procureurs n'appréciaient pas vraiment. Ça les mettait d'une humeur massacrante.

« Est-ce que Leoni aurait fait l'objet de blâmes ? » demanda D.D.

Hamilton fit signe que non.

« Est-ce qu'elle aurait pris beaucoup de congés, pour convenance personnelle, par exemple ? C'est une jeune maman, seule avec un enfant la moitié du temps. »

Hamilton feuilleta le dossier, secoua la tête. « Admirable, commenta-t-il. Difficile de répondre à la fois aux exigences de ce métier et aux besoins d'une famille.

– Amen », murmura Bobby.

Ils avaient tous les deux l'air sincères. D.D. se mordit la lèvre. « Vous la connaissiez bien ? demanda-t-elle brusquement. Activités pour renforcer la cohésion d'équipe, sorties pour prendre un verre, ce genre de choses ? »

Hamilton se montra cette fois hésitant. « Je ne la connaissais pas vraiment, dit-il enfin. L'agent Leoni avait la réputation d'être distante. Certaines de ses évaluations annuelles y font allusion. Un bon agent. Très fiable. Un jugement sûr. Mais elle avait tendance à se tenir à l'écart. Ça nous inquiétait un peu. Même les patrouilleurs, qui travaillent seuls la plupart du temps, ont besoin de sentir la cohésion du groupe. De se sentir assurés qu'un collègue couvre toujours leurs arrières. Les collègues de Leoni la respectaient professionnellement, mais aucun n'avait l'impression de la connaître personnellement. Et dans ce métier où la frontière entre vie privée et vie professionnelle est souvent floue… »

Hamilton laissa sa phrase en suspens. D.D. comprit ce qu'il voulait dire et en fut intriguée. Faire respecter la loi n'est pas un simple gagne-pain. On ne se contente pas de pointer, de faire son boulot et de passer le relais à ses collègues. C'est une vocation. On se consacre à son travail, on se donne à son équipe et on se résigne au mode de vie qui va avec.

D.D. s'était demandé si Tessa n'était pas trop proche d'un collègue, ou même d'un gradé, comme le lieutenant. Mais, apparemment, elle versait plutôt dans l'excès inverse.

« Je peux vous poser une question ? demanda brusquement Hamilton.

– À moi ? »

Surprise, D.D. accepta.

« Vous socialisez avec vos collègues ? Le temps de prendre une bière, de partager une pizza froide, de regarder un match chez l'un ou chez l'autre ?

– Bien sûr. Mais je n'ai pas de famille. Et je suis plus âgée. Tessa Leoni… une jeune et jolie maman face à une caserne exclusivement masculine… C'est votre seul élément féminin, n'est-ce pas ?

– À Framingham, oui.

– Il n'y a pas beaucoup de femmes sous l'uniforme. Si elle évitait de trop fraterniser avec ses collègues, je n'irais pas lui jeter la pierre.

– Nous n'avons jamais eu la moindre plainte pour harcèlement sexuel, précisa immédiatement Hamilton.

– Il y a des femmes qui n'ont pas envie de se lancer dans ce genre de procédure. »

Ces propos ne plurent pas à Hamilton. Son visage se ferma, il devint intimidant, cassant même.

« Au niveau de la caserne, nous encouragions le supérieur de Leoni à multiplier les occasions où elle pourrait se sentir intégrée. Disons que les résultats ont été mitigés. C'est certainement difficile d'être la seule femme dans un service à dominante masculine. D'un autre côté, Leoni elle-même n'avait pas l'air de vouloir combler le fossé. Pour parler franc, elle était un peu sauvage. Et même les agents qui s'efforçaient de se rapprocher d'elle…

– L'agent Lyons, par exemple ? l'interrompit D.D.

– L'agent Lyons, par exemple, confirma Hamilton. Leurs tentatives n'ont rien donné. Travailler en équipe suppose de gagner le respect et le cœur de ses collègues. De ce point de vue, l'agent Leoni ne remplissait que la moitié de son contrat.

– À propos de gagner les cœurs, reprit Bobby d'un air penaud, comme s'il lui coûtait de rabaisser le lieutenant au rang d'un colporteur de ragots, est-ce que vous auriez eu vent d'une liaison entre Leoni et un autre agent ? Ou peut-être des sentiments qu'un de ses collègues lui aurait portés, même s'ils n'étaient pas réciproques ?

– Je me suis renseigné. Il semblerait que l'agent le plus proche de Leoni ait été Shane Lyons, mais il était plus lié à son mari qu'à elle-même.

– Est-ce que vous le connaissiez ? demanda D.D. avec curiosité. Le mari, Brian Darby ? Ou bien sa fille, Sophie ?

– Je les connaissais tous les deux, répondit Hamilton avec une gravité qui surprit D.D. Croisés à l'occasion de divers barbecues ou réunions de famille au fil des ans. Sophie est une jolie petite fille. Très précoce, si je me souviens bien. » Il s'assombrit, comme en proie à une lutte intérieure. « On voyait que l'agent Leoni l'aimait énormément, dit-il d'un seul coup. Du moins, c'est toujours l'impression que j'ai eue en les voyant ensemble. Cette façon qu'elle avait de la porter, d'être en adoration devant elle. L'idée... »

Il détourna les yeux, s'éclaircit la voix et joignit les mains sur son bureau devant lui. « Une bien triste affaire, murmura-t-il, comme pour lui-même.

– Et Brian Darby ? relança Bobby.

– Je le connaissais depuis plus longtemps encore que Tessa. Brian était un bon copain de Lyons. Il y a bien huit ou neuf ans qu'il a commencé à venir à nos barbecues. Il se joignait même quelquefois à nous pour aller voir un match des Boston Bruins, venait de temps en temps à une soirée-poker.

– Je ne savais pas que l'agent Lyons et vous étiez si proches », fit remarquer D.D.

Hamilton lui lança un regard sévère. « Quand mes agents m'invitent à une fête, j'essaie toujours d'y aller. L'esprit de camaraderie est important et il n'y a rien de tel que ces réunions informelles pour entretenir le dialogue entre les agents et la hiérarchie. Ceci posé, je sors avec l'agent Lyons et ses "poteaux", comme il dit, quelque chose comme trois ou quatre fois par an.

– Que pensiez-vous de Brian ? demanda Bobby.

– Il suivait le championnat de hockey, était aussi fan des Red Sox. Ça en faisait forcément un type bien dans mes tablettes.

– Vous avez souvent parlé avec lui ?

– Pratiquement jamais. La plupart de nos sorties étaient du genre sorties entre potes : voir un match, faire un match, parier sur un match. Et, oui, ajouta-t-il en se tournant vers D.D. comme s'il s'attendait à son objection, je conçois que de telles activités aient pu donner un sentiment d'exclusion à l'agent Leoni. Mais si mon souvenir est bon, elle suit aussi les Red Sox et ils sont allés voir beaucoup de matchs en famille. »

D.D. se rembrunit. Elle avait horreur qu'on lise en elle comme dans un livre ouvert.

« Et l'alcoolisme de l'agent Leoni, demanda posément Bobby, est-ce que la question est venue sur le tapis ?

– J'étais au courant, répondit Hamilton avec tout autant de flegme. À ma connaissance, Leoni avait suivi un programme de désintoxication et n'avait pas rechuté. Là encore, ni incidents ni plaintes à signaler.

– Et cette affaire qui l'a vue commettre un meurtre à seize ans ? demanda D.D.

– Ça, répondit Hamilton avec accablement, ça va nous retomber sur la gueule. »

La brutalité de l'affirmation prit D.D. à contrepied. Il lui fallut un instant pour comprendre : la presse allait fouiller le passé de cette *femme fatale* et exiger de savoir à quoi pensait la police en embauchant un agent qui avait des antécédents de violence…

Clairement, le lieutenant n'avait pas fini de devoir s'expliquer.

« Écoutez, dit-il, l'agent Leoni n'avait jamais été inculpée. Elle répondait à tous nos critères de recrutement. Rejeter sa candidature : voilà ce qui aurait été de la discrimination. Et, soit dit en passant, elle a décroché son diplôme haut la main et s'est montrée exemplaire dans l'exercice de ses fonctions. Nous n'avions aucun moyen de savoir, aucun moyen de prévoir…

– Vous la croyez coupable ? Vous connaissiez son mari, son enfant. Vous pensez que Tessa les a tués ?

– Je pense que plus j'exerce ce métier, moins je suis surpris par tout ce qui devrait me surprendre.

– Des rumeurs sur des problèmes conjugaux entre elle et Brian ? demanda Bobby.

– Je serais le dernier au courant.

– Des changements notables dans son comportement, en particulier ces trois dernières semaines ? »

Hamilton pencha la tête sur le côté. « Pourquoi ces trois dernières semaines ? »

Bobby se contenta d'observer l'officier. Mais D.D. comprit : parce que Brian n'était rentré que depuis trois semaines et que, d'après son coach, il ne respirait pas la joie de vivre depuis son retour.

« Il y a bien un incident qui me revient, dit d'un seul coup Hamilton. Qui ne concernait pas l'agent Leoni, mais son mari. »

D.D. et Bobby échangèrent un regard.

« C'était il y a environ six mois, continua Hamilton, sans vraiment les regarder. Voyons… en novembre. Je crois, oui. L'agent Lyons avait organisé une sortie à Foxwoods. Nous avons été nombreux à venir, notamment Brian Darby. En ce qui me concerne, après avoir regardé un spectacle et claqué mes cinquante dollars au casino, j'avais ma dose. Mais Brian… Le moment venu, impossible de le faire décoller. Une dernière mise, une dernière mise, ce coup-ci, ça va sortir. Shane et lui ont fini par se disputer et Shane l'a littéralement sorti du casino par la peau du cou. Les autres ont pris ça à la rigolade. Mais… c'était assez clair pour moi que Brian Darby ne devrait pas retourner à Foxwoods.

– Joueur compulsif ?

– Je dirais que son intérêt pour le jeu était supérieur à la moyenne. Que si Shane ne l'avait pas arraché à la roulette, il y serait encore à regarder les numéros tourner. »

Bobby et D.D. se regardèrent. D.D. aurait été plus cliente de cette histoire si Brian n'avait pas eu cinquante mille dollars au chaud à la banque. En règle générale, les joueurs compulsifs n'ont pas cinquante mille dollars d'économie. Ils se retournèrent tout de même vers le lieutenant-colonel.

« Est-ce que Shane et Brian seraient allés à Foxwoods dernièrement ? demanda Bobby.

– Il faudrait poser la question à l'agent Lyons.

– Est-ce que Leoni aurait un jour évoqué des difficultés financières ? Demandé à faire plus de nuits, plus d'heures supplémentaires, ce genre de choses ?

– À voir ses mains courantes, répondit lentement Hamilton, elle faisait plus d'heures ces derniers temps. »

Mais cinquante mille dollars à la banque, songea D.D. Qui a besoin de faire des heures supplémentaires quand il a cinquante mille dollars à la banque ?

« Il y a encore une chose que vous devriez sans doute savoir, ajouta Hamilton. Mais qui doit rester strictement confidentiel, comprenez-moi bien. Et il se peut que ça n'ait aucun rapport avec l'agent Leoni. Mais... Vous avez parlé des trois dernières semaines, or il se trouve que nous avons ouvert une enquête interne il y a exactement deux semaines : un audit externe avait révélé que des fonds avaient été indûment prélevés sur les comptes du syndicat ; l'auditeur pense que ces fonds ont été détournés, très certainement par quelqu'un de la maison. Nous essayons de les localiser. »

D.D. ouvrit de grands yeux. « Comme c'est gentil à vous de nous en parler. Et si spontanément, aussi. »

Bobby lui fit les gros yeux.

« Ça porterait sur quels montants ? demanda-t-il sur un ton plus modéré.

– Deux cent cinquante mille dollars.

– Dont on a découvert la disparition il y a deux semaines ?

– Oui. Mais les détournements ont commencé il y a douze mois, sous forme de versements à une compagnie d'assurance qui s'avère fictive.

– Mais les chèques ont été encaissés.

– Jusqu'au dernier.

– Qui les a signés ?

– Difficile à établir. Mais ils ont tous été déposés sur un même compte dans le Connecticut, compte qui a été fermé il y a quatre semaines.

– La fausse compagnie d'assurance était une société-écran, conclut D.D. Créée pour recevoir des versements, à hauteur d'un quart de million de dollars, puis fermée.

– C'est l'hypothèse des enquêteurs.

– La banque doit pouvoir vous donner des informations, dit Bobby. Toutes les opérations se sont passées dans la même ?

– La banque nous a apporté son plein concours. Elle nous a fourni une vidéo où on voit une femme en casquette rouge et lunettes de soleil fermer le compte. C'est devenu la principale piste suivie par l'Inspection : ils cherchent une femme qui aurait eu accès à des informations confidentielles sur le syndicat des agents de police.

– Une femme comme Tessa Leoni », murmura D.D.

Le lieutenant-colonel ne contesta pas.

23

SI VOUS VOULEZ FAIRE TUER QUELQU'UN, l'idéal est de l'envoyer en prison. Celle de Suffolk County avait beau n'être qu'une simple maison d'arrêt, elle n'en accueillait pas moins des auteurs de violences. Le meurtrier qui venait de passer vingt ans dans la prison de haute sécurité de l'État pouvait finir de purger sa peine dans la maison d'arrêt du comté où il avait été condamné à dix-huit mois pour cambriolage ou voies de fait – condamnation qui était venue s'ajouter à la peine pour homicide. Ma compagne de cellule, Erica, était peut-être incarcérée pour trafic de drogue, prostitution ou chapardage. Mais elle pouvait aussi bien l'être pour le meurtre des trois dernières femmes qui étaient venues s'interposer entre elle et sa dose de meth.

Quand je lui ai posé la question, elle s'est contentée de sourire en découvrant deux rangées jumelles de dents noirâtres.

L'unité 1-9-2 abritait trente-quatre autres femmes exactement comme elle.

En tant que simples prévenues, nous étions séparées du tout-venant des détenus et rassemblées dans une unité fermée où les repas, l'infirmière et les activités venaient à nous. Mais à l'intérieur de l'unité, les possibilités de frayer ne manquaient pas et constituaient autant d'occasions de violence.

Erica m'a décrit pas à pas la journée-type. La matinée commençait à sept heures du matin, avec un appel, qui permettait au surveillant de vérifier les présences. Venaient ensuite, après un petit déjeuner servi en cellule, deux heures de « promenade » pendant lesquelles nous avions le droit de quitter notre cellule et d'évoluer librement dans l'unité, de traîner dans la salle commune pour regarder la télé, de prendre une douche (dans l'une des trois cabines qui donnaient directement dans la salle commune, ce qui permettait à tout le monde de profiter aussi de ce spectacle-là) ou de faire du vélo d'appartement grinçant (aussi grinçant que les insultes lancées par vos codétenues).

La plupart des détenues, je m'en suis vite aperçue, passaient leur temps à jouer aux cartes ou à échanger des ragots autour des tables rondes en inox installées au milieu de l'unité. Une femme se joignait à une tablée, apprenait une rumeur, en colportait deux autres, puis se rendait dans la cellule d'une voisine, où elle pourrait être la première à révéler le scoop. Et les femmes tournaient comme ça, de table en table, de cellule en cellule. L'ambiance me rappelait celle d'une colonie de vacances – tout le monde était habillé pareil, dormait sur des lits superposés et était obsédé par les garçons.

À onze heures du matin, chacune regagnait sa cellule pour un deuxième appel, suivi du déjeuner. Nouvelle promenade. Nouvel appel à trois heures. Dîner vers cinq heures. Dernier appel à onze heures du soir, suivi de l'extinction des feux, à ne pas confondre avec le temps calme. En prison, il n'y a pas de temps calme, encore moins dans les établissements mixtes.

Les femmes, ai-je rapidement appris, occupaient les trois étages supérieurs de la « tour » de la maison d'arrêt. Une femme entreprenante (ou un homme, plus probablement) s'était un jour aperçue que la tuyauterie des étages supérieurs était raccordée à celle des étages inférieurs, de sorte que, en mettant la tête dans la cuvette des toilettes en porcelaine blanche, une détenue (disons, ma compagne de cellule Erica) pouvait « parler » à l'aveuglette avec un inconnu. Enfin, parler n'était pas vraiment le but des hommes. Il faudrait plutôt voir ça comme une version carcérale du sexto.

Erica proférait des obscénités. Neuf étages plus bas, un homme sans visage gémissait. Erica en remettait une couche : *Plus fort, plus vite, allez, chéri, je me caresse les seins pour toi, tu sens comme je me caresse les seins pour toi ?* (J'affabule : Erica n'avait pas de seins. La meth avait dissous tout ce qu'elle avait de graisse et de chair sur les os, y compris sa poitrine. Dents noires, ongles noirs, plate comme une limande… Erica aurait dû figurer dans une campagne de prévention à destination des jeunes filles : voilà à quoi vous ressemblerez si vous prenez de la meth.)

Mais, neuf étages en dessous, l'homme sans visage ne le savait pas. Dans sa tête, Erica était sans doute une blonde voluptueuse ou alors cette petite latino sexy qu'il avait un jour croisée à l'infirmerie. Il se branlait gaiement. Erica entamait le deuxième round.

Et la femme de la cellule voisine aussi, et celle d'à côté, et celle encore d'à côté. Toute. La. Nuit.

Ça communique beaucoup dans une prison.

La maison d'arrêt de Suffolk County comprenait de nombreux bâtiments. Malheureusement, seuls les hommes des étages inférieurs de la tour pouvaient échanger, via les toilettes, avec les femmes des trois étages supérieurs. Les détenus des autres bâtiments s'en trouvaient naturellement très lésés.

Mais les hommes entreprenants du bâtiment 3 s'étaient aperçus que nous pouvions regarder dans leur cellule depuis nos fenêtres. Comme Erica me l'a expliqué, notre première mission, le matin, consistait à regarder les messages affichés aux fenêtres du bâtiment 3 – par exemple, des chaussettes, slips et tee-shirt artistiquement disposés de sorte à composer une suite de chiffres et de lettres. Comme le nombre de signes qu'on pouvait former avec des chaussettes était forcément limité, un code avait été mis au point. Nous notions le message codé, qui conduisait les femmes du 1-9-2 à divers livres, où nous pouvions pendant l'heure de bibliothèque récupérer un message plus complet (*Suce-moi, suce-moi, c'est bon, c'est bon, oui, tu es trop bonne, tu sens que je suis trop dur…*).

De la poésie de prison, m'a dit Erica en soupirant. L'orthographe n'était pas son fort, m'a-t-elle avoué, mais elle faisait toujours de son mieux pour répondre et laisser un autre message (*Oui, oui, OUI !*) dans le même roman.

Autrement dit, les détenus communiquaient d'une unité à l'autre, des messages passaient entre les femmes du quartier des prévenues et les hommes qui purgeaient leur peine. Autrement dit, il était hautement probable que toute la prison soit au courant de ma présence, et qu'une détenue inexpérimentée dans une unité puisse se faire aider par un détenu plus endurci dans une autre.

Je me demandais comment ça se passerait.

Quand toute mon unité serait emmenée à la bibliothèque neuf étages plus bas, par exemple. Ou pendant une de nos rares sorties en salle de gym. Ou au parloir, qui était aussi une activité collective puisqu'il se déroulait dans une grande pièce meublée d'une dizaine de tables où tout le monde se mêlait.

Rien de plus facile pour une codétenue que de me coller aux basques pour me planter une lame entre les côtes et disparaître.

Ça arrive, les accidents, non ? Surtout en prison.

J'ai fait de mon mieux pour envisager toutes les possibilités. Si j'étais une prisonnière qui voulait se payer une policière, comment est-ce que je m'y prendrais ? À la réflexion, je n'utiliserais peut-être pas ouvertement la violence. D'abord, en tant que flic, elle saurait sûrement parer mon attaque. Et puis, les rares fois où l'unité se déplaçait (pour aller en bibliothèque, à la salle de gym ou au parloir), nous étions escortées par l'équipe d'intervention, c'est-à-dire des surveillants costauds sur le qui-vive.

Non, si c'était moi, j'opterais pour le poison.

L'arme féminine par excellence. Facile à faire entrer en douce. Chaque détenue était autorisée à dépenser cinquante dollars par semaine en cantine. La plupart claquaient leur fric en nouilles instantanées, chaussures de tennis ou produits d'hygiène. Avec de l'aide extérieure, aucun problème pour planquer un peu de mort-aux-rats dans le sachet d'assaisonnement des nouilles instantanées, la capsule d'une lotion pour les mains, etc.

Un instant de distraction et Erica pourrait la mélanger à mon dîner. Ou bien, plus tard, dans la salle commune, Sheera, une autre détenue, m'offrirait une tartine de beurre de cacahuète.

Il était possible de mettre de l'arsenic dans les lotions, les produits capillaires, le dentifrice. Chaque fois que j'hydraterais ma peau, que je me laverais les cheveux, que je me brosserais les dents…

Est-ce que c'était comme ça qu'on devenait folle ? En se rendant compte de toutes les façons dont on pourrait mourir ?

Et du peu de gens qui s'en soucierait ?

Vingt heures vingt-trois. Assise toute seule sur un matelas fin face à une fenêtre munie d'épais barreaux. Le soleil couché depuis longtemps. Je contemplais l'obscurité glacée de l'autre côté de la vitre, pendant que, derrière moi, les néons trop violents brillaient sans répit.

Et j'ai souhaité, l'espace d'un instant, avoir la force de tordre ces barreaux, d'ouvrir cette haute fenêtre et, neuf étages au-dessus de la bouillonnante ville de Boston, m'élancer dans la fraîcheur de la nuit de mars pour voir si je pouvais voler.

Lâcher prise. Tomber dans ces ténèbres.

J'ai posé ma main sur la vitre. Scruté la nuit noir d'encre. Et je me suis demandé si Sophie était quelque part en train de fixer cette même obscurité. Si elle sentait que j'essayais d'entrer en contact avec elle. Si elle savait que j'étais encore là, que je l'aimais et que j'allais la retrouver. Elle était ma Sophie et j'allais la sauver, comme quand elle s'était enfermée dans le coffre.

Mais d'abord, nous allions toutes les deux devoir être courageuses.

Brian devait mourir. Voilà ce que m'avait dit l'homme, le samedi matin dans ma cuisine. Brian avait été un très vilain garçon et il devait mourir. Mais Sophie et moi pouvions vivre. Il suffisait que je fasse ce qu'on me disait.

Ils avaient Sophie. Pour la récupérer, il fallait que je me laisse accuser du meurtre de mon mari. Ils avaient même quelques petites idées sur la question. Je n'avais qu'à monter une mise en scène pour plaider la légitime défense. Certes, Brian serait mort, mais moi je m'en sortirais et Sophie, miraculeusement retrouvée, me serait rendue. Il faudrait sans doute que je démissionne de la police, mais, bon, j'aurais ma fille.

Debout au milieu de ma cuisine, avec l'écho des coups de feu dans les oreilles et l'odeur de la poudre et du sang dans mes narines dilatées, le marché m'avait semblé équitable. J'avais dit oui, à n'importe quoi, à tout.

Je voulais juste Sophie.

« Je vous en prie, avais-je supplié (*supplié*, dans ma propre maison). Ne faites pas de mal à ma fille. Je vais le faire. Mais gardez-la saine et sauve. »

Maintenant, bien sûr, je commençais à me rendre compte à quel point j'avais été bête. Il fallait que Brian meure et que *quelqu'un d'autre* se laisse accuser du meurtre ? Mais s'il fallait que Brian meure, pourquoi ne pas saboter ses freins ou provoquer un « accident » la prochaine fois qu'il irait skier ? Il passait presque tout son temps seul, l'homme en noir aurait eu bien d'autres solutions que d'ordonner à sa femme de se laisser accuser du meurtre. Pourquoi faire une chose pareille ? Pourquoi à moi ?

Sophie serait miraculeusement retrouvée ? Comment ? En train d'errer dans un grand magasin ou après s'être réveillée sur une aire d'autoroute ? La police ne manquerait pas de l'interroger et les enfants sont des témoins notoirement peu fiables. L'homme pouvait lui faire peur pour qu'elle se taise, mais pourquoi prendre un tel risque ?

D'ailleurs, une fois ma fille rendue, quelle raison aurais-je encore eu de garder le silence ? Je pourrais aller voir la police. Pourquoi prendre un tel risque ?

Il m'apparaissait de plus en plus qu'un individu capable d'abattre froidement un homme de trois balles n'était pas franchement susceptible de prendre des risques inutiles.

Il m'apparaissait de plus en plus qu'un individu capable d'abattre froidement un homme de trois balles avait bien d'autres objectifs que ce qu'il voulait bien dire.

Qu'avait fait Brian ? Pourquoi fallait-il qu'il meure ?

Et avait-il compris, dans son dernier souffle, qu'il nous avait presque certainement condamnées aussi, Sophie et moi ?

J'ai senti les barreaux métalliques de part et d'autre de ma main, non pas ronds comme je l'avais supposé, mais d'une forme semblable aux lames des stores verticaux.

L'homme voulait me voir en prison, ai-je alors compris. Cet homme, et ses probables commanditaires, voulaient me sortir du jeu.

Pour la première fois en trois jours, j'ai souri.

Parce que, dans ce cas, ils allaient avoir une petite surprise. Parce que, pendant les sanglantes minutes qui avaient suivi le meurtre, les oreilles encore bourdonnantes, les yeux écarquillés d'horreur, je m'étais raccrochée à une seule idée : gagner du temps, ralentir le cours des événements.

Cinquante mille dollars, avais-je offert à l'assassin de mon mari. Cinquante mille dollars s'il me laissait vingt-quatre heures pour « mettre de l'ordre dans mes affaires ». Si je devais me laisser accuser du meurtre de mon mari et finir en prison, il fallait que je m'organise pour ma fille. Voilà ce que je lui avais dit.

Et sans doute qu'il ne m'avait pas crue, sans doute qu'il s'était douté de quelque chose, mais cinquante mille dollars, c'était une somme, et quand je lui avais expliqué que je pouvais congeler le cadavre de Brian...

Il avait été admiratif. Pas choqué. Admiratif. Une femme capable de conserver le cadavre de son mari dans la neige, voilà qui était manifestement son genre.

Donc l'homme de main anonyme avait accepté cinquante mille dollars et, en échange, j'avais eu vingt-quatre heures pour « prendre mes dispositions ».

En fin de compte, on peut faire beaucoup de choses en vingt-quatre heures. Surtout quand on est du genre à ensevelir sans émotion l'homme qui vous a juré amour, protection et fidélité.

Je ne pensais pas à Brian, dans cette cellule. Je n'étais pas prête, je ne pouvais pas me permettre de m'appesantir là-dessus. Alors je me suis concentrée sur le plus important.

Qui tu aimes ?

Le tueur à gages avait raison. La vie se résume à ça, en fin de compte. Savoir qui on aime.

Sophie. Quelque part dans cette même obscurité, ma fille. Six ans, un visage en forme de cœur, de grands yeux bleus et un sourire édenté plus radieux que le soleil. Sophie.

Brian était mort pour elle. À moi de survivre pour elle.

N'importe quoi pour récupérer ma fille.

« J'arrive, ai-je murmuré. Sois courageuse, ma belle. Sois courageuse.

– Hein ? m'a dit Erica depuis la couchette du haut où elle retournait distraitement des cartes.

– Rien.

– La fenêtre est incassable. Pas moyen de s'échapper par là ! » a-t-elle dit en pouffant comme si elle venait de raconter une bonne blague.

Je me suis retournée vers ma compagne de cellule. « Erica, le téléphone de la salle commune… je peux m'en servir pour passer un coup de fil ? »

Elle s'est arrêtée de jouer aux cartes.

« Qui tu vas appeler ?

– SOS fantômes », ai-je répondu, avec le plus grand sérieux.

Erica a de nouveau pouffé. Et ensuite elle m'a donné le renseignement dont j'avais besoin.

24

BOBBY VOULAIT S'ARRÊTER POUR DÎNER. D.D. ne voulait pas.

« Il faut que tu fasses plus attention à toi, protesta Bobby.

– Et toi, il faut que tu arrêtes d'être aux petits soins pour moi ! Je n'ai jamais aimé ça et je n'aime toujours pas.

– Non.

– *Pardon ?*

– J'ai dit non. Et tu ne pourras pas m'en empêcher. »

D.D. se tourna sur son siège pour mieux le fusiller du regard. « Tu es au courant que les femmes enceintes sont sous l'emprise de leurs hormones. Donc je pourrais te tuer ici et maintenant, et, pour peu qu'il y ait une seule mère de famille dans le jury, je serais acquittée. »

Bobby sourit. « Ah, Annabelle disait la même chose !

– Oh, pitié…

– Tu es enceinte, l'interrompit-il. Les hommes aiment être aux petits soins pour les femmes enceintes. Ça nous donne un rôle. Et, secrètement, nous adorons aussi être aux petits soins pour les bébés. Tiens, la première fois que tu viendras avec le nouveau-né pour le présenter à ton équipe… je parie que Phil aura tricoté des petits chaussons. Quant à Neil… j'imagine qu'il offrira au bébé son premier casque de vélo et des pansements Looney Tunes. »

D.D. le regarda avec de grands yeux. Jusqu'ici, elle n'avait pas pensé chaussons, pansements et présentation de l'enfant à ses collègues. Elle en était à s'habituer à l'idée de la grossesse, pas encore celle de la vie avec Bébé.

Elle avait eu un message d'Alex : *Appris l'arrestation, comment ça se passe sur les autres fronts ?*

Elle n'avait pas répondu. Elle ne savait pas quoi dire. Certes, ils avaient arrêté Tessa Leoni, mais ils n'avaient pas retrouvé la petite Sophie. Et le soleil s'était couché pour la deuxième fois ; il s'était maintenant écoulé trente-six heures depuis le déclenchement de l'alerte-enlèvement, mais sans doute deux jours entiers depuis la disparition. Et le plus probable était que l'alerte-enlèvement ne servait à rien. Le plus probable était que Tessa Leoni avait supprimé toute sa famille, y compris Sophie.

D.D. ne travaillait plus sur une disparition ; elle enquêtait pour retrouver le cadavre d'une enfant assassinée.

Elle n'était pas encore prête à y penser. Pas d'attaque pour répondre aux questions toujours discrètement perspicaces d'Alex. Et puis elle ne voyait pas comment faire la transition entre cette conversation et : *Ah, au fait, je suis enceinte ; je ne te l'avais pas encore dit, mais Bobby Dodge est parfaitement au courant, c'est une meurtrière présumée qui le lui a annoncé.*

Tout juste le genre de situations qui avait poussé D.D. à se réfugier dans le travail. Parce que retrouver Sophie et faire condamner Tessa l'aiderait à se sentir mieux. Alors que parler avec Alex du nouvel ordre mondial ressemblerait à une chute interminable dans le terrier du lapin.

« Ce qu'il te faut, c'est un falafel, lui dit Bobby.

– À tes souhaits.

– Annabelle adorait ça quand elle était enceinte. C'est la viande, pas vrai ? Tu ne supportes plus l'odeur de la viande. »

D.D. hocha la tête. « Les œufs, c'est pas le top, non plus.

– D'où le régime méditerranéen, avec ses plats végétariens divers et variés.

– Tu aimes les falafels, toi ? demanda D.D. avec méfiance.

– Non, j'aime les Big Mac, mais ce n'est sans doute pas ce qu'il te faut en ce moment... »

D.D. confirma.

« Alors c'est parti pour des falafels. »

Bobby connaissait une bonne adresse. Une des préférées d'Annabelle, apparemment. Bobby y entra pour commander, D.D. resta en voiture pour éviter les odeurs de cuisine et écouter sa messagerie. Elle commença par rappeler Phil et lui demander de se repencher sur la situation financière de Brian Darby en cherchant particulièrement d'autres comptes et transactions, éventuellement sous le nom d'un proche ou sous un pseudonyme. Si Darby était un joueur compulsif, ils devraient en voir des répercussions sur son compte en banque – grosses rentrées et sorties d'argent, éventuellement retraits d'espèces aux distributeurs de Foxwoods, Mohegan Sun et autres casinos.

Ensuite, elle voulut parler à Neil, qui avait mené l'enquête sur le terrain de l'hôpital. Il s'était déjà renseigné sur les antécédents médicaux de Tessa. Maintenant D.D. voulait connaître ceux de Brian. Au cours des douze derniers mois, avait-il été victime d'incidents, rotule cassée (peut-être au ski, songea D.D.) ou, disons, chute spectaculaire dans les escaliers ? Intrigué, Neil répondit qu'il s'y mettait de suite.

Le numéro spécial recevait moins d'appels de témoins déclarant avoir vu Sophie, mais plus d'appels concernant la Denali. Il y avait des breaks blancs à tous les coins de rue, en fin de compte, et la cellule d'enquête allait avoir besoin de renforts pour creuser toutes les pistes. D.D. suggéra que l'équipe chargée des appels au numéro spécial passe tous ceux qui concernaient le véhicule à l'équipe de trois hommes qui cherchait à en reconstituer les dernières heures. Équipe qui, leur indiqua-t-elle, devait travailler sans répit (toutes les demandes d'heures supplémentaires seraient automatiquement accordées). Et s'ils avaient encore besoin de renforts, qu'ils embauchent d'autres enquêteurs.

Déterminer quel avait été le dernier trajet de la Denali était clairement une priorité ; identifier sa destination du samedi après-midi les conduirait à Sophie.

L'idée déprima D.D. Elle raccrocha et regarda par la fenêtre.

Pas chaud, ce soir. Les passants marchaient d'un pas pressé, le col remonté jusque sur les oreilles, les mains gantées bien enfoncées dans les poches de leur manteau. Pas encore de neige, mais c'était dans l'air. Une nuit d'un froid glacial, au diapason de l'humeur de D.D.

L'arrestation de Tessa Leoni ne lui procurait aucune satisfaction. Elle aurait bien voulu. Cette policière lui tapait sur le système. À la fois trop jeune et trop maîtresse d'elle-même. Trop jolie et trop vulnérable. Que des mauvais cocktails aux yeux de D.D.

Tessa leur mentait. Sur son mari, sur sa fille et, si la théorie de Hamilton était correcte, sur les deux cent cinquante mille dollars qui avaient disparu du compte en banque du syndicat. Tessa avait-elle volé cet argent ? Pour préparer sa « nouvelle vie » ? Voler un quart de million de dollars, se débarrasser de sa famille et partir vers le soleil couchant, jeune, belle et riche ?

Ou bien est-ce que cette histoire les ramenait au mari ? Est-ce qu'il avait accumulé plus de dettes de jeu qu'aucun homme honnête ne pourrait jamais rembourser ? Peut-être que l'idée de détourner les fonds de la police venait de lui et qu'elle avait été contrainte de suivre. De soutenir son mari. Sauf que lorsqu'elle avait été en possession de l'argent, quand elle avait compris l'étendue du risque qu'elle avait pris, quand l'idée d'une totale liberté avait miroité devant ses yeux... Pourquoi renoncer à ces biens mal acquis quand on pouvait les garder pour soi ?

Le plan n'était pas trop mauvais, d'ailleurs. Faire passer son mari pour un assassin d'enfant et un mari violent. Ensuite se débarrasser de lui dans un geste de « légitime défense ». Quand l'affaire se serait tassée, elle aurait pu tranquillement démissionner de la police et partir dans un autre État pour y jouer le rôle de la veuve qui vient d'hériter de deux cent cinquante mille dollars en assurance-vie.

Ce plan aurait marché, pensa D.D., si le légiste n'avait pas remarqué les dommages cellulaires provoqués par la congélation.

C'était peut-être pour ça que Tessa avait pressé Ben de rendre le corps de son mari. Pour essayer d'éviter l'autopsie ou, si elle avait lieu, pour qu'elle soit bâclée. Ben aurait expédié l'opération et hop, ni vu, ni connu.

Bien joué, Ben, pensa D.D. avant de se rendre compte qu'elle était sur les rotules. Elle n'avait rien mangé de la journée, pas beaucoup dormi la nuit dernière. Son corps la lâchait. Il lui fallait une sieste. Il fallait qu'elle appelle Alex.

Seigneur, mais qu'est-ce qu'elle allait lui dire ?

La portière s'ouvrit. Bobby monta en voiture. Il portait un sac en papier kraft dont s'échappaient toutes sortes d'odeurs bizarres. D.D. les huma et, pour une fois, son estomac ne se révolta pas. Elle prit une grande inspiration et eut brusquement une faim de loup.

« Falafel ! » réclama-t-elle.

Bobby lui tapota la main en piochant déjà dans le sac. « Alors, qui disait que les hommes ne devraient pas être aux petits soins...

– Envoie, envoie, envoie !

– Moi aussi, je t'aime, D.D. Moi aussi. »

Ils mangèrent. Trop bon. De l'énergie. Des forces.

Quand ils eurent fini, D.D. s'essuya sagement la bouche, se nettoya les mains et remit les déchets dans le sac en papier kraft.

« J'ai un plan.

– Est-ce qu'il suppose que je rentre auprès de ma femme et de mon bébé ?

– Non. Il suppose que nous allions chez l'agent Lyons et que nous l'interrogions devant sa femme et ses enfants.

– Ça marche. »

Elle lui tapota la main. « Moi aussi, je t'aime, Bobby. Moi aussi. »

Lyons vivait dans un modeste pavillon des années cinquante, à quelques pâtés de maisons de chez Brian Darby. Depuis la rue, la maison semblait datée mais bien entretenue. À l'avant, un petit jardin, actuellement encombré d'une collection de pelles à neige en plastique et de luges profilées. Les restes d'un bonhomme de neige et de ce qui ressemblait à une forteresse s'élevaient au bord de l'allée, où la voiture de Lyons était garée en sentinelle.

Bobby dut faire le tour du pâté de maisons plusieurs fois pour trouver une place. Aucune ne se libérant, il finit par s'arrêter de manière illégale derrière le véhicule de Lyons. Quel intérêt d'être flic si on ne pouvait pas de temps à autre prendre quelques libertés ?

Le temps que D.D. et Bobby descendent de voiture, Lyons était sur le pas de sa porte. Jean délavé, épaisse chemise à carreaux, le solide gaillard les accueillit d'un air revêche.

« Quoi ? leur lança-t-il.

– Nous avons quelques questions, dit D.D.

– Pas chez moi, impossible. »

D.D. resta en retrait, laissa Bobby prendre la direction. C'était un collègue de Lyons, et puis il était meilleur dans le rôle du bon flic.

« Désolés de vous envahir, dit-il immédiatement, apaisant. On était chez les Darby, mentit-il, on a pensé à deux-trois trucs et comme vous étiez à deux pas…

– Je ne rapporte pas de travail chez moi. » Le visage sanguin de Lyons était encore circonspect, mais plus aussi hostile. « J'ai trois enfants. Pas la peine qu'ils entendent parler de Sophie. Ils sont déjà bien assez effrayés comme ça.

– Ils sont au courant de la disparition ? » intervint D.D.

Il lui lança un regard sévère.

« Ils en ont entendu parler à la radio pendant que leur mère les conduisait à l'école. L'alerte-enlèvement. On ne peut pas y échapper. C'est le principe, j'imagine, dit-il en haussant ses épaules robustes. Mais ils connaissent Sophie. Ils ne comprennent pas ce qui a pu lui arriver. Ni pourquoi leur super-flic de père ne l'a pas encore ramenée chez elle, conclut-il d'une voix plus cassante.

– Alors nous en sommes tous au même point », répondit Bobby. D.D. et lui se trouvaient maintenant sur le perron. « Nous voulons retrouver Sophie et la ramener chez elle. »

Les épaules de Lyons se détendirent. Il semblait enfin rendre les armes. Au bout de quelques secondes, il ouvrit la porte et leur fit signe d'entrer.

Ils se retrouvèrent dans un petit vestiaire ; les murs lambrissés disparaissaient derrière les manteaux, le sol en céramique sous les chaussures. La maison était petite et il ne fallut qu'une minute à D.D. pour comprendre qui y régnait en maîtres : trois petits garçons âgés de cinq à neuf ans se précipitèrent dans la pièce encombrée pour accueillir les visiteurs, parlant tous en même temps avec excitation, jusqu'à ce que leur mère, une jolie femme d'une trentaine d'années avec des boucles brunes qui lui tombaient sur les épaules, les retrouve, exaspérée.

« Au lit ! dit-elle. Dans vos chambres. Je ne veux plus vous voir avant que vous vous soyez brossé les dents et mis en pyjama ! »

Les trois garçons la regardèrent, ne bougèrent pas d'un pouce.

« Le dernier en haut des escaliers est un œuf pourri ! » hurla soudain le plus âgé, et tous partirent comme des fusées, en tombant les uns sur les autres dans leur hâte d'atteindre les escaliers le premier.

Leur mère soupira.

Shane secoua la tête.

« Je vous présente ma femme, Tina. » Tina leur serra la main avec un sourire poli, mais D.D. devina la tension dans les fines rides qui plissaient les coins de sa bouche, dans le regard qu'elle lança instinctivement à son mari, comme pour qu'il la rassure.

« Sophie ? » demanda-t-elle à voix basse. Le nom lui resta dans la gorge.

« Pas de nouvelles », dit doucement Shane avant de poser les mains sur les épaules de sa femme, dans une attitude que D.D. trouva réellement touchante. « J'ai un peu de travail là, d'accord ? Je sais que j'avais dit que je coucherais les garçons...

– Ce n'est pas grave, répondit machinalement Tina.

– On sera dans le salon. »

Tina hocha de nouveau la tête. D.D. sentit son regard sur eux lorsqu'ils suivirent Shane et passèrent dans la cuisine. Elle trouvait encore l'air inquiet à Tina.

La cuisine donnait sur un petit salon. On aurait dit une ancienne véranda que Lyons aurait fermée en posant des fenêtres et en installant un petit poêle à gaz pour le chauffage. La décoration était résolument masculine : télé grand écran, deux énormes fauteuils relax marron et des monceaux de trophées sportifs. L'antre de monsieur, en conclut D.D., où le policier stressé pouvait se réfugier après une rude journée de travail.

Elle se demanda si l'épouse avait de son côté un atelier de travaux manuels ou une salle de bain avec jacuzzi, parce qu'elle aurait parié que la vie avec trois garçons était cent fois plus éreintante que huit heures de patrouille.

La pièce n'offrait pas de sièges pour trois personnes, sauf si l'on comptait les poufs poires empilés dans un coin, alors ils restèrent debout.

« Chouette maison, dit Bobby en reprenant ses habits de bon flic.

– On l'a achetée pour l'emplacement. Vous ne pouvez pas le voir à cette heure-là, mais, à l'arrière, le jardin donne sur un parc ; beaucoup d'espace vert. Idéal pour manger dehors. Indispensable avec trois garçons.

– C'est vrai, dit D.D., vous êtes connu pour vos barbecues. C'est comme ça que Tessa et Brian se sont rencontrés. »

Lyons acquiesça, ne dit rien. Il avait croisé les bras sur la poitrine, dans une posture défensive, se dit D.D. À moins que ce ne soit une posture agressive, vu la manière dont elle mettait en valeur les muscles de ses épaules et de son torse.

« Nous avons eu une conversation avec le lieutenant-colonel Hamilton », indiqua D.D.

Était-ce son imagination ou Lyons venait-il de se raidir ?

« Il nous a parlé de plusieurs sorties que vous avez organisées ; vous savez : des sorties entre potes pour un match des Red Sox ou à Foxwoods. »

Lyons hocha la tête.

« On dirait que Brian Darby vous accompagnait souvent.

– Quand il était dans le coin, dit Lyons avec un autre haussement d'épaules évasif.

– Parlez-nous de Foxwoods. »

Lyons regarda D.D., puis se retourna vers Bobby. « Et si vous me posiez directement la question ?

– D'accord. Est-ce qu'à votre connaissance Brian Darby avait un problème avec les jeux d'argent ?

– À ma connaissance… » L'agent poussa un soupir, décroisa les bras, les secoua. « Eh, merde. »

D.D. prit ça pour un oui.

« C'était grave ?

– Je ne sais pas. Il refusait de m'en parler. Il savait que je désapprouvais. Mais Tessa m'a appelé, il y a environ six mois. Brian était en mer, la baignoire avait une fuite. Je lui ai donné le nom d'un plombier, elle l'a appelé. Il a fallu changer quelques tuyaux, remplacer un peu de placo. L'un dans l'autre, je pense que la facture devait bien se monter à huit ou neuf cents dollars. Sauf que quand elle a voulu les retirer de leur livret d'épargne, l'argent n'y était plus.

– Il n'y était plus ? répéta D.D.

– D'après Tessa, il aurait dû y avoir trente mille dollars sur le livret, mais ce n'était pas le cas. J'ai fini par lui prêter de quoi régler l'entrepreneur. Et quand Brian est rentré…

– Que s'est-il passé ?

– Nous l'avons mis devant les faits. Ensemble. Tessa voulait que je sois là. Elle disait que si elle était toute seule, elle aurait l'air d'une mégère. Mais que si nous étions là tous les deux, sa femme et son meilleur ami, Brian serait obligé de nous écouter.

– Une "intervention" pour dépendance au jeu, donc, dit Bobby. Est-ce que ça a marché ?

– Si ça a marché ? répondit Lyons avec un rire jaune. Merde, non seulement Brian a refusé d'admettre qu'il avait un problème, mais il nous a carrément accusés d'avoir une liaison. Nous étions ligués contre lui. Le monde entier lui en voulait. C'est fou… on croit connaître un mec. Combien de temps qu'on était amis ? Et, du jour au lendemain, il part en vrille. Il préférait croire que son meilleur ami couchait avec sa femme plutôt que d'admettre qu'il était dépendant aux jeux et que liquider les économies de toute une vie pour rembourser des usuriers n'était pas une solution.

– Il avait emprunté à des usuriers ? » reprit tout de suite D.D.

Lyons lui lança un regard. « Pas d'après lui. Il nous a dit qu'il avait pris l'argent du livret pour rembourser le crédit sur la Denali. Alors, pendant qu'on y était, Tessa a décroché son téléphone avec un calme olympien et elle a appelé leur banque. On tombe toujours sur ces boîtes vocales maintenant, mais ça n'a pas raté : ils devaient toujours 34 000 dollars de crédit-voiture. À ce moment-là, il s'est mis à hurler que ça crevait les yeux qu'on couchait ensemble. Allez comprendre.

– Qu'a fait Tessa ?

– Elle l'a imploré. Supplié de se faire aider avant de tomber trop bas. Il a refusé. Finalement, elle a dit que s'il n'avait pas de problème, il devrait facilement accepter de ne plus jouer. Plus du tout. Il ne mettrait plus les pieds à Foxwoods, Mohegan Sun, nulle part. Il a accepté, après lui avoir fait promettre de ne plus jamais me voir. »

D.D., le sourcil haussé, le regarda. « Il avait vraiment l'air persuadé que Tessa et vous étiez trop proches.

– Les gens dépendants mettent leurs problèmes sur le dos de la terre entière, répondit posément Lyons. Demandez à ma femme. Je lui ai tout raconté et elle peut se porter garante de mon emploi du temps, à la fois quand Brian était chez lui et quand il était parti. Nous n'avons pas de secrets l'un pour l'autre.

– Vraiment ? Alors pourquoi ne pas nous avoir raconté ça plus tôt ? Au lieu de quoi, je me souviens de votre petit discours, soi-disant vous ne vous mêliez pas trop de la vie de Brian et Tessa. Et boum, vingt-quatre heures plus tard, vous êtes leur conseiller conjugal personnel. »

Le sang monta au visage de Lyons. Il serrait les poings. D.D. baissa les yeux et…

« *Salopard !* »

Elle lui attrapa la main droite pour la mettre sous la lumière. Immédiatement, Lyons leva la gauche comme pour la repousser et se retrouva instantanément avec un Sig Sauer sur la tempe.

« Pose la main sur elle et je te tue », dit Bobby.

Les deux hommes respiraient péniblement, D.D. en sandwich entre eux.

Lyons pesait bien vingt-cinq kilos de plus que Bobby. Il était plus puissant et, en tant que patrouilleur, plus expérimenté en matière de combat de rue. Face à un autre enquêteur, il aurait peut-être eu envie de tenter quelque chose, de le défier de mettre sa menace à exécution.

Mais Bobby avait déjà gagné ses galons sur le terrain – une balle, un mort. Le genre de choses dont ses collègues étaient au courant.

Lyons se détendit et ne réagit pas lorsque D.D. exposa son poing meurtri à la lumière du plafonnier. Les articulations de sa main droite étaient violettes et enflées, la peau écorchée en plusieurs endroits.

Alors que Bobby rengainait lentement son arme, le regard de D.D. tomba sur les chaussures à bout métallique de Lyons. Leur extrémité arrondie. L'ecchymose sur la hanche de Tessa que son avocat refusait de leur laisser examiner.

« Salopard, répéta D.D. Vous l'avez frappée. C'est vous qui avez tabassé Tessa Leoni.

– Il fallait bien, répondit Lyons dans un souffle.

– Pourquoi ?

– Parce qu'elle me suppliait de le faire. »

Dans la nouvelle version de Lyons, plus crédible, Tessa l'avait appelé, hystérique, le dimanche matin à neuf heures. Sophie avait disparu, Brian était mort, tout était l'œuvre d'un mystérieux individu. Elle avait besoin d'aide. Elle voulait que Lyons vienne, seul, tout de suite.

Lyons avait littéralement couru chez elle parce que sa voiture de patrouille aurait été trop voyante.

À son arrivée, il avait découvert Brian mort dans la cuisine et Tessa, toujours en tenue, en larmes à côté du corps.

Elle lui avait raconté une histoire à dormir debout. Elle était rentrée de sa patrouille, avait posé son ceinturon sur la table de la cuisine et était montée à l'étage pour jeter un œil à Sophie. Personne dans la chambre. Elle commençait à s'inquiéter quand elle avait entendu du bruit dans la cuisine. Elle était redescendue en courant et avait trouvé un homme en trench-coat noir qui menaçait Brian avec un pistolet.

L'homme lui avait dit qu'il avait enlevé Sophie. La seule manière de la récupérer était de lui obéir. Ensuite, il avait abattu Brian de trois balles dans la poitrine avec le pistolet de Tessa et il était parti.

« Vous avez cru à cette histoire ? » demanda D.D., abasourdie. Ils étaient maintenant assis sur les poufs. La réunion aurait presque eu l'air conviviale si Bobby n'avait pas eu son Sig Sauer sur les genoux.

« Pas au début, reconnut Lyons, d'ailleurs Tessa a joué là-dessus. Si je ne croyais pas à son histoire, qui la croirait ?

– Vous pensez que l'homme en noir était un encaisseur envoyé par un des créanciers de Brian ? » demanda Bobby d'un air soucieux.

Lyons soupira, regarda Bobby. « Brian s'était musclé, dit-il tout d'un coup. Vous m'avez demandé, hier. Pourquoi Brian avait fait de la gonflette. »

Bobby confirma.

« Brian jouait depuis un an. Au bout de trois mois, il y avait eu une première petite "crise". Son ardoise était un peu trop montée, il s'était fait malmener par des gros bras du casino jusqu'à ce qu'il présente un plan de remboursement. La semaine suivante, il s'était inscrit à la salle de sport. Je crois que se muscler, c'était son plan de défense. Et disons que, même après la discussion que nous avons eue avec lui, il n'a pas arrêté la musculation.

– Il continuait à jouer, conclut Bobby.

– J'imagine. Donc il a pu contracter d'autres dettes. Que le porte-flingue est venu réclamer. »

D.D. ne comprenait pas. « Mais il a tué Brian. Aux dernières nouvelles, tuer son débiteur n'est pas le meilleur moyen de rentrer dans ses fonds.

– Je pense que Brian avait dépassé le point de non-retour. Il s'était fait des ennemis dangereux. Ils ne voulaient pas son argent, ils voulaient le voir mort. Mais il était marié à une policière. Ce genre de meurtre peut attirer une attention indésirable. Alors ils ont imaginé un scénario dans lequel Tessa elle-même devenait la suspecte. Comme ça, ils détournaient les regards et l'affaire était dans le sac.

– Brian fait des bêtises, répéta lentement D.D. Brian est tué. Sophie est kidnappée pour que Tessa file doux.

– Voilà.

– C'est ce que Tessa vous a raconté.

– Je vous ai expliqué... »

D.D. l'arrêta d'un geste de la main. Elle connaissait l'histoire, seulement elle n'y croyait pas. Et le fait qu'elle vienne d'un collègue qui leur avait déjà menti n'arrangeait rien.

« Donc, résuma D.D., Tessa panique. Son mari a été tué avec son arme, sa fille a été kidnappée et son seul espoir de la revoir vivante est de plaider coupable du meurtre de son mari.

– Exactement, confirma Lyons avec enthousiasme.

– Tessa concocte un stratagème : vous allez lui casser la figure. Ensuite elle prétendra que c'était Brian et qu'elle l'a tué pour se défendre. Comme ça, elle pourra s'accuser du meurtre (conformément aux conditions posées par les ravisseurs de sa fille), mais sans aller en prison. » De fait, cette partie de l'histoire présentait une certaine logique aux yeux de D.D. Après ce qu'elle avait déjà vécu, Tessa Leoni avait joué sur ses atouts. Pas bête.

Mais Bobby avait une question pour Lyons : « Seulement vous lui avez vraiment, mais alors *vraiment* démoli la figure. Pourquoi ? »

L'agent rougit, regarda son poing contusionné. « Je n'arrivais pas à la frapper, dit-il d'une petite voix.

– Alors comment vous expliquez la pommette fracturée ? demanda D.D.

– C'est une femme. Je ne frappe pas les femmes. Et elle le savait. Alors elle a… À l'école de police, il fallait qu'on se donne des coups. Ça faisait partie de la formation à l'auto-défense. Et les gars costauds comme moi avaient du mal. Quand on veut entrer dans la police, c'est parce qu'on se fait une certaine idée de ce qui est correct ou non : on ne frappe pas une femme, on ne s'attaque pas au plus petit de la bande. »

Il lança un regard à Bobby.

« Sauf à l'école de police, où brusquement il fallait le faire. »

Bobby hocha la tête, comme s'il comprenait.

« Alors on s'envoyait des insultes à la figure, vous voyez ? On se provoquait parce qu'il fallait que les costauds frappent sérieusement pour que les plus faibles apprennent réellement à se défendre. »

Bobby hocha de nouveau la tête.

« Disons simplement que Tessa était très forte pour provoquer. Elle disait qu'il fallait que ce soit convaincant. Invoquer des violences conjugales ferait reposer la charge de la preuve sur elle. Il fallait que je cogne dur. Il fallait que je lui fasse… *peur.* Alors elle a commencé à me chauffer, à me narguer encore et encore, et quand elle a eu fini… Merde…, soupira Lyons, les yeux perdus vers quelque chose qu'il était seul à voir. J'étais dans un état second. Je voulais vraiment qu'elle meure.

– Mais vous vous êtes retenu, constata Bobby.

– Oui, dit Lyons en se redressant.

– Toutes mes félicitations, dit D.D., et le policier s'empourpra à nouveau.

– Vous avez fait ça dimanche matin ? demanda Bobby.

– À neuf heures. Vous trouverez la trace de son appel sur mon portable. J'y suis allé en courant, nous avons fait ce que nous avions à faire… Je ne sais pas. Il devait être dix heures et demie. Je suis rentré chez moi. Elle a fait la demande d'intervention et vous connaissez la suite. D'autres agents sont arrivés, le lieutenant-colonel. Tout ça, c'est vrai. Je crois que Tessa et moi, nous espérions tous les deux que l'alerte-enlèvement pourrait dénouer la situation. Tout l'État cherchait Sophie. Brian était mort, Tessa arrêtée. Donc l'homme pouvait libérer Sophie, non ? La laisser à un arrêt de bus ou quoi. Tessa avait fait ce qu'on lui avait demandé. Sophie devait revenir saine et sauve. »

Lyons avait l'air un peu à bout de ressources. D.D. ne l'en blâmait pas. Cette histoire n'avait ni queue ni tête et elle devinait que, les heures passant, Lyons devait aussi s'en rendre compte.

« Hé, Lyons, dit-elle. Si vous êtes allé chez Tessa le dimanche matin, comment ça se fait que le corps de Brian ait été congelé avant ?

– Pardon ?

– Le corps de Brian. Le légiste a déterminé qu'il avait été tué avant dimanche matin et conservé dans la glace.

– J'ai entendu le procureur, oui… certaines remarques… » Lyons ne termina pas sa phrase et les regarda d'un œil éteint. « Je ne comprends pas.

– Elle vous a manipulé.

– Non…

– Aucun mystérieux individu n'est venu chez Tessa dimanche matin, Shane. En fait, Brian a très probablement été tué vendredi soir ou samedi matin. Quant à Sophie… »

Le grand gaillard ferma les yeux, la gorge nouée. « Mais elle disait… Pour Sophie. Nous faisions ça… Il fallait que je la frappe… pour sauver Sophie.

– Savez-vous où est Sophie ? demanda Bobby avec tact. Avez-vous la moindre idée de l'endroit où Tessa a pu l'emmener ? »

Lyons secoua la tête. « Non. Elle n'aurait pas fait de mal à Sophie. Je ne comprends pas. Jamais Tessa n'aurait fait de mal à Sophie. Elle l'aime. C'est tout simplement… impossible. »

D.D. le regarda avec gravité. « Dans ce cas, vous êtes encore plus bête qu'on ne pensait. Sophie a disparu et, comme vous êtes complice d'un meurtre, j'ai bien l'impression que Tessa Leoni s'est fichue de vous dans les grandes largeurs. »

25

BOBBY ET D.D. ne mirent pas Lyons en état d'arrestation. Bobby estimait plus judicieux de laisser l'Inspection agir : ces enquêteurs, appartenant à la police d'État, pourraient plus facilement que la police municipale lui mettre la pression. Ils seraient par ailleurs mieux placés pour établir un éventuel lien entre les agissements de Lyons et leur autre grosse affaire en cours – le détournement des fonds du syndicat.

Bobby et D.D. retournèrent donc au QG pour le debriefing de vingt-trois heures.

Le falafel avait fait le plus grand bien à D.D. Ce fut l'œil pétillant et le pas vif qu'elle monta les escaliers jusqu'à l'étage de la brigade criminelle.

Ils approchaient du dénouement. Bobby sentait leur enquête s'accélérer et les emporter vers son inévitable conclusion : Tessa Leoni avait assassiné mari et enfant.

Ne restait plus qu'à remettre les derniers éléments de l'affaire dans l'ordre – et notamment à localiser le corps de Sophie.

Les autres enquêteurs avaient déjà pris place lorsque D.D. et Bobby entrèrent dans la salle. Phil avait l'air aussi allègre que D.D. et, de fait, il fut le premier à prendre la parole.

« Tu avais raison, lança-t-il tandis que D.D. rejoignait l'avant de la salle. Ils n'ont pas cinquante mille dollars de côté : toute la somme a été retirée samedi matin. L'opération n'apparaissait pas encore quand j'ai demandé le premier état financier. Et, écoutez-moi ça : l'argent avait déjà été retiré douze jours avant, puis redéposé six jours plus tard. Ça fait beaucoup de mouvement pour cinquante mille dollars.

– Sous quelle forme ça a été retiré, pour finir ? demanda D.D.

– Chèque au porteur. »

Bobby siffla tout bas. « Une coquette somme, disponible en liquide.

– C'est un homme ou une femme qui a fermé le livret ? demanda D.D.

– Tessa Leoni, répondit Phil. Le guichetier l'a reconnue. Elle était encore en uniforme quand elle a fait l'opération.

– Elle organisait sa nouvelle vie, dit immédiatement D.D. Si elle faisait l'objet d'une enquête pour le meurtre de son mari, leurs avoirs communs risquaient d'être gelés. Donc elle commence par sortir les gros sous pour les mettre à l'abri. Et maintenant, combien vous pariez que si on retrouve ces cinquante mille dollars, on trouvera un quart de million de dollars pour leur tenir chaud ? »

Phil était intrigué, alors Bobby leur parla de l'enquête de la police d'État au sujet du détournement de fonds. Leur meilleure piste : le compte avait été fermé par une femme qui portait une casquette rouge et des lunettes de soleil noires.

« Ils avaient besoin de cet argent, répondit Phil. J'ai un peu creusé : sur le papier, la situation financière de Brian Darby et Tessa Leoni était bonne, mais vous ne croirez jamais les sommes que la petite Sophie a empruntées en crédit à la consommation.

– Hein ? s'exclama D.D.

– Je ne te le fais pas dire. Apparemment, Brian Darby a pris une demi-douzaine de cartes de crédit au nom de Sophie, en se servant d'une boîte postale comme adresse. J'ai trouvé plus de quarante-deux mille dollars de crédit à la consommation, contractés au cours des neuf derniers mois. On relève quelques gros remboursements, mais inévitablement suivis d'importants retraits d'espèce, la plupart à Foxwoods.

– Donc Brian Darby était bien un joueur compulsif. L'abruti. »

Phil était tout sourires. « Histoire de m'amuser, j'ai comparé les dates des retraits avec l'emploi du temps professionnel de Brian et, c'est clair, Sophie ne retirait de grosses sommes que lorsque Brian était à terre. Donc, oui, je dirais que Brian Darby était en train de perdre l'avenir de sa belle-fille au casino.

– Dernière opération ? demanda Bobby.

– Il y a six jours. Il avait procédé à un remboursement avant ça – peut-être la première fois où les cinquante mille dollars ont été retirés du livret d'épargne. Il a remboursé ses crédits et ensuite il est retourné aux tables et, soit il a beaucoup gagné, soit il a beaucoup emprunté parce qu'il a pu remettre les cinquante mille dollars sur le livret d'épargne en six jours. Une minute… Non, se corrigea Phil. Il a beaucoup emprunté parce que les derniers relevés des cartes de crédit font apparaître de gros retraits, donc pendant les six derniers jours, Brian s'était enfoncé dans les dettes et pourtant il avait pu remettre les cinquante mille dollars sur le livret. Il a dû prendre un crédit auprès d'un particulier. Peut-être pour se couvrir aux yeux de sa femme. »

Bobby regarda D.D. « Tu sais, si Darby s'était mis dedans jusqu'au cou avec des usuriers, il est possible qu'ils aient envoyé un encaisseur chez eux. »

D.D. n'y croyait pas. Elle mit la cellule d'enquête au courant des nouvelles déclarations de l'agent Lyons : Tessa Leoni l'avait appelé dimanche matin en prétendant qu'un mystérieux homme de main avait kidnappé sa fille et tué son mari. Pour récupérer son enfant, il fallait qu'elle se laisse accuser du meurtre. Shane Lyons avait accepté de l'aider en la battant comme plâtre.

Quand elle eut fini, la plupart de ses collègues affichaient le même air perplexe.

« Attends une seconde, intervint Neil, elle a appelé Lyons dimanche ? Mais Brian était mort depuis au moins vingt-quatre heures.

– Information qu'elle n'a pas jugé bon de lui communiquer et qui prouve une nouvelle fois que c'est une menteuse compulsive.

– J'ai fait des recherches sur le coup de fil passé par Darby vendredi soir, dit l'enquêteur Jake Owens. Malheureusement, il a appelé un téléphone à carte prépayée. Aucun moyen de déterminer à qui il appartient, même si la méthode fait penser à quelqu'un qui n'a pas envie qu'on puisse surveiller ses communications – un usurier, par exemple.

– Et il se trouve que Brian a récemment été victime de deux “accidents”, ajouta Neil. En août, il a été soigné pour de multiples contusions au visage, qu'il a attribuées à un pépin de randonnée. Voyons..., dit Neil en feuilletant ses notes. J'ai regardé ça avec Phil : voilà, Brian était en mer en septembre et octobre. Il est revenu le trois novembre et le seize il était de nouveau aux urgences, cette fois-ci avec des côtes fêlées ; il a dit qu'il était tombé d'une échelle en réparant une fuite sur le toit.

– À noter que toutes les cartes de crédit au nom de Sophie Leoni étaient au plafond en novembre, signala Phil, donc si Brian avait contracté de nouvelles dettes, il ne pouvait pas se servir de ses lignes de crédit pour les rembourser.

– Des retraits sur les comptes personnels ? demanda D.D.

– J'en ai trouvé un gros en juillet : quarante-deux mille. Mais l'argent a été remis sur le compte juste avant que Brian ne s'embarque en septembre et après ça je ne vois plus de grosses opérations avant ces deux dernières semaines.

– L'intervention, commenta Bobby. Il y a six mois, Tessa et Shane ont mis Brian devant ses responsabilités face à ses problèmes de jeu, que Tessa avait découverts suite à la perte brutale de trente mille dollars. Il a remis l'argent...

– Gros gain ou gros emprunt ? marmonna D.D.

– Ensuite il a caché son vice, continua Bobby, en se servant de toute une série de fausses cartes de crédit dont les relevés étaient adressés à une boîte postale pour que Tessa ne les voie jamais. Jusqu'à ces deux dernières semaines, où Brian a apparemment rechuté et retiré cinquante mille dollars. Tessa s'en est peut-être aperçue, ce qui expliquerait que la somme ait rapidement été remise six jours plus tard.

– Et pourquoi l'aurait-elle retirée le samedi matin ? fit remarquer Phil. Oubliez l'idée de commencer une nouvelle vie ; j'ai l'impression que Tessa Leoni avait déjà bien du mal à sauver l'ancienne.

– Raison de plus pour tuer son mari, conclut D.D. en s'approchant du tableau blanc. Bon. Qui pense que Brian Darby était un joueur obsessionnel ? »

Toute la cellule d'enquête leva la main. D.D. partageait cet avis et ajouta ce détail à leur tableau de bord.

« Okay. Brian Darby jouait. Sans grande réussite, apparemment. Il s'était mis dedans au point de s'endetter, de commettre des fraudes à la carte de crédit et peut-être de se faire mettre une raclée par des truands. Et puis ? »

Ses enquêteurs la regardèrent. Elle les regarda.

« Hé, ne me laissez pas m'amuser toute seule. Nous pensions que l'amant de Tessa Leoni lui avait démoli la figure. En fait, c'était un collègue qui croyait lui rendre service. Nous sommes en mesure de confirmer une partie de cette histoire : il est exact que Brian Darby jouait. Il avait peut-être des dettes qui auraient justifié qu'un encaisseur lui rende une petite visite. Qu'est-ce qu'on en conclut ? »

D.D. écrivit une nouvelle tête de chapitre : *Mobile.*

« À la place de Tessa Leoni, si je découvrais que non seulement mon mari continue à jouer, mais qu'en plus ce sombre abruti a contracté des dizaines de milliers de dollars de crédit au nom de ma fille, je le tuerais rien que pour ça. Mais comme, bizarrement, plaider que son mari était un connard fini n'aurait pas suffi à la faire acquitter, Tessa avait quand même intérêt à jouer la carte de la légitime défense en demandant à Lyons de la tabasser. »

Plusieurs enquêteurs eurent le bon goût d'approuver. Bobby, naturellement, mit le doigt sur la première faille de ce scénario.

« Donc elle aime suffisamment sa fille pour s'offusquer de l'arnaque à la carte de crédit, mais elle la tue quand même ? »

D.D. fit la moue. « Objection retenue. » Elle regarda la salle. « Quelqu'un ?

– Peut-être qu'elle n'a pas tué Sophie volontairement, suggéra Phil. Peut-être que c'était un accident. Brian et elle se disputaient, Sophie s'est interposée. Peut-être que la mort de Sophie est devenue une raison supplémentaire de tuer Brian. Sauf que maintenant, sa famille est morte, son mari a été tué avec son arme de service, il y aura forcément une enquête, alors Tessa panique. Il faut qu'elle imagine un scénario plausible…

– La légitime défense a déjà fonctionné une fois pour elle, rappela Bobby. Dans l'affaire Tommy Howe.

– Elle congèle le corps de son mari pour gagner du temps, emmène celui de Sophie faire un tour en voiture et le lendemain matin elle échafaude toute une histoire pour nous mener en bateau, Shane Lyons et nous, conclut D.D. Le rideau s'ouvre sur sa grande scène du dimanche matin.

– Et si elle avait retiré les cinquante mille dollars le samedi matin parce qu'elle avait découvert que Brian s'était remis à jouer ? proposa un autre enquêteur. Brian s'en est aperçu, ou bien elle l'a pris à parti. Et de là, les choses ont dégénéré. »

D.D. approuva, ajouta une ligne au tableau : *Où est passé l'argent ?*

« Ça va être difficile à découvrir, prévint Phil. C'est un chèque au porteur, donc il peut être déposé dans n'importe quelle banque à n'importe quel nom, voire donné à un négociant en échange d'espèces.

– Gros chèque pour la plupart des négociants, objecta Bobby.

– Pourcentage garanti, répliqua Phil. Beaucoup d'agences accepteraient cette transaction, surtout si elles étaient prévenues à l'avance. Les chèques de banque sont ce qu'il y a de plus sûr et les marchés financiers sont sur les dents en ce moment.

– Et si Tessa avait eu besoin de l'argent ? demanda brusquement D.D. Si elle avait dû payer quelqu'un ? »

Trente paires d'yeux la regardèrent.

« C'est une autre possibilité, réfléchit-elle à voix haute. Brian Darby était un joueur compulsif. Il ne pouvait pas se dominer et, comme un bateau qui coule, il entraînait Tessa et Sophie par le fond. Or Tessa est une femme qui a déjà touché le fond une fois. Elle n'est pas naïve. En fait, elle a travaillé deux fois plus dur pour se reconstruire une vie, surtout pour sa fille. Alors que peut-elle faire ? Divorcer prend du temps et Dieu sait dans quel état Brian aura mis leurs finances avant que ça aboutisse.

» Peut-être, continua D.D. d'un air songeur, peut-être bien qu'il y a eu un encaisseur. Peut-être que c'est Tessa Leoni *elle-même* qui l'a engagé – un tueur à gages pour abréger les souffrances de son mari. Sauf que l'homme en noir a pris sa propre police d'assurance, Sophie Leoni, pour que Tessa ne puisse pas changer d'avis et l'arrêter. »

Bobby la regarda. « Je croyais que tu étais convaincue qu'elle avait tué sa fille ? »

D.D. avait inconsciemment posé la main sur son ventre. « Qu'est-ce que tu veux que je te dise ? Je me ramollis avec l'âge. Et puis un jury croira qu'une femme puisse tuer son mari accro aux jeux d'argent. Mais une mère infanticide, ce sera plus dur à leur faire avaler. »

Elle jeta un coup d'œil à Phil. « Il faut suivre la piste de l'argent. Vérifie bien que Tessa l'a retiré. Vois ce que tu peux trouver d'autre du côté des finances. Et demain matin, on passe un coup de fil à l'avocat de Tessa pour voir s'il peut nous organiser une nouvelle petite entrevue. Un séjour de vingt-quatre heures derrière les barreaux délie beaucoup de langues. Du nouveau du côté du numéro spécial ? »

Rien, de l'avis des enquêteurs.

« Le dernier trajet de la Denali ? essaya-t-elle avec espoir.

– Si on se base sur la consommation d'essence, elle est restée dans un rayon de cent kilomètres autour de Boston, indiqua le chef d'équipe.

– Formidable. Donc ça nous ramène le périmètre des recherches à, quoi, un quart de l'État ?

– Grosso modo. »

D.D. leva les yeux au ciel et posa son feutre. « Autre chose qu'on devrait savoir ? »

– Le pistolet », dit une voix au fond de la salle. Le capitaine John Little.

« Eh bien ? demanda D.D. Aux dernières nouvelles, l'Inspection l'avait transmis pour analyse.

– Pas celui de Tessa, dit Little. Celui de Brian.

– Brian avait un pistolet ?

– Il avait déposé une demande de permis il y a deux semaines. Un Glock 40. Je ne l'ai pas vu sur la liste des pièces à conviction retrouvées dans la maison ou dans sa voiture. »

L'enquêteur la regardait d'un air interrogateur. D.D. lui rendit la pareille.

« Vous êtes en train de me dire que Brian Darby avait un pistolet.

– Oui. Il avait déposé la demande de permis il y a deux semaines.

– Peut-être que la gonflette ne suffisait plus », suggéra Bobby.

D.D. agita la main dans sa direction. « Hello. Un peu de recul, là. Brian Darby avait un Glock *et nous n'avons aucune idée de l'endroit où il se trouve.* Ce n'est pas de l'ordre du détail, Little.

– Le permis de port d'arme vient d'être validé, se défendit celui-ci. On a pris un peu de retard ces derniers temps. Vous ne lisez pas les journaux ? La fin du monde approche et la moitié de la ville veut être armée pour l'occasion.

– Il nous faut cette arme, dit sèchement D.D. Déjà, imaginez que ce soit l'arme qui a tué Sophie Leoni ? »

Le silence tomba dans la salle.

« Ouais, dit-elle. Fini de bavasser. Fini d'échafauder des théories. On a le cadavre du mari d'une policière, et une petite fille de six ans disparue. Je veux Sophie Leoni. Je veux le pistolet de Brian Darby. Et si cette pièce à conviction nous mène là où on peut le supposer, je veux qu'on monte un dossier tellement béton que Tessa Leoni sera enfermée pour le restant de sa triste vie. C'est parti. Des résultats. »

Vingt-trois heures trente, lundi soir, les enquêteurs remontèrent au front.

26

IL ARRIVE TOUJOURS UN MOMENT dans la vie d'une femme où elle comprend qu'elle est réellement amoureuse d'un homme qui n'en vaut pas la peine.

Il m'a fallu près de trois ans pour en arriver là avec Brian. Peut-être qu'il y avait eu des signes avant-coureurs. Peut-être que, au début, je n'avais pas voulu les voir, tellement j'étais heureuse qu'un homme nous aime, ma fille et moi, autant que Brian semblait nous aimer. D'accord, il avait parfois des sautes d'humeur. Après les six premiers mois de lune de miel, la maison était devenue le royaume où s'exerçait sa maniaquerie et Sophie et moi avions quotidiennement droit à des sermons lorsque nous laissions une assiette sur le plan de travail, une brosse à dents en dehors de son support, un crayon sur la table.

Brian aimait la précision, c'était un besoin.

« Je suis ingénieur, me rappelait-il. Crois-moi, tu ne voudrais pas d'un barrage construit par un ingénieur je-m'en-foutiste. »

Sophie et moi faisions de notre mieux. Les compromis, me disais-je. Le prix à payer pour avoir une famille ; on renonce à certaines de ses préférences personnelles pour le bien de tous. Et puis Brian allait repartir et Sophie et moi allions passer huit étourdissantes semaines à laisser traîner nos affaires dans tous les coins. Des manteaux posés sur le dossier des chaises de cuisine. Des dessins empilés sur le plan de travail. Oui, nous laissions libre cours à nos envies les plus folles quand Brian s'embarquait.

Et puis un jour, j'ai voulu payer le plombier et j'ai découvert que toutes nos économies s'étaient envolées.

On passe un sale quart d'heure le jour où on prend conscience du faux confort dans lequel on s'était installé. Je savais que Brian allait à Foxwoods. Surtout, je savais qu'il y avait des soirs où il rentrait puant l'alcool et le tabac alors qu'il prétendait être parti en randonnée. Il m'avait menti, à plusieurs reprises, et j'avais laissé passer. Poser des questions indiscrètes m'aurait exposée à une réponse que je n'avais pas envie d'entendre. Alors je n'avais pas posé de questions.

Pendant que mon mari, manifestement, cédait à son vice et perdait au jeu notre livret d'épargne.

Shane et moi lui avons parlé. Il a nié. Pas de manière très crédible. Mais à un moment, je me suis retrouvée plus ou moins à court d'arguments. L'argent est revenu comme par enchantement et, là encore, je n'ai pas trop posé de questions, parce qu'il y avait des choses que je préférais ignorer.

Après cela, j'ai vu deux personnes distinctes en mon mari. Il y avait le Gentil Brian, celui dont j'étais tombée amoureuse, celui qui allait chercher Sophie après l'école et qui l'emmenait faire de la luge jusqu'à ce qu'ils aient les joues en feu d'avoir tant ri. Le Gentil Brian me préparait des pancakes au sirop d'érable quand je rentrais après mon service de nuit. Il massait mon dos endolori d'avoir porté mon lourd gilet pare-balles. Il me prenait dans ses bras quand je dormais.

Et puis il y avait le Méchant Brian. Le Méchant Brian me criait dessus quand j'oubliais d'essuyer le plan de travail après avoir fait la vaisselle. Le Méchant Brian était cassant et distant ; non seulement il branchait la télé sur n'importe quelle émission imbibée de testostérone, mais il montait le son quand Sophie ou moi protestions.

Le Méchant Brian puait la cigarette, l'alcool et la sueur. Il faisait du sport de manière compulsive, comme un homme poursuivi par ses démons. Et puis il lui arrivait de disparaître plusieurs jours d'affilée – pour traîner avec *les gars*, disait le Méchant Brian, alors que nous savions tous les deux qu'il était seul, que ses amis avaient depuis longtemps fait une croix sur lui.

Mais le Méchant Brian était comme ça : capable de mentir en regardant sa policière de femme dans les yeux.

Je me suis toujours demandé : aurait-il été un mari différent si j'avais été une épouse différente ?

Le Méchant Brian me brisait le cœur. Et ensuite le Gentil Brian réapparaissait le temps de recoller les morceaux. Et nos vies continuaient à filer sur ces vertigineuses montagnes russes.

Sauf que tous les tours de manège ont une fin.

Ceux du Gentil Brian et du Méchant Brian se sont achevés précisément au même instant, sur le sol impeccablement propre de notre cuisine.

Le Méchant Brian ne peut plus nous faire de mal, à Sophie et moi.

Le Gentil Brian hantera un bon moment mes souvenirs.

Mardi matin, sept heures.

La surveillante a commencé l'appel et l'unité s'est peu à peu animée. Ma compagne de cellule, Erica, était déjà réveillée depuis une heure ; recroquevillée en position fœtale, elle se balançait d'avant en arrière, fixait du regard une chose qu'elle seule pouvait voir tout en marmonnant.

Je dirais qu'elle était montée sur sa couchette peu après minuit. Pas de montre à mon poignet, pas d'horloge dans la cellule, donc je devais estimer le temps qui passait dans ma tête. Ça m'a occupée toute la nuit – je pense qu'il est… deux heures du matin, trois heures du matin, quatre heures vingt du matin.

J'ai fini par m'endormir. J'ai rêvé de Sophie. Elle et moi naviguions sur un vaste océan en furie, pagayant de toutes nos forces contre des vagues de plus en plus grosses.

« Reste avec moi ! lui criais-je. Reste avec moi, je te protégerai ! »

Mais sa tête a disparu sous l'eau noire et j'ai plongé, plongé, plongé, sans parvenir à retrouver ma fille.

Je me suis réveillée, avec un goût de sel sur les lèvres. Je ne me suis pas rendormie.

La tour faisait du bruit dans la nuit. Des femmes anonymes excitaient des hommes anonymes qui gémissaient. Les vibrations des tuyaux. Le ronronnement d'un immense établissement qui essayait de trouver la bonne position. J'avais l'impression d'être dans le ventre d'un énorme monstre, avalée tout rond. Je n'arrêtais pas de toucher les murs, comme si le contact rugueux des parpaings pouvait me ramener à la réalité. Ensuite je m'étais levée pour faire pipi – le couvert de la nuit était ce que je pouvais espérer de mieux en matière d'intimité.

La surveillante était arrivée à notre cellule. Elle a regardé Erica qui se balançait, et puis moi ; nos yeux se sont croisés, nous nous sommes reconnues en un éclair, et elle est partie.

Kim Watters. Elle sortait avec un type de la caserne, elle était venue à quelques dîners. Bien sûr. Surveillante à la maison d'arrêt de Suffolk County. Je me souvenais maintenant.

Elle est passée à la cellule suivante. Erica se balançait plus violemment. J'ai regardé par la fenêtre à barreaux en essayant de me convaincre que le fait de connaître personnellement ma gardienne de prison n'aggravait pas ma situation…

Sept heures et demie. Petit déjeuner.

Erica était levée. Elle marmonnait toujours, sans me regarder. Agitée. La meth lui avait grillé les neurones. Elle aurait eu besoin d'une cure et de soins psychiatriques plutôt que d'un séjour en prison. Cela dit, c'était le lot commun de la population carcérale.

On nous a donné des pancakes mous, de la compote de pomme et du lait. Erica a étalé la compote de pommes sur ses pancakes, qu'elle a roulés et engloutis en trois énormes bouchées. Quatre gorgées pour faire disparaître le lait. Ensuite elle a lorgné sur mon plateau.

Je n'avais pas d'appétit. Les pancakes avaient un goût de mouchoir mouillé sur ma langue. J'ai regardé Erica et je les ai quand même mangés avec lenteur.

Erica s'est assise sur les toilettes. Je me suis retournée pour lui donner un peu d'intimité.

Elle a ri.

Plus tard, je me suis servi de ma trousse de toilette pour me laver les dents et me mettre du déodorant. Ensuite… Ensuite je n'ai plus trop su quoi faire. Bienvenue dans ma première journée de prison.

La promenade est arrivée. La surveillante a ouvert notre cellule. Certaines femmes sont sorties, d'autres sont restées à l'intérieur. Je n'y tenais plus. Le plafond de trois mètres de haut et les fenêtres béantes donnaient une illusion d'espace, mais une cellule reste une cellule. J'avais déjà une overdose de néon, je me languissais de la lumière naturelle.

Je suis allée jusqu'au coin-salon à un bout de la salle commune, où six de ces dames s'étaient réunies pour regarder *Good Morning America*. Trop gai pour moi. Ensuite, j'ai essayé les tables, quatre tables rondes en inox où deux femmes jouaient à la dame de pique pendant qu'une troisième caquetait des choses incompréhensibles.

Quelqu'un se douchait. Je n'ai pas regardé. Je ne voulais pas savoir.

Ensuite j'ai entendu un bruit bizarre, comme un hoquet tremblé, quelqu'un qui essaierait d'inspirer et d'expirer en même temps.

Je me suis retournée. La surveillante, Kim Watters, semblait exécuter une drôle de danse. Son corps était en l'air, ses pieds tressaillaient comme s'ils essayaient de toucher le sol sans le trouver. Juste derrière elle, une immense femme noire aux cheveux longs l'étranglait de son bras musculeux, serrant de plus belle lorsque les doigts de Kim griffaient avec affolement l'épais avant-bras.

J'ai fait un pas et, dans la seconde, Erica a hurlé : « Toutes sur la salope ! » et une demi-douzaine de détenues se sont jetées sur moi.

J'ai pris un premier coup dans le ventre. Par réflexe, j'ai serré les abdos, je me suis tournée vers ma gauche et j'ai balancé le poing dans un bide mou qui s'est dégonflé. Encore un coup maladroit porté à pleine puissance. Esquiver, marcher à l'instinct maintenant, parce que c'était pour ça qu'on entraînait les recrues. À force de répétition, l'impossible devient possible. Mieux, il devient normal, et comme ça le jour où vous vous y attendez le moins, des mois et des années d'entraînement peuvent d'un seul coup vous sauver la vie.

Encore un choc violent à l'épaule. Elles visaient mon visage, mon œil gonflé, ma pommette cassée. Je me suis mise en garde, dans la posture classique des boxeurs, pour protéger ma tête, et je me suis dirigée vers l'assaillante la plus proche. Je l'ai prise par la taille, lancée contre les autres qui se ruaient vers moi, et j'en ai fait tomber deux dans un enchevêtrement de bras et de jambes.

Cris. Douleur, rage, les leurs, les miens, peu importait. Bouger, bouger, bouger, impérativement rester sur mes pieds, faire face ou succomber sous le nombre.

Une douleur cuisante. Quelqu'un me tailladait l'avant-bras pendant qu'un autre poing me démolissait l'épaule. J'ai fait un nouveau pas de côté, donné un coup de coude dans le ventre de mon assaillante, un coup à la gorge du tranchant de la main. Elle s'est effondrée et n'a plus bougé.

Les quatre dernières ont fini par reculer. Sans les quitter des yeux, j'essayais d'analyser un paquet d'informations en même temps. Les autres détenues, où ? Retournées dans leurs cellules ? Confinement volontaire pour ne pas se faire cuisiner plus tard ?

Et Kim ? Étranglée, elle se débattait derrière moi. Collègue en difficulté, collègue en difficulté.

Le bouton d'alarme… Il était forcément quelque part.

Nouvelle coupure à mon bras. J'ai chassé le couteau d'une claque, puis lancé mon pied et atteint la femme au genou.

Et après j'ai hurlé. Hurlé, hurlé, hurlé encore, des jours entiers de rage, d'impuissance et de frustration sont enfin sortis de ma gorge, parce que Kim était en train de mourir, parce que ma fille était sans doute déjà morte, parce que mon mari était mort, sous mes yeux, emportant le Gentil Brian avec lui, parce que l'homme en noir avait kidnappé ma fille, ne laissant que l'œil bleu de sa poupée préférée, et parce que *je les aurais. Ils allaient tous me le payer.*

Ensuite j'ai avancé. J'étais probablement encore en train de hurler. Très fort. Et je pense que je devais avoir l'air démente parce que mes assaillantes ont reculé jusqu'à ce que ce que je me jette sur elles en montrant les dents, poings serrés.

J'avançais, à coups de pied, à coups de poing. J'avais de nouveau vingt-trois ans. Regardez la Tueuse d'Ogre. Regardez la Tueuse d'Ogre quand elle est vraiment vraiment *énervée.*

Mon visage dégoulinait de sueur, mes mains dégoulinaient de sang, les deux premières femmes étaient à terre pendant que la troisième courait se mettre, paradoxalement, à l'abri dans sa cellule, mais la quatrième, armée d'un couteau artisanal, se croyait en sécurité.

Elle avait sans doute déjà réussi à mettre en fuite des clients agressifs ou des maquereaux en colère. Je n'étais qu'une chochotte de petite Blanche, pas de taille à lutter contre une femme qui avait vraiment été à l'école de la rue.

Un râle dans le bureau de la surveillante. Une femme en train de mourir.

« Vas-y, ai-je dit à l'autre d'un air vicieux. Vas-y, salope. Montre voir ce que t'as dans le ventre. »

Elle m'a foncé dessus. L'abrutie. Je me suis décalée sur la gauche et je lui ai donné un coup de bras tendu dans la trachée. Elle a laissé tomber le couteau pour se tenir la gorge. J'ai ramassé l'arme et sauté par-dessus son corps vers le bureau de la surveillante.

Les pieds de Kim ne dansaient plus. Elle était toujours suspendue dans les airs, un bras noir autour de la gorge, et ses yeux se voilaient.

J'ai fait le tour.

J'ai levé les yeux vers la grande femme noire qui n'était finalement pas du tout une femme, mais un homme aux cheveux longs qui avait trouvé moyen de s'introduire dans l'unité.

Il a semblé étonné de me voir.

Alors je lui ai souri. Et je lui ai planté le couteau entre les côtes.

Le corps de Kim est tombé par terre. Le détenu a reculé en titubant et en se tenant le côté. J'ai avancé vers lui. Il a voulu fuir, se retourner, courir vers la porte de l'unité. Je lui ai donné un coup de pied à l'arrière du genou droit. Il a trébuché. Coup de pied à l'arrière du genou gauche. Il s'est effondré et a roulé sur le côté, levant les mains pour se défendre.

Je me suis dressée au-dessus de lui, avec la lame ensanglantée. Je devais faire peur à voir avec mes mains dégoulinantes, mon visage meurtri, mon regard borgne, parce que le grand Noir a fait dans sa combinaison orange de prisonnier.

J'ai levé le couteau.

« Non », a-t-il murmuré d'une voix rauque.

Je lui ai planté la lame dans le gras de la cuisse. Il a hurlé. J'ai remué.

Et j'ai chanté pour que toute l'unité entende : « *J'ai perdu mes dents, mes dents de devant. Mais pourtant maman, je les brossais souvent...* »

Le détenu a sangloté quand je me suis penchée, que j'ai repoussé ses longues boucles noires et que j'ai murmuré comme une amoureuse à son oreille : « Dis à l'homme en noir que j'arrive. Dis-lui qu'il est le prochain. »

J'ai de nouveau remué le couteau.

Ensuite je me suis relevée, j'ai essuyé la lame sur mon pantalon et j'ai appuyé sur le bouton d'alarme.

Est-ce qu'on est en deuil quand on voit son monde prendre fin ? Quand on a rejoint une destination sans retour ?

L'équipe d'intervention s'est ruée dans l'unité. Tout l'établissement a été bouclé. On m'a mis les chaînes là où j'étais, les jambes flageolantes, les bras lacérés, avec de nouvelles ecchymoses qui fleurissaient sur mes flancs et mon dos.

On a emporté Kim sur une civière, inconsciente mais vivante.

Ma quatrième assaillante, celle qui avait apporté le couteau artisanal, est partie dans une housse mortuaire. Je les ai regardés remonter la fermeture. Sans la moindre émotion.

Erica sanglotait. Elle a tant et si bien crié, gémi et fait des siennes qu'ils ont fini par l'embarquer à l'infirmerie pour lui administrer de fortes doses de sédatifs et la placer sous surveillance anti-suicide. Les autres ont été interrogées, mais, comme ça se passe dans ces cas-là, elles n'avaient aucune idée de ce qui avait pu arriver.

« Pas sortie de ma cellule... »

« Pas regardé dehors... »

« Entendu du bruit, faut dire... »

« Ça s'est bien castagné, à ce que j'entendais... »

« J'ai dormi tout le temps, surveillant. Faut me croire, c'est vrai. »

Le détenu noir, cela dit, expliquait à qui voulait l'entendre que j'étais l'ange de la mort et que pitié, pitié, pitié, Dieu me tienne éloignée de lui.

Le commissaire-adjoint s'est finalement arrêté devant moi. Il m'a considérée un long moment, et j'ai lu dans son regard que je ne valais pas tous les problèmes que je lui causais.

Ma punition est tombée en un seul mot : « Isolement.

– Je veux mon avocat.

– Qui a agressé la surveillante ?

– Madame Doubtfire.

– Madame Doubtfire, *monsieur.* Bon, et pourquoi le détenu a-t-il agressé la surveillante ?

– Je ne sais pas, *monsieur.*

– Vous êtes en prison depuis moins de vingt-quatre heures. Comment vous êtes-vous procuré un couteau artisanal ?

– Je l'ai pris aux garces qui essayaient de me tuer. » Un temps. « *Monsieur.*

– À une contre six ?

– Il ne faut pas chercher une policière. *Monsieur.* »

Il a failli sourire. Au lieu de ça, il a levé le pouce vers le plafond et les nombreuses caméras. « C'est l'avantage en prison : Big Brother vous regarde en permanence. Alors, pour la dernière fois, *détenue,* est-ce que vous avez quelque chose à me dire ?

– Watters me doit des fleurs. »

Il n'a pas contesté, donc il en savait peut-être déjà plus long qu'il ne laissait paraître. « Infirmerie, a-t-il dit en montrant mes avant-bras lacérés.

– Avocat, ai-je répété.

– La demande sera transmise par les canaux appropriés.

– Pas le temps. »

J'ai regardé l'adjoint. « J'ai décidé de pleinement coopérer avec la police de Boston, ai-je clamé haut et fort pour que tout le monde entende. Appelez le commandant D.D. Warren. Dites-lui que je vais la conduire au cadavre de ma fille. »

27

« MON CUL, OUI ! » s'énervait D.D. deux heures plus tard. Elle se trouvait dans une salle de réunion du QG de la police, avec Bobby, le commissaire-adjoint de la brigade criminelle et l'avocat de Tessa Leoni, Ken Cargill. Cargill leur avait demandé cette entrevue vingt minutes plus tôt. Il avait une offre limitée dans le temps à leur faire, avait-il expliqué. Il fallait que le supérieur de D.D. soit présent parce que si une décision devait être prise, elle devait l'être rapidement. Autrement dit, il avait l'intention de négocier quelque chose qui n'était pas du ressort de quelqu'un qui avait le salaire de D.D. Autrement dit, elle aurait dû laisser au commissaire-adjoint, Cal Horgan, le soin de répondre à sa demande grotesque.

Mais D.D. n'avait jamais été douée pour tenir sa langue.

« Nous n'organisons pas d'excursions ! continua-t-elle avec chaleur. Tessa se rend enfin à la sagesse ? Tant mieux pour elle. Bobby et moi pouvons être dans les murs d'ici vingt minutes, elle n'aura qu'à nous dessiner une carte. »

Horgan ne dit rien ; peut-être qu'il était d'accord avec elle.

« Elle ne peut pas vous dessiner de carte, répondit Cargill sans se départir de son calme. Elle ne se souvient pas du lieu exact. Elle conduisait depuis un moment quand elle s'est arrêtée sur le bas-côté. En tout état de cause, il se peut qu'elle ne soit pas en mesure de vous emmener à l'endroit précis, mais elle pense qu'elle peut s'en rapprocher suffisamment en cherchant des repères visuels.

– Elle ne pourrait même pas nous emmener à l'endroit précis ? releva Bobby, aussi sceptique que D.D.

– Il faudrait nous assurer le concours d'une équipe cynophile, répondit Cargill.

– Une équipe de recherche de cadavre, vous voulez dire », précisa D.D. sur un ton acerbe. Elle se laissa aller en arrière dans son fauteuil, les bras croisés sur le ventre. Elle savait depuis la fin de la première journée que la petite Sophie Leoni, avec ses boucles brunes, ses grands yeux bleus et son visage en forme de cœur, était très certainement morte. Tout de même, s'entendre dire à voix haute, surtout par l'avocat de Tessa, que le moment était venu d'aller chercher le corps...

Il y avait des jours où ce boulot était tout simplement trop pénible.

« Comment elle dit que Sophie est morte, déjà ? » demanda Bobby.

Cargill le transperça du regard. « Elle ne le dit pas.

– Voilà, poursuivit Bobby. En fait, elle ne nous dit rien, pas vrai ? Elle exige juste qu'on la sorte de prison et qu'on la balade en voiture. Je vois bien ça.

– Elle a failli mourir ce matin, protesta Cargill. Une agression simultanée, six détenues s'en sont prises à elle pendant qu'un autre réglait son compte à la surveillante. Si l'agent Leoni n'avait pas réagi aussi vite, la surveillante serait morte et elle aussi sans doute.

– Instinct de survie, dit Bobby.

– Encore une histoire sortie tout droit de son imagination, ajouta durement D.D.

– Pas de son imagination. La scène a été filmée. J'ai moi-même vu la vidéo. Le détenu masculin a d'abord agressé la surveillante et ensuite six femmes se sont jetées sur Tessa. Elle a de la chance d'être encore en vie. Et vous avez de la chance que le choc provoqué par ces événements l'amène à vouloir coopérer.

– Coopérer, répéta D.D. On en revient à ce mot. "Coopérer", chez moi, ça veut dire aider. Par exemple, elle pourrait nous dessiner une carte en se servant des repères visuels dont elle se souvient. Ça, ce serait coopérer. Elle pourrait nous dire comment Sophie est morte. Ce serait coopérer. Elle pourrait nous dire, une bonne fois pour toutes, ce qui est arrivé à son mari et à son enfant, ce serait aussi une forme de coopération. Mais elle n'a pas vraiment l'air de le comprendre. »

Cargill haussa les épaules. Il cessa de regarder Bobby et D.D., tourna son attention vers le commissaire-adjoint. « Que ça vous plaise ou non, je ne sais pas combien de temps ma cliente aura envie de *coopérer*. Ce matin, elle a vécu un traumatisme. Je ne peux pas vous garantir que cet après-midi, et encore moins demain matin, elle sera toujours dans ces dispositions. En attendant, et même si ma cliente ne souhaite pas répondre à toutes vos questions, j'imagine que la découverte du corps de Sophie Leoni vous apporterait beaucoup de réponses. En vous fournissant des preuves, vous voyez. C'est toujours votre métier, non, de recueillir des preuves ?

– Elle retournera en prison, dit Horgan.

– Pitié, soupira D.D. On ne négocie pas avec les terroristes. »

Cargill ne fit pas attention à elle, toujours concentré sur Horgan. « Certainement.

– Pieds et poings liés en permanence.

– Jamais supposé autre chose. » Bref silence. « Cela dit, il faudra sans doute que vous vous coordonniez avec le bureau du shérif de Suffolk County. Au regard de la loi, elle se trouve sous leur responsabilité, donc il se peut qu'ils veuillent l'escorter eux-mêmes. »

Horgan leva les yeux au ciel. Une concurrence entre plusieurs services de police, tout juste ce dont ils avaient besoin.

« Combien de temps de trajet jusqu'au site ? demanda-t-il.

– Une heure tout au plus. »

D.D. regarda l'horloge murale. Dix heures trente. Le soleil se coucherait à dix-sept heures trente. Donc le temps était déjà compté. Elle regarda son supérieur, sans plus trop savoir ce qu'elle voulait. Il lui répugnait de céder aux exigences d'une suspecte, mais en même temps… elle voulait ramener Sophie chez elle. Elle avait hâte de tourner la page. Comme si cela pouvait soulager un peu son cœur meurtri.

« On passe la prendre à midi, dit d'un seul coup Horgan, qui se tourna vers D.D. : trouvez une équipe cynophile. Tout de suite.

– D'accord.

– Qu'elle n'essaie pas de nous promener, continua-t-il en s'adressant à Cargill. Votre cliente coopère ou tous les privilèges dont elle bénéficie actuellement en prison disparaissent. Non seulement elle retournera en détention, mais ce sera à la dure. Compris ? »

Cargill sourit faiblement. « Ma cliente est une policière émérite. Elle comprend. Et je me permets de vous féliciter de la laisser sortir de prison tant qu'elle est encore en vie pour vous apporter son concours. »

Il y avait beaucoup de choses que D.D. aurait eu envie de faire dans l'instant présent : frapper, tempêter, enrager. Mais vu le peu de temps dont ils disposaient, elle se domina et appela l'Équipe Canine de Recherche et de Sauvetage du Nord-Massachusetts.

Comme la plupart des équipes cynophiles, celle-ci se composait exclusivement de bénévoles. Elle comptait onze membres, notamment Nelson Bradley et son berger allemand Quizo, un chien spécialisé dans la recherche de cadavres comme il n'en existait que quelques centaines dans le monde.

D.D. avait besoin de Nelson et Quizo, tout de suite. Bonne nouvelle, la responsable, Cassondra Murray, accepta de mobiliser toute l'équipe en quatre-vingt-dix minutes chrono. Murray et peut-être Nelson retrouveraient la police à Boston pour former un convoi. D'autres membres de l'équipe les rejoindraient quand le lieu des recherches aurait été localisé, car ils habitaient trop loin pour arriver dans les temps en centre-ville.

Cela convenait à D.D.

« De quoi vous avez besoin ? » demanda-t-elle. Il y avait des années qu'elle n'avait pas travaillé avec une équipe canine et encore, c'était pour une opération de secours, pas pour une recherche de cadavre. « Je peux vous apporter des vêtements de l'enfant, ce genre de choses.

– Pas nécessaire.

– Parce qu'il s'agit d'un cadavre, en déduisit D.D.

– Non. Ça n'a pas d'importance. Les chiens sont dressés à repérer une piste humaine s'il s'agit d'une opération de sauvetage et une odeur de cadavre s'il s'agit de retrouver un corps. Nous aurons surtout besoin que vous et vos agents ne restiez pas dans nos pattes.

– Je vois, répondit D.D. avec une certaine irritation.

– Un chien vaut cent cinquante hommes, affirma Murray d'un air docte.

– Est-ce que la neige posera problème ?

– Non. La chaleur fait monter les odeurs, le froid les maintient près du sol. Les maîtres-chiens adaptent leur stratégie en conséquence, mais pour les chiens, une piste reste une piste.

– Et ils peuvent travailler combien de temps ?

– Si le terrain n'est pas trop difficile, ils doivent pouvoir travailler deux heures et ensuite il leur faut une pause de vingt minutes. Tout dépend des conditions, bien sûr.

– Vous viendrez avec combien de chiens ?

– Trois. Quizo est le meilleur, mais ce sont tous des chiens de recherche.

– Un instant : je croyais que Quizo était le seul spécialisé dans les cadavres.

– Plus maintenant. Depuis deux ans, tous nos chiens sont formés à la recherche de personnes vivantes, à la recherche de cadavres et à la recherche nautique. Nous commençons par la recherche de personnes vivantes, c'est le plus facile à apprendre à un chiot. Mais une fois qu'ils maîtrisent ça, on les forme à la recherche de cadavres et ensuite à la recherche nautique.

– Oserais-je vous demander comment vous les formez à la recherche de cadavres ? »

Murray fut amusée. « En fait, nous avons de la chance. Le légiste, Ben…

– Je le connais.

– Il nous aide beaucoup. Nous lui donnons des balles de tennis pour qu'il les mette à l'intérieur des housses mortuaires. Une fois qu'elles ont pris l'odeur de décomposition, il nous les emballe dans des sacs hermétiques. On se sert de ça. C'est un bon compromis : notre bel État du Massachusetts n'apprécierait pas trop qu'on s'approprie des cadavres et je ne crois pas aux "odeurs de cadavre" synthétiques. Les meilleurs scientifiques au monde s'accordent à dire que l'odeur de décomposition est une des plus complexes qui soit. Dieu sait ce qui accroche au juste les chiens dans cette odeur, donc l'homme ne devrait pas tripatouiller ça.

– Je vois, dit D.D.

– Est-ce que vous prévoyez des recherches dans l'eau ? Parce que ça pose quelques difficultés en cette saison. On emmène les chiens en bateau, bien sûr, mais, vu les températures, je voudrais quand même qu'ils portent des combinaisons isolantes au cas où ils tomberaient à l'eau.

– Vos chiens travaillent depuis des bateaux ?

– Oui. Ils sentent la piste dans les courants, comme quand elle est portée par le vent. Quizo a retrouvé des corps à trente mètres de profondeur. Ça ressemble un peu à de la sorcellerie, mais encore une fois, c'est pour ça que je n'aime pas les odeurs synthétiques. Ces chiens sont trop malins pour qu'on les forme avec le résultat d'expériences de labo. Vous pensez qu'il y aura de l'eau ?

– On ne peut rien exclure, répondit franchement D.D.

– Alors nous allons apporter tout le matériel. Vous disiez que la zone de recherche était sans doute à moins d'une heure de Boston ?

– Pour autant qu'on sache.

– Alors je vais apporter mes cartes topographiques du Massachusetts. La topographie est *essentielle* quand on cherche une piste.

– Je vois, répéta D.D.

– Est-ce que le légiste ou un anthropologue judiciaire seront sur place ?

– Pourquoi ?

– Quelquefois, les chiens trouvent d'autres restes. C'est bien d'avoir quelqu'un qui puisse dire tout de suite si c'est humain ou non.

– Ces restes-là… datent de moins de quarante-huit heures. Par des températures négatives. »

Un instant de silence. « Bon, j'imagine que ça ne sera pas nécessaire, dit Murray. On se voit dans une heure et demie. »

Murray raccrocha. D.D. s'attela à former le reste de l'équipe.

28

MARDI, MIDI PILE. J'étais pieds et poings liés dans les bureaux à l'entrée de la maison d'arrêt de Suffolk County. Pas de fourgon de shérif dans le garage, cette fois-ci. Au lieu de cela, une Crown Vic appartenant aux enquêteurs avait franchi le portail sécurisé. Malgré moi, j'étais soufflée. Je pensais que le bureau du shérif se chargerait du transport. Je me demandais combien de têtes étaient tombées et combien d'appuis il avait fallu faire jouer pour que je sois placée sous la responsabilité de D.D. Warren.

Elle est descendue de voiture la première. Regard moqueur dans ma direction, puis elle s'est approchée du greffe et a tendu des documents aux surveillants. Bobby Dodge a fait le tour du véhicule vers moi, le visage parfaitement impénétrable. Toujours se méfier de l'eau qui dort.

Pas de vêtements civils pour ma promenade en voiture. En revanche, le pantalon et la chemise qu'on m'avait donnés la veille avaient été remplacés par la combinaison orange des prisonniers, signalant mon statut aux yeux du monde. J'avais demandé un manteau, un bonnet et des gants. On n'avait répondu favorablement à aucune de ces requêtes. Le bureau du shérif s'inquiétait apparemment moins de la possibilité d'engelures que de celle d'une évasion. Je resterais pieds et poings liés pendant toute la durée de ma sortie dans le vaste monde. Je serais aussi en permanence sous la surveillance rapprochée d'un agent de police.

Je n'ai pas contesté ces conditions. J'étais bien assez tendue comme ça. Nerveuse à l'idée de ce qui allait se passer dans l'après-midi, et en même temps encore sous le coup des incidents du matin. Je gardais les yeux rivés sur l'avenir et la tête basse.

Dans toute stratégie, l'essentiel est de ne pas surjouer sa main.

Bobby est arrivé à côté de moi. La surveillante qui montait la garde a lâché mon bras. Il l'a pris et m'a emmenée à la Crown Vic.

D.D. avait bouclé les formalités. Elle est revenue à la voiture, m'a regardée d'un œil torve pendant que Bobby ouvrait la portière arrière et que je m'efforçais de m'asseoir avec grâce sur la banquette alors que j'avais les pieds et les mains liés. J'ai basculé en arrière et je me suis retrouvée coincée les quatre fers en l'air comme une coccinelle. Bobby a été obligé de se pencher et de me redresser en me tirant par la hanche.

D.D. a secoué la tête et pris place au volant.

Encore une minute et la lourde porte du garage s'est lentement ouverte en grinçant. Nous sommes sortis en marche arrière dans les rues de Boston.

Je me suis tournée vers le ciel gris de mars, éblouie par la lumière.

On dirait qu'il va neiger, ai-je pensé, mais je n'ai pas dit un mot.

D.D. s'est rendue sur le parking de l'hôpital voisin. Une dizaine d'autres véhicules, 4x4 blancs ou voitures de patrouille noir et blanc, nous attendaient. Elle s'est arrêtée et les autres se sont alignés derrière nous. D.D. m'a regardée dans le rétroviseur.

« Je vous écoute.

– J'aimerais bien un café.

– Allez vous faire voir. »

Alors j'ai souri, c'était plus fort que moi. J'étais devenue comme mon mari, il y avait la Gentille Tessa et la Méchante Tessa. La Gentille Tessa avait sauvé la vie de Kim Watters. La Gentille Tessa avait repoussé l'agression de détenues malveillantes et s'était fait, pour un court instant, l'effet d'une policière fière de son métier.

La Méchante Tessa, assise à l'arrière d'une voiture de police, portait une tenue orange de prisonnière. La Méchante Tessa… Bon, pour la Méchante Tessa, la journée ne faisait que commencer.

« Chiens de recherche ? ai-je demandé.

– De recherche de *cadavres* », a souligné D.D.

J'ai de nouveau souri, mais tristement cette fois-ci, et j'ai senti un instant mon sang-froid m'abandonner. Un vide béant s'ouvrir en moi. Toutes ces choses que j'avais perdues. Et toutes celles que je pouvais encore perdre.

J'ai perdu mes dents, mes dents de devant…

« Vous auriez dû la retrouver, ai-je murmuré. Je comptais sur vous pour la retrouver.

– *Où* ? m'a rabrouée D.D.

– Nationale 2. Vers l'ouest, Lexington. »

D.D. a démarré.

« Nous sommes au courant pour l'agent Lyons », m'a sèchement indiqué D.D. Nous avions pris la nationale 2, dépassé Arlington, laissé derrière nous la jungle urbaine pour gagner les rêves en toc de la banlieue. Ensuite, ce serait les beaux quartiers de Lexington et Concord, puis le charme désuet et campagnard d'Harvard.

« Au courant de quoi ? » J'étais réellement curieuse.

« Qu'il vous a tabassée pour conforter votre histoire de violences conjugales.

– Vous avez déjà frappé une femme ? » ai-je demandé à Bobby Dodge.

Celui-ci s'est retourné sur son siège. « Parlez-moi du tueur à gages, Tessa. Histoire de voir jusqu'à quel point je suis prêt à vous croire.

– Je ne peux pas.

– Vous ne pouvez pas ? »

Je me suis penchée en avant, autant que je le pouvais avec mes mains liées. « Je vais le tuer, ai-je répondu d'un air sombre. Et ça ne se fait pas de dire du mal des morts.

– Oh, pitié, est intervenue D.D. On dirait une frappadingue.

– Faut dire que j'ai pris quelques coups sur la tête. »

Encore des yeux au ciel. « Vous n'êtes pas plus folle que je ne suis douce et tendre. Nous savons tout sur vous, Tessa. Le mari accro aux jeux d'argent qui vidait vos comptes épargne. Le frère de votre meilleure amie, un ado libidineux qui a voulu tenter sa chance un soir. On dirait que vous avez un don pour attirer les hommes peu recommandables et leur tirer dessus. »

Je n'ai rien dit. Cette chère enquêtrice savait appuyer là où ça faisait mal.

« Mais pourquoi votre fille est-elle revenue à la charge ? Croyez-moi, je ne vous reprocherais pas d'en avoir collé trois dans le buffet à Brian. Mais pourquoi vous en prendre à votre enfant ?

– Que vous a dit Shane ? »

D.D. a tiqué. « Vous voulez dire avant ou après que votre loser de copain ait essayé de m'assommer ? »

J'ai poussé un petit sifflement. « Vous voyez, c'est toujours comme ça. On frappe une femme une première fois et après ça devient facile.

– Est-ce que Brian et vous étiez en train de vous disputer ? demanda Bobby. Peut-être que vous en êtes venus aux mains. Que Sophie s'est mise en travers.

– J'ai pris mon service vendredi soir », ai-je dit en regardant par la fenêtre. Moins de maisons, plus d'arbres. Nous approchions. « Depuis, je n'ai pas revu ma fille vivante.

– Donc c'est Brian, le coupable ? Pourquoi ne pas tout simplement le dénoncer ? Pourquoi chercher à le cacher, inventer une histoire aussi tirée par les cheveux ?

– Shane ne m'a pas crue. Si lui n'y arrivait pas, qui y arriverait ? »

Un stand de vente de pommes, peint en rouge, sur la gauche. Vide en cette saison, mais on y vendait les meilleurs verres de cidre en automne. Nous étions venus là pile sept mois plus tôt ; nous avions bu du cidre, fait une promenade dans une charrette de foin, avec arrêt dans un champ de citrouilles. Est-ce que c'était ce qui m'avait ramenée là samedi après-midi, le cœur battant, dans la lumière déclinante, avec justement la sensation d'être frappadingue, folle de chagrin, de panique et de désespoir pur et simple ? Il fallait bouger, vite, vite, vite. Moins de réflexion. Plus d'action.

Alors j'étais venue ici, sur les lieux de notre dernière sortie familiale avant que Brian ne s'embarque pour l'automne. Un de mes derniers souvenirs heureux.

Sophie avait adoré ce stand de pommes. Elle avait bu trois tasses de cidre et ensuite, dopée au sucre fermenté, couru en rond dans le champ de citrouilles avant d'en choisir non pas une, mais trois. Un papa citrouille, une maman citrouille et une petite fille citrouille, avait-elle expliqué. Toute une *famille* citrouille.

« On peut, maman ? On peut on peut on peut ? Dis oui, dis oui, dis oui.

– Bien sûr, chérie, tu as absolument raison. Ce serait cruel de les séparer. Sauvons la famille tout entière.

– Youpi ! Papa, papa, papa, on va acheter une famille citrouille ! Youpi ! »

« Tournez à droite, ai-je murmuré.

– À droite ? »

Freinant d'un coup sec, D.D. a pris le virage.

« À cinq cents mètres, la première à gauche, un chemin de terre… »

« Trois citrouilles ? a dit Brian en me regardant. Tu t'es laissée attendrir.

– C'est toi qui lui as acheté autant de beignets que de verres de cidre…

– Donc trois beignets égalent trois citrouilles ?

– *On dirait.*

– *D'accord, mais prems' pour sculpter papa citrouille...* »

« L'arbre ! Tournez là. Gauche, gauche. Et maintenant, à trente mètres, le chemin sur la droite.

– Sûre que vous n'auriez pas pu nous dessiner une carte ?

– Certaine. »

D.D. a pris à droite dans le petit chemin de terre et ses pneus ont patiné dans la neige compacte. Derrière nous, une, deux, trois, quatre voitures peinaient à nous suivre, puis quelques 4x4 blancs et les véhicules de patrouille.

C'est clair, il va neiger, me suis-je dit.

Mais cela ne me dérangeait plus. Nous avions laissé la civilisation loin derrière nous. Nous étions au royaume des arbres squelettiques, des mares gelées et des champs blancs stériles. Le genre d'endroit où il pouvait se passer beaucoup de choses avant que quiconque ne s'en aperçoive. Le genre d'endroit où une femme aux abois pouvait livrer son baroud d'honneur.

Gare à la Méchante Tessa.

« On y est. »

Et D.D. Warren, la malheureuse, s'est rangée sur le côté.

« Sortez », m'a-t-elle dit avec irritation.

J'ai souri. C'était plus fort que moi. J'ai regardé cette chère enquêtrice dans les yeux et j'ai dit : « J'aurais attendu toute la journée d'entendre ça. »

29

« JE NE VEUX PAS qu'elle se promène dans les bois ! » déclarait D.D. à Bobby avec véhémence dix minutes plus tard, à côté des voitures arrêtées à la queue-leu-leu. « Sa mission consistait à nous conduire ici. Maintenant qu'elle est remplie, la nôtre commence.

– L'équipe cynophile a besoin de son aide, répliqua Bobby. Il n'y a pas de vent, donc les chiens vont avoir du mal à trouver le cône d'émanation. »

D.D. le regarda d'un air ahuri.

« L'odeur, lui expliqua-t-il en formant un triangle avec ses mains, se diffuse depuis la cible en prenant la forme d'un cône. Pour que le chien la détecte, il faut qu'il soit sous le vent, à l'intérieur du cône, sinon il peut se trouver à un mètre de la cible et la rater quand même.

– Depuis quand tu t'y connais en chiens ?

– Depuis trente secondes ; j'ai demandé à Nelson et Cassondra de quoi ils avaient besoin. Les conditions les inquiètent un peu. Le terrain est plat, ce qui est une bonne chose, je crois, mais il est ouvert, ce qui rend les recherches plus difficiles...

– Pourquoi ?

– Les particules olfactives s'accumulent quand elles rencontrent un obstacle. Donc s'il s'agissait d'un champ avec des barrières ou des fossés bordés de haies, ils commenceraient par le pourtour. Mais sans barrières ni haies. Juste une grande étendue ouverte... comme ça... »

Bobby montrait le paysage qui les entourait. D.D. poussa un profond soupir.

Tessa Leoni les avait conduits dans une des rares régions du Massachusetts qui restait mi-forestière, mi-agricole et tout à fait perdue au milieu de nulle part. Vu les chutes de neige de dimanche soir, les champs n'offraient au regard qu'une vaste étendue blanche totalement muette (ni empreintes de pas, ni traces de pneus ou d'objet traîné), ponctuée ici ou là de taches sombres – arbres squelettiques ou arbustes broussailleux.

Ils avaient déjà de la chance d'être arrivés jusque-là et D.D. n'était même pas certaine qu'ils pourraient en repartir. Ils auraient dû prendre des bottes de neige. Ou, mieux encore, des vacances.

« Dans la neige fraîche, les chiens vont se fatiguer plus vite, continuait Bobby. Donc l'équipe veut commencer avec la zone de recherche la plus circonscrite possible. Ce qui suppose que Tessa nous rapproche au maximum de la cible.

– Elle pourrait peut-être nous indiquer la direction, marmonna D.D.

– Voyons, Tessa est pieds et poings liés et il va falloir qu'elle crapahute dans vingt centimètres de neige. Ce n'est pas demain la veille qu'elle va s'enfuir.

– Elle n'a pas de blouson.

– Je suis sûr qu'on pourra nous en prêter un.

– Elle nous fait marcher.

– Je sais.

– Tu as remarqué qu'elle n'a répondu à aucune de nos questions ?

– J'ai remarqué.

– Tout en faisant de son mieux pour nous tirer les vers du nez.

– Exact.

– Tu as entendu ce qu'elle a fait au détenu qui avait agressé la surveillante ? Elle ne s'est pas contentée de le mettre hors d'état de nuire. Elle lui a planté un couteau dans la cuisse et elle a remué. Deux fois. Ça va un peu plus loin que ce qu'on apprend à l'école. Elle se faisait plaisir.

– Elle a l'air… sur les nerfs, convint Bobby. Je dirais que sa vie a pris un tour plutôt désagréable ces jours-ci.

– Et pourtant on se retrouve ici à faire ses quatre volontés. Ça ne me plaît pas. »

Bobby réfléchit. « Tu devrais peut-être rester dans la voiture. Par précaution… »

D.D. serra les poings pour se retenir de le frapper. Puis elle soupira et se passa la main sur le front. Elle n'avait pas dormi la nuit dernière, n'avait pas mangé ce matin. De sorte qu'elle était déjà fatiguée et grognon avant même d'apprendre que Tessa Leoni était prête à les conduire au corps de sa fille.

D.D. n'avait pas envie d'être là. Elle n'avait pas envie de crapahuter dans la poudreuse. Elle n'avait pas envie d'arriver à un petit monticule de neige et de creuser pour découvrir le visage congelé d'une fillette de six ans. Est-ce que Sophie aurait l'air endormie ? Est-ce qu'elle serait enveloppée dans son manteau d'hiver rose, sa poupée préférée dans les bras ?

Ou bien est-ce qu'il y aurait des impacts de balle, des gouttelettes rouges qui témoigneraient de derniers instants marqués par la violence ?

D.D. était une professionnelle, mais elle ne se sentait plus professionnelle. Elle avait envie d'aller prendre Tessa Leoni à la gorge sur cette banquette arrière. Envie de serrer, de secouer, de hurler : *Comment vous avez pu faire ça ! À la petite fille qui vous* aimait *!*

D.D. aurait sans doute dû rester en arrière. Donc elle ne le ferait pas, naturellement.

« L'équipe de recherche demande qu'on l'aide davantage, rappela Bobby. Il ne nous reste que quatre heures pour travailler à la lumière du jour, et dans des conditions pas franchement idéales. Les capacités physiques des chiens ne sont pas illimitées. Celles de leurs conducteurs non plus. Qu'est-ce que tu proposes ?

– Eh merde, murmura D.D.

– C'est bien mon avis.

– Le moindre coup fourré et je serai obligée de la tuer, dit D.D. après réflexion.

– Je ne pense pas qu'il se trouvera trop de gens pour te le reprocher, répondit Bobby avec philosophie.

– Bobby… si on retrouve le corps… si je craque…

– Je te couvrirai. »

Elle hocha la tête. Voulut le remercier, mais sa gorge était nouée. Elle hocha une nouvelle fois la tête. Il lui posa une main sur l'épaule.

Et ils retournèrent vers Tessa Leoni.

Tessa était sortie de la Crown Vic. Sans manteau, pieds et poings liés, elle avait tout de même trouvé moyen de se rapprocher d'une des voitures de l'équipe cynophile et elle regardait Nelson sortir ses chiens.

Les deux premières caisses de transport contenaient des petits chiens, qui tournaient sur eux-mêmes avec excitation et aboyaient comme des fous.

« Ce sont des chiens de recherche ? demanda Tessa avec scepticisme alors que Bobby et D.D. approchaient.

– Que non, répondit Nelson en ouvrant une troisième caisse, beaucoup plus grande, qui contenait un berger allemand. Eux, c'est la récompense.

– Pardon ? »

Après avoir libéré le berger allemand, qui se mit à tourner autour de lui en cercles étroits, Nelson se baissa pour ouvrir les deux autres caisses. Les petits chiens hirsutes en sortirent comme des flèches et se mirent à sauter sur le berger allemand, sur Nelson, Tessa, Bobby, D.D. et quiconque se trouvait dans un rayon de cinq mètres.

« Je vous présente Kelli et Skyler, expliqua Nelson. Des terriers irlandais à poil doux. Malins comme des singes, mais un peu nerveux pour les opérations de sauvetage. En revanche, Quizo trouve que ce sont les meilleurs copains de jeu du monde et je serai bien étonné le jour où il ne les choisira pas comme récompense.

– Mais il ne les mange pas, quand même ? » demanda Tessa, tache orange sur la neige d'un blanc éclatant, frissonnante dans le froid.

Nelson la regardait avec un grand sourire, manifestement amusé par la question. Si ça le dérangeait de discuter avec une meurtrière présumée, il n'en montrait rien, songea D.D. « Le plus important quand on dresse un chien, dit-il tout en continuant à décharger du matériel à l'arrière de son pick-up bâché, c'est de découvrir ce qui le motive. Il n'y a pas deux chiots pareils. Il y en a qui veulent de la nourriture. D'autres, de l'affection. La plupart se focalisent sur un jouet qui devient *le* jouet. Le maître-chien doit savoir décoder ces signes. Et quand il comprend enfin ce qui constitue la récompense, la seule chose qui motive vraiment son chien, c'est là que le vrai dressage peut commencer.

» Bon, mais mon Quizo, continua-t-il en donnant une petite tape sur la tête de l'animal, il m'a donné du fil à retordre. Le chien le plus intelligent que j'aie jamais vu, mais seulement quand ça lui chantait. Sauf que ça ne peut pas marcher comme ça. Il me faut un chien qui cherche sur commande, pas quand il est d'humeur. Et puis un jour, ces deux-là se sont pointés, dit-il en montrant les terriers qui bondissaient et jappaient toujours. Un ami à moi qui ne pouvait pas les garder. J'ai proposé de le dépanner, le temps qu'il trouve une meilleure solution. Eh bien, si c'était pas le coup de foudre, je ne sais pas ce que c'était. Mademoiselle Kelli et monsieur Skyler se sont précipités sur Quizo comme une paire de gamins et il les a tout de suite pris en chasse. Ça m'a donné des idées. Peut-être que jouer avec ses meilleurs copains pouvait être une récompense. J'ai essayé une paire de fois, et bingo. Faut dire que Quizo est un peu cabotin. Ça ne le dérange pas de travailler du moment qu'il a son public.

» C'est pour ça que je les emmène tous les trois en intervention. Je laisse un moment à Quizo pour se frotter à ses copains, qu'il sache qu'on est arrivés. Ensuite il faudra isoler Kelli et Skyler (sinon, je peux vous dire qu'ils seraient tout le temps dans nos jambes) et je donnerai à Quizo l'ordre de travailler. Il s'y mettra de suite parce qu'il sait que plus tôt il aura accompli sa mission, plus tôt il pourra retrouver ses amis. »

Nelson leva la tête, regarda Tessa droit dans les yeux et dit posément : « Skyler et Kelli lui remonteront aussi le moral. Même les chiens de recherche n'aiment pas trouver des cadavres. Ça les déprime, c'est pour ça que c'est doublement important que Skyler et Kelli soient ici aujourd'hui. »

Était-ce l'imagination de D.D. ou bien Tessa avait-elle enfin tressailli ? Peut-être un cœur battait-il encore derrière cette façade ?

D.D. se rapprocha, Bobby à ses côtés. Elle s'adressa d'abord à Nelson. « Il vous faut encore combien de temps ? »

Il jeta un œil à ses chiens, puis au reste de l'équipe, qui déchargeait les véhicules rangés derrière lui. « Un quart d'heure.

– On peut faire autre chose pour vous ?

– Marquer l'endroit exact avec un X ? demanda-t-il avec un fin sourire.

– Comment saurez-vous que les chiens ont trouvé, qu'ils ont une touche ? demanda D.D. avec curiosité. Quizo aboiera… plus fort ?

– Trois minutes d'aboiements continus, expliqua Nelson. Tous les chiens de recherche sont dressés de manière un peu différente : il y en a qui s'assoient quand ils ont trouvé quelque chose, d'autres qui ont une façon d'aboyer particulière. Mais comme notre équipe est spécialisée dans les opérations de sauvetage, on a opté pour trois minutes d'aboiements continus, partant du principe que nos chiens pourraient être hors de vue, derrière un arbre ou un gros rocher, et qu'on pourrait avoir besoin de trois minutes pour les rejoindre. Ça marche bien pour nous.

– Bon, je ne peux pas vous marquer l'endroit avec un X, mais on devrait pouvoir savoir par où commencer. »

D.D. se tourna vers Tessa. « Remontons le cours de vos souvenirs. Vous êtes venue jusqu'ici en voiture ? »

Le visage de Tessa avait perdu toute expression. Elle hocha la tête.

« Vous vous êtes garée ici ?

– Je ne sais pas. Le chemin était plus visible, bien tassé. J'ai roulé jusqu'au bout.

– Les arbres, les champs, vous reconnaissez quelque chose ? » demanda D.D. en montrant les alentours.

Tessa hésita, de nouveau frissonnante. « Peut-être ce bosquet là-bas, dit-elle enfin en montrant vaguement une direction avec ses mains liées. Pas sûr. Avec les chutes de neige… c'est comme si quelqu'un avait effacé le tableau. Tout est à la fois pareil et différent.

– Quatre heures, rappela sèchement D.D. Ensuite, quoi qu'il arrive, ce sera retour derrière les barreaux. Alors je vous suggère de bien observer le paysage parce que si vous voulez vraiment ramener votre fille chez vous, ce sera votre seule chance. »

Quelque chose se manifesta enfin sur le visage de Tessa, un spasme d'émotion difficile à décoder, mais dont le regret n'était peut-être pas absent. Cela contraria D.D. Elle se détourna, les bras croisés sur le ventre.

« Trouve-lui un manteau », marmonna-t-elle à Bobby.

Il avait déjà un blouson entre les mains. Il le lui tendit et D.D. faillit éclater de rire. C'était une doudoune noire sur laquelle on lisait *Boston PD*, sans doute sortie du coffre d'un des agents. Il la posa sur les épaules de Tessa et, comme ses mains menottées l'empêchaient d'enfiler les manches, il remonta la fermeture Éclair pour la maintenir en place.

« Qu'est-ce qui est le plus incongru ? se demanda D.D. à voix haute. Un blouson de la police municipale sur le dos d'un agent d'État ou un blouson de la police municipale sur le dos d'une détenue de la maison d'arrêt ? De toute façon, conclut-elle d'une voix plus sombre, mauvaise même, ça ne colle pas. »

D.D. retourna à sa voiture. Seule, elle rentrait la tête dans les épaules pour lutter contre le froid et le pressentiment d'un malheur imminent. Des nuages gris sombre s'amoncelaient à l'horizon.

Il va neiger, se dit-elle, et de nouveau elle souhaita qu'aucun d'eux ne soit là.

Ils se mirent en chemin douze minutes plus tard, Tessa pieds et poings liés en tête, Bobby et D.D. à sa droite et à sa gauche, l'équipe cynophile et un assortiment d'agents de police fermant la marche. Les chiens restaient en laisse. On ne leur avait pas encore donné l'ordre de chercher, mais ils tiraient sur leur bride, manifestement impatients.

Ils n'avaient pas fait dix mètres qu'il leur fallut s'arrêter une première fois. Aussi vindicative que puisse être D.D., Tessa ne pouvait pas marcher dans vingt centimètres de neige fraîche avec les pieds entravés. Ils lui libérèrent les chevilles et commencèrent enfin à avancer.

Tessa conduisit le groupe à un premier bosquet d'arbres. Elle en fit le tour, le front plissé, comme si elle se concentrait. Puis elle fit trois mètres au milieu des arbres dénudés avant de secouer la tête et de ressortir. Ils examinèrent ainsi trois boqueteaux, avant que le quatrième semble répondre à ses vœux.

Tessa y entra et continua, d'un pas plus rapide, plus assuré. Elle arriva à un gros rocher gris planté dans le paysage et hocha la tête comme pour elle-même. Ils tournèrent à gauche derrière le rocher et Quizo gronda tout bas, comme s'il était déjà sur une piste.

Personne ne parlait. Juste le crissement sec des pieds dans la neige, le halètement des chiens, le souffle sourd des maîtres-chiens et des policiers, emmitouflés dans des cache-nez et autres écharpes en laine.

Ils ressortirent du bosquet. D.D. s'arrêta en se disant que ce devait être une erreur, mais Tessa avançait toujours, traversait un champ de neige, franchissait un filet d'eau à peine visible entre ses rives blanches molletonnées et s'enfonçait finalement dans un bosquet plus dense.

« Sacrée trotte avec un cadavre », marmonna D.D.

Bobby lui lança un regard ; il était du même avis.

Mais Tessa ne disait pas un mot. Elle marchait plus vite à présent, résolue. L'expression de son visage était presque sinistre à voir. Une inflexible détermination alliée à un désespoir fébrile.

Tessa avait-elle même conscience de la présence de l'équipe cynophile et de l'escorte policière ? Ou bien était-elle intérieurement revenue à ce samedi après-midi glacial ? Les voisins avaient vu la Denali partir vers quatre heures de l'après-midi, donc il ne devait plus faire très jour le temps qu'elle arrive ici.

À quoi Tessa avait-elle pensé pendant ces trente dernières minutes de crépuscule ? Peinant sous le poids du corps de sa fille tandis qu'elle traversait les bois au pas de course, puis une plaine blanchie, et s'enfonçait toujours plus profondément dans la forêt dense.

Enterrer son enfant, est-ce que c'était comme léguer son plus précieux trésor au sanctuaire de la nature ? Ou comme dissimuler son plus ignoble péché, chercher d'instinct les plus sombres entrailles de la forêt pour dissimuler son crime ?

Ils arrivèrent à un nouvel amoncellement de rochers moussus, qui ressemblait vaguement à un homme. Murs de pierre, vieilles fondations, vestiges de cheminée. Dans un État colonisé depuis aussi longtemps que le Massachusetts, même les bois n'étaient jamais entièrement dépourvus de traces de civilisation.

Les arbres s'ouvrirent sur une petite clairière et Tessa s'arrêta.

Elle déglutit. Il lui fallut s'y reprendre à plusieurs fois, puis le mot sortit dans un souffle : « Ici, dit-elle.

– Où ça ? demanda D.D.

– Il y avait un tronc d'arbre couché. La neige s'était accumulée devant, en tas. Ça m'a semblé... facile à creuser. »

D.D. ne répondit pas tout de suite. Elle regarda la clairière, ensevelie sous les récents flocons blancs. Sur sa gauche, il y avait un léger renflement, qui pouvait avoir été formé par un arbre tombé à terre. Naturellement, il y en avait un autre quelques mètres plus loin, et encore un troisième à l'autre bout de la clairière, à côté d'arbustes isolés. Néanmoins, elle avait sous les yeux trois cents mètres carrés de clairière, plus ou moins. Avec une équipe de trois chiens de recherche, c'était une superficie tout à fait gérable.

Bobby examinait aussi le paysage, qu'il scrutait de son regard aiguisé de tireur d'élite. Il regarda D.D., désigna les deux premiers monticules, puis l'autre plus large encore à l'autre bout de la clairière. D.D. approuva.

C'était le moment de lâcher les animaux.

« Maintenant, vous retournez à la voiture, dit D.D. sans regarder Tessa.

– Mais...

– *Vous retournez à la voiture !* »

Tessa se tut. D.D. se tourna vers l'équipe rassemblée. Elle repéra un agent dans les derniers rangs, celui-là même qui tenait le registre de scène de crime chez les Darby. Elle lui fit signe d'approcher. « Agent Fiske ?

– Oui.

– Vous allez raccompagner la détenue à votre voiture et attendre là-bas avec elle. »

Le gamin était dépité. D'une opération de recherche active à un baby-sitting passif. « Oui, dit-il.

– C'est une grosse responsabilité d'escorter une prisonnière tout seul. »

Un peu ragaillardi, il se posta à côté de Tessa, une main sur l'étui du pistolet.

Tessa ne dit rien, immobile, le visage de nouveau sans expression. Un visage de flic, se dit d'un seul coup D.D. et, étrangement, cela la fit frissonner.

« Merci, dit-elle.

– Pour quoi ? demanda Tessa.

– Votre fille mérite ça. Les enfants ne devraient pas être perdus dans les bois. Maintenant, nous allons pouvoir la ramener à la maison. »

Le vernis de Tessa se fissura. Ses pupilles s'agrandirent, un puits sans fond, et elle vacilla sur ses pieds ; peut-être même serait-elle tombée si elle n'avait pas bougé pour retrouver l'équilibre.

« J'aime ma fille.

– Nous la traiterons avec respect », répondit D.D. en montrant l'équipe de recherche qui se mettait en formation de recherche le long de la lisière la plus proche.

« J'aime ma fille, répéta Tessa, plus pressante. Vous croyez le comprendre aujourd'hui, mais ce n'est que le début pour vous. D'ici neuf mois, vous serez étonnée de découvrir combien vous avez peu aimé avant, et pareil un an après, et encore un an après. Alors imaginez, six ans. Six longues années d'un tel amour… »

D.D. la regarda. « Ça ne l'a pas sauvée au bout du compte, pas vrai ? »

Elle tourna ostensiblement le dos à Tessa Leoni et rejoignit les chiens de recherche de cadavres.

30

QUI TU AIMES ?

C'était la question, bien sûr. Ça l'était depuis le tout début… mais D.D. ne le savait pas, évidemment. Elle pensait avoir affaire à un classique cas de maltraitance et d'infanticide. Je ne peux pas le lui reprocher. Dieu sait qu'on m'a envoyée en intervention dans suffisamment de maisons où des enfants de cinq ans au visage blême s'occupaient de leur mère ivre morte. J'ai vu une mère gifler son fils sans plus d'expression que si elle avait donné une claque à une mouche. Vu des enfants mettre eux-mêmes des pansements sur leurs éraflures parce qu'ils savaient que leur mère ne s'en souciait pas assez pour le faire pour eux.

Mais j'avais essayé de mettre D.D. en garde. J'avais reconstruit ma vie pour Sophie. Elle n'était pas seulement ma fille, elle était l'amour qui m'avait enfin sauvé. Elle était le rire, la joie, l'enthousiasme à l'état pur. Elle était tout ce qu'il y avait de bon dans mon univers, tout ce qui valait de rentrer chez moi.

Qui tu aimes ?

Sophie. La réponse avait toujours été Sophie.

D.D. se croyait devant le pire crime qu'une mère puisse commettre. Elle n'avait pas encore compris qu'elle avait en fait sous les yeux les véritables extrémités auxquelles une mère peut recourir par amour.

Que voulez-vous ? Les erreurs coûtent cher dans ce métier.

J'étais revenue à la voiture de patrouille de l'agent Fiske. Les mains liées sur le ventre, mais les jambes encore libres. Il semblait avoir oublié ce détail et je ne me suis pas sentie obligée de le lui rappeler. Assise à l'arrière, je m'efforçais d'avoir une attitude parfaitement neutre, l'air inoffensif.

Les deux portières étaient ouvertes, la sienne et la mienne. J'avais besoin d'air, lui avais-je dit. J'avais mal au cœur, comme si j'allais vomir. L'agent Fiske m'avait regardée bizarrement, mais il avait accepté, il m'avait même aidée à ouvrir la grosse doudoune de la police municipale qui m'emprisonnait les bras sur la poitrine.

À présent, il était assis à l'avant, manifestement frustré et gagné par l'ennui. Quand on entre dans la police, c'est pour participer à l'action, pas pour rester sur la touche. Mais lui en était réduit à écouter les bruits du match au loin. L'écho des plaintes des chiens, la faible rumeur des voix dans les bois.

« Vous avez tiré le mauvais numéro », ai-je fait remarquer.

L'agent Fiske a continué à regarder droit devant lui.

« Vous avez déjà participé à une recherche de cadavre ? »

Il refusait de parler ; on ne fraye pas avec l'ennemi.

« Moi, j'en ai fait quelques-unes. Un travail méticuleux, il faut se tenir bien en ligne. Centimètre après centimètre, mètre après mètre, inspecter chaque zone du quadrillage avant de passer à la suivante et ainsi de suite. Je préfère les opérations de sauvetage. Une fois, on m'avait appelée pour retrouver un petit garçon de trois ans perdu près de l'étang de Walden. Deux volontaires ont fini par le retrouver. Un moment incroyable. Tout le monde était en larmes, sauf le petit garçon. Lui, il voulait juste qu'on lui redonne du chocolat. »

L'agent Fiske ne disait toujours rien.

J'ai changé de place sur la banquette dure en plastique, tendu l'oreille. Est-ce que je l'entendais déjà ? Pas encore.

« Vous avez des enfants ?

– Taisez-vous, a grondé l'agent Fiske.

– Mauvais calcul, lui ai-je fait remarquer. Tant qu'à être coincé avec moi, vous devriez engager la conversation. Vous seriez peut-être le veinard qui gagnerait finalement ma confiance. Le temps de dire ouf, je vous confierais ce qui s'est réellement passé avec mon mari et mon enfant et vous deviendriez un héros du jour au lendemain. Ça vaut le coup d'y réfléchir. »

L'agent Fiske s'est enfin retourné vers moi.

« J'espère qu'ils vont rétablir la peine de mort, rien que pour vous. »

Je lui ai souri. « Dans ce cas, vous êtes un imbécile parce qu'au point où j'en suis la mort serait la solution de facilité. »

Il s'est retourné vers l'avant de la voiture et s'est tu.

Je me suis mise à fredonner. Je ne pouvais pas m'en empêcher. Gare à la Méchante Tessa.

« J'ai perdu mes dents, mes dents de devant. Mais pourtant maman, je les brossais souvent. »

« Taisez-vous », m'a de nouveau intimé l'agent Fiske.

C'est alors que nous les avons entendus : les soudains aboiements d'excitation d'un chien qui avait trouvé une piste. Le cri du maître-chien, puis la ruée de l'équipe de recherche vers la cible. L'agent Fiske s'est redressé sur son siège, penché vers le volant.

Je sentais qu'il était tendu, qu'il peinait à réprimer son envie d'abandonner le véhicule pour rejoindre la mêlée.

« Vous devriez me remercier, lui ai-je dit depuis la banquette arrière.

– Taisez-vous. »

Le chien aboyait de plus belle, se rapprochait de sa cible. J'imaginais le parcours de Quizo dans la clairière, décrivant des cercles autour du petit monticule de neige. Le tronc d'arbre avait créé une dépression naturelle, remplie de flocons plus légers, plus aérés, ni trop gros, ni trop petits. Je titubais sous le poids de mon fardeau quand je l'avais trouvé, je vacillais littéralement d'épuisement.

Poser le corps. Prendre la pelle télescopique sanglée à ma taille. Mes mains gantées qui tremblaient au moment de rabouter les morceaux du manche. Mon dos qui me faisait mal quand je me suis penchée pour briser la fine couche de glace et trouver la neige plus douce en dessus. Creuser, creuser, creuser. Respirer à brèves bouffées haletantes, glacées. Les larmes chaudes qui gelaient presque aussitôt sur mes joues.

Pendant que je creusais le trou et que je déposais le corps en douceur à l'intérieur. À mouvements plus lents, remettre pelletée après pelletée de neige et tout lisser soigneusement de la main.

Vingt-trois pelletées de neige pour ensevelir un homme. Pas autant pour ce précieux fardeau.

« Vous devriez me remercier », ai-je répété, en me redressant lentement, en me déployant. Gare à la Méchante Tessa.

Le chien était dessus. Quizo avait fait son boulot et il le faisait savoir à son maître avec son aboiement soutenu.

Qu'il aille jouer avec ses amis, me suis-je dit, tendue malgré moi. Récompensez le chien. Emmenez-le voir Kelli et Skyler. Par pitié.

L'agent Fiske s'était finalement retourné vers moi.

« C'est quoi, votre problème ?

– Et vous, c'est quoi, votre problème ? Après tout, c'est moi qui viens de vous sauver la vie.

– Me sauver la vie ? Mais qu'est-ce que... »

Alors, devant mon visage impassible, il a fini par tirer la conclusion qui s'imposait.

L'agent Fiske est sorti d'un bond de la voiture. Il s'est précipité pour prendre la radio à son ceinturon. Il m'a tourné le dos.

Que voulez-vous ? Les erreurs coûtent cher dans ce métier.

J'ai bondi de la banquette arrière, j'ai réuni mes deux poings menottés et je lui ai asséné un grand coup sur le crâne. Il a chancelé vers l'avant. J'ai passé mes bras autour de sa tête et j'ai tiré d'un coup sec sur son cou.

L'agent Fiske a hoqueté, un drôle de râle, qui, maintenant que j'y pense, ressemblait beaucoup à celui de Kim Watters, la surveillante. Ou peut-être à celui de Brian, agonisant sur le sol impeccable de la cuisine.

Je n'ai plus toute ma tête. Ça a été ma dernière pensée. *Il est impossible que j'aie encore toute ma tête.*

Les genoux de Fiske se sont dérobés sous lui. Nous sommes tous les deux tombés à terre, pendant qu'à cinq cent mètres de là, la neige explosait, des cris retentissaient dans le ciel et le premier chien se mettait à hurler.

Quand les jambes de l'agent Fiske ont enfin arrêté de s'agiter, j'ai pris trois grandes inspirations, inhalant des bouffées d'air froid pour me forcer à revenir au présent. Tant de choses à faire, si peu de temps pour les faire.

Ne réfléchis pas, ne réfléchis pas, ne réfléchis pas.

J'ai libéré mes bras, manipulé maladroitement les clés de l'agent Fiske à sa ceinture, et je me suis souvenue de prendre son téléphone. J'avais un coup de fil très important à passer dans les trente secondes.

J'entendais des cris au loin. Encore des hurlements de chiens. À quatre voitures de là, Kelli et Skyler avaient perçu le message de détresse et leurs aboiements aigus se joignaient au concert.

Ne réfléchis pas, ne réfléchis pas, ne réfléchis pas.

J'ai regardé le ciel, calculé combien d'heures il restait avant la tombée de la nuit.

On dirait qu'il va neiger, ai-je de nouveau pensé.

Et ensuite, les clés et le portable en main, j'ai pris la fuite.

31

LORSQUE LA PREMIÈRE EXPLOSION fit trembler le ciel, D.D. était au milieu de la clairière et elle se dirigeait vers le monticule de neige où Quizo aboyait avec excitation et énergie. Ensuite le monde devint blanc.

De la neige jaillit et gicla dans une violente détonation qui fit tout vibrer. D.D. eut tout juste le temps de lever les bras, ce qui ne l'empêcha pas de sentir un millier de piqûres d'épingles. Les aboiements graves de Quizo se muèrent aussitôt en un hurlement de détresse. Un cri retentit.

Puis une nouvelle explosion les secoua, il y eut plusieurs autres cris et D.D. tomba en arrière, la tête entre les bras pour se protéger.

« Quizo, Quizo », criait quelqu'un. Sans doute Nelson.

« D.D., D.D., D.D. », criait un autre. Sans doute Bobby.

Elle ouvrit les yeux et vit Bobby arriver comme un fou depuis l'autre bout de la clairière, enfoncé jusqu'à mi-mollet dans la neige, le visage blême de panique. « Est-ce que ça va ? Parle-moi, D.D. Parle-moi, merde.

– Quoi, quoi, quoi ? » Elle cligna des yeux. Secoua la glace et la neige de ses cheveux. Cligna encore. Ses oreilles bourdonnaient, comme sous pression. Elle bâilla à s'en décrocher la mâchoire pour y remédier.

Bobby, arrivé à ses côtés, l'avait prise par les épaules.

« Tu vas bien tu vas bien tu vas bien ? » Les lèvres de Bobby bougeaient. Une seconde s'écoula encore avant que ses mots ne pénètrent le brouhaha qui régnait dans la tête de D.D.

Elle hocha faiblement la tête, le repoussa pour faire un état des lieux : bras, jambes et surtout ventre. Dans l'ensemble, elle avait l'air d'être en un seul morceau. Elle s'était trouvée à une distante suffisante de l'explosion et la neige avait amorti sa chute. Elle n'était pas blessée, seulement étourdie et hébétée.

Elle laissa Bobby l'aider à se relever et évalua le reste des dégâts.

Le monticule de neige désigné par le flair aiguisé de Quizo s'était désintégré. À la place, un trou de terre brune jonché de lambeaux d'arbustes, de feuilles et (quelle horreur) de tissu rose.

Quizo, à l'écart, le museau enfoui dans la neige, gémissait et battait du flanc. Nelson, au-dessus de son chien, lui caressait doucement les oreilles et murmurait tout bas des paroles apaisantes à son animal traumatisé.

Les autres chiens de recherche, arrêtés sur leurs pas, hurlaient à la mort.

Collègue en difficulté, songea D.D. Voilà ce que les chiens disaient au monde. Elle eut envie d'aboyer avec eux, jusqu'à ce que s'atténue cette terrible et oppressante sensation de rage et d'impuissance.

Cassondra Murray, chef d'équipe, avait déjà dégainé son portable et, crispée, elle demandait un vétérinaire. Des agents de la police municipale arpentaient la scène, main sur l'étui du pistolet, guettant des signes de danger immédiat.

« Stop ! » cria soudain Bobby.

Les agents s'immobilisèrent. Les maîtres-chiens se figèrent.

Il regardait la neige autour d'eux. D.D., qui se décrochait toujours la mâchoire pour lutter contre le bourdonnement, en fit autant.

Elle vit des bouts de tissu rose vif, un jean déchiqueté, ce qui avait peut-être été une chaussure de tennis d'enfant. Elle vit du rouge, du marron et du vert. Elle vit… des morceaux. Il n'y avait pas d'autre mot. Là où il y avait eu les restes d'un corps enseveli, il n'y avait plus que des morceaux, projetés dans toutes les directions.

La clairière tout entière venait de devenir zone de récupération de cadavre. Ce qui signifiait qu'il fallait qu'ils évacuent tous jusqu'au dernier pour limiter les contaminations. Il fallait boucler le secteur, le contrôler. Et il fallait qu'ils contactent immédiatement les services du légiste, sans parler de faire venir des techniciens de scène de crime par cars entiers. Ils avaient des fragments de corps humain, ils avaient des cheveux, des fibres, ils avaient… une montagne de travail.

Mon Dieu, pensa confusément D.D., les oreilles encore bourdonnantes, les bras encore cuisants. Les chiens hurlaient à n'en plus finir.

Elle ne pouvait pas… Ce n'était pas…

D.D. baissa les yeux et s'aperçut qu'elle avait des filaments roses accrochés à la chaussure. Un morceau de doudoune peut-être, ou de la couverture préférée d'une petite fille.

Sophie Leoni, avec ses grands yeux bleus et son visage en forme de cœur. Sophie Leoni avec ses cheveux bruns et son sourire édenté, qui adorait grimper aux arbres et avait horreur de dormir dans le noir.

Sophie Leoni.

J'aime ma fille, lui avait dit Tessa dans cette même clairière. *J'aime ma fille.*

Quel genre de mère pouvait faire une chose pareille ?

Alors, d'un seul coup, le cerveau de D.D. embraya et elle découvrit la pièce suivante du puzzle : « L'agent Fiske ! s'écria-t-elle avec effarement en prenant Bobby par le bras. Il faut alerter l'agent Fiske. Appelle-le par radio, *vite* ! »

Bobby avait déjà sorti l'émetteur portatif et appuyait sur le bouton d'émission. « Agent Fiske. Répondez, agent Fiske. Agent Fiske. »

Mais il n'y eut pas de réponse. Évidemment qu'il n'y avait pas de réponse. Pour quelle autre raison Tessa Leoni aurait-elle exigé de les conduire elle-même au corps ? Et pourquoi aurait-elle piégé son enfant avec des explosifs ?

D.D. se tourna vers ses collègues.

« Collègue en difficulté ! » cria-t-elle, et ils replongèrent dans les bois comme un seul homme.

Tout paraissait tellement évident, après coup. D.D. n'en revenait pas de ne rien avoir vu venir. Tessa Leoni avait conservé le corps de son mari congelé pendant au moins vingt-quatre heures. Pourquoi aussi longtemps ? Pourquoi un plan aussi élaboré pour se défaire du corps de sa fille ?

Parce que Tessa Leoni ne s'était pas seulement débarrassée d'un cadavre. Elle avait planqué son bon de sortie de prison.

Et D.D. avait joué pile dans son jeu.

Elle avait personnellement fait sortir Tessa Leoni de la maison d'arrêt de Suffolk County. Elle avait personnellement conduit une double meurtrière présumée dans un coin perdu au fin fond du Massachusetts. Et ensuite elle avait personnellement escorté une équipe cynophile jusqu'à un cadavre piégé, ce qui avait permis à Tessa Leoni de s'évanouir dans la nature.

« Mais qu'est-ce que je peux être conne ! » s'exclama-t-elle deux heures plus tard. Ils étaient toujours sur leur site au milieu de nulle part, où des véhicules de la police de Boston et du bureau du shérif local étaient maintenant garés pare-chocs contre pare-chocs sur plusieurs centaines de mètres.

L'ambulance était arrivée la première et les ambulanciers avaient voulu soigner l'agent Fiske, mais lorsque celui-ci les avait repoussés, gêné, humilié et en tout état de cause pas d'humeur à coopérer, ils s'étaient occupés de Quizo. La pauvre bête, qui s'était trouvée au plus près de l'explosion, souffrait d'une perforation du tympan et de brûlures au museau. Le tympan cicatriserait naturellement, comme chez les hommes, assurèrent les ambulanciers à Nelson.

En attendant, ils conduiraient volontiers le chien chez son vétérinaire. Nelson, manifestement très secoué, les avait pris au mot. Les autres membres de l'équipe de recherche avaient rechargé sa camionnette, avec notamment une Kelli et un Skyler affligés. Ils feraient un debrief avec D.D. le lendemain matin, lui avait assuré Cassondra. Mais pour l'heure, ils avaient besoin de reprendre leurs esprits et de décompresser. D'ordinaire, leurs opérations de recherche les conduisaient à des découvertes tangibles, pas à des bombes artisanales.

L'équipe de recherche sur le départ, D.D. appela Ben, le légiste. Ils avaient des fragments de corps, il leur fallait impérativement de l'aide.

On progressait. Les agents s'étaient retirés. Les techniciens de scène de crime avaient pris leur place.

Et les recherches pour retrouver l'ancien agent de la police d'État Tessa Leoni, maintenant officiellement en cavale, passèrent à la vitesse supérieure.

À en croire Fiske, il avait oublié de lui remettre ses fers aux chevilles (autre aveu humiliant qui le conduirait sans doute à s'envoyer une demi-bouteille de whisky dans la soirée). Tessa s'était aussi emparée de ses clés, donc il y avait de fortes chances qu'elle ait désormais les mains libres.

Elle avait pris son téléphone portable, mais pas son arme de poing, ce qui était une bonne nouvelle pour l'équipe de recherche de fugitifs et signifiait sans doute que Fiske avait échappé de peu à la mort (l'autre moitié de la bouteille de whisky, sans doute demain soir). La dernière fois qu'on l'avait vue, Tessa portait un blouson noir de la police de Boston, ouvert sur le devant, et une fine combinaison orange. À pied, sans vivres, sans bonnet ni gants, et en pleine cambrousse par-dessus le marché, personne ne pensait qu'elle irait loin.

L'adrénaline la porterait pendant deux ou trois kilomètres, mais la couche de neige molle rendrait la course épuisante et fournirait à ses poursuivants une piste que même un aveugle pourrait suivre.

L'équipe de recherche de fugitifs s'équipa, s'élança. Il restait une heure avant la tombée de la nuit. Ils pensaient que cela suffirait, mais emportaient des projecteurs au cas où. Vingt agents contre une évadée aux abois.

Ils allaient la choper, promit le responsable à D.D. On pouvait lui faire confiance pour ne pas laisser courir un assassin d'enfant.

Au tour de D.D. d'être humiliée, mais pas de bouteille de whisky pour elle ce soir. Juste une nouvelle scène de crime à traiter, une réunion de cellule d'enquête à animer et un patron à mettre au courant, patron qui serait sans doute très mécontent d'elle – aucune importance, elle-même en était à peu près au même point.

Alors elle fit ce qu'elle faisait toujours : elle retourna sur la scène de crime, Bobby à ses côtés.

Le légiste était venu sur place avec son équipe ; vêtus de combinaisons, ils déposaient délicatement des fragments de corps dans des sacs rouges pour déchets biomédicaux. Les techniciens de scène de crime passaient dans leur sillage et recueillaient d'autres débris, parmi lesquels on pouvait espérer retrouver les composants du dispositif incendiaire. De nos jours, fabriquer une bombe artisanale n'a rien de bien sorcier. Dix minutes sur Internet, quelques courses à la quincaillerie et le tour était joué. Tessa était une femme intelligente. Assembler des éléments explosifs sensibles au contact, les placer avec le corps dans le creux rempli de neige. Couvrir et laisser mijoter.

Les chiens et la police arrivent. Tessa se retire. Boum font les bombes. Koikess ? fait le garde-chiourme. Et

Tessa profite de l'occasion pour neutraliser un collègue et prendre la poudre d'escampette.

Bonjour, la bande d'éclopés. Bye-bye, la police de Boston.

Du point de vue de D.D., chaque élément de preuve recueilli était un nouveau clou enfoncé dans le cercueil de Tessa Leoni et elle les voulait tous. Jusqu'au dernier.

Ben leva les yeux à l'arrivée de Bobby et D.D. Il tendit son sac à l'un de ses assistants et vint les rejoindre.

« Alors ? » demanda aussitôt D.D.

Le légiste, la quarantaine, vigoureux, cheveux gris métallique coupés en brosse, hésita. Il croisa les bras sur son torse puissant. « Nous avons recueilli des matières organiques et des ossements qui correspondraient à un cadavre, reconnut-il.

– Sophie Leoni ? »

En guise de réponse, le légiste lui montra, sur sa main gantée, un mince fragment d'os blanc, quelque six ou sept centimètres de long, souillé de terre et de morceaux de feuilles. « Un segment de côte, dit-il. La longueur totale serait cohérente avec un enfant de six ans »

D.D. déglutit, se força à hocher vivement la tête. L'os était plus petit qu'elle ne l'aurait imaginé. D'une incroyable délicatesse.

« Trouvé une étiquette de vêtement, taille six ans, continua Ben. Les lambeaux de tissu sont roses, en majorité. Ce serait aussi cohérent avec une petite fille. »

D.D. hocha de nouveau la tête, sans quitter le fragment d'os des yeux.

Ben le repoussa sur le côté de sa main et découvrit un débris plus petit, de la taille d'un grain de maïs. « Une dent. Qui correspondrait aussi à une fillette prépubère. Sauf… qu'elle n'a pas de racine, indiqua le légiste avec perplexité. En général, quand on retrouve une dent parmi des restes, la racine est encore attachée. À moins que la dent n'ait déjà été branlante. » Le légiste semblait se parler à lui-même plutôt qu'à D.D. ou Bobby.

« Ce qui serait plausible chez une enfant de six ans. Une dent branlante, avec la puissance du souffle... Oui, je peux imaginer ça.

– Donc la dent appartenait très certainement à Sophie Leoni ? insista D.D.

– La dent appartenait très certainement à une fillette prépubère, corrigea Ben. Je ne peux pas en dire plus à l'heure qu'il est. Il faut que je rapatrie les restes dans mon labo. Une radio dentaire serait très utile, même si nous n'avons encore retrouvé ni crâne ni os maxillaire. Encore du pain sur la planche. »

En d'autres termes, songea D.D., Tessa Leoni avait fabriqué une bombe suffisamment puissante pour éjecter une dent hors du crâne de sa fille.

Un flocon de neige tomba en voltigeant, puis un autre, et un autre.

Ils levèrent tous les yeux vers le ciel, où les nuages gris menaçants avaient fini par arriver.

« Une bâche, dit immédiatement Ben en se précipitant vers son assistant. Protégez les restes, ne traînons pas. »

Puis il s'éloigna en courant. D.D. sortit de la clairière et se cacha derrière un buisson particulièrement dense où, pliée en deux, elle vomit de la bile.

Qu'avait dit Tessa ? Que l'amour que D.D. ressentait actuellement pour son enfant à naître n'était rien comparé à l'amour qu'elle ressentirait dans un an, et un an après, et encore un an après. Six années de cet amour. Six années...

Comment une femme... Comment une mère...

Comment pouvait-on un instant border son enfant dans son lit et le suivant chercher l'endroit idéal pour l'enterrer ? Comment faire un câlin du soir à sa fille de six ans et ensuite piéger son corps avec des explosifs ?

J'aime ma fille, avait dit Tessa. *J'aime ma fille.*

Quelle foutue salope.

D.D. fit prise d'un nouveau haut-le-cœur. Bobby était à côté d'elle. Elle le sentit repousser ses cheveux en arrière. Il lui tendit une bouteille d'eau. Elle s'en servit pour se rincer la bouche et leva son visage rougi vers le ciel pour sentir la neige sur ses joues.

« Allez, viens, je te ramène à la voiture. Il est temps que tu te reposes un peu, D.D. Ça va aller. Vraiment. Ça va aller. »

Il la prit par la main et la tira à travers bois. Abattue, elle mettait un pied devant l'autre en se disant que Bobby était un menteur. Que lorsqu'on a eu sous les yeux le corps pulvérisé d'une petite fille, ça ne pouvait plus jamais aller bien.

Ils devraient retourner au QG, sortir de là avant que le chemin de terre ne devienne impraticable. Il fallait qu'elle se prépare pour la conférence de presse à laquelle elle ne couperait pas. *Bonne nouvelle, nous avons sans doute retrouvé le corps de Sophie Leoni. Mauvaise nouvelle, nous avons perdu sa mère, qui, après une brillante carrière dans la police, a très certainement tué toute sa famille.*

Ils arrivèrent à la voiture. Bobby ouvrit la portière passager. Elle se glissa à l'intérieur ; en vrac, les nerfs à vif, elle aurait donné pratiquement n'importe quoi pour être quelqu'un d'autre. Elle ne voulait plus être enquêtrice. Le commandant D.D. Warren n'avait pas coincé le criminel. Le commandant D.D. Warren n'avait pas sauvé l'enfant. Le commandant D.D. Warren était elle-même sur le point de devenir mère et regardez Tessa Leoni, policière hors pair, qui avait tué, enterré et ensuite fait exploser sa propre fille, et qu'est-ce qu'on disait déjà des femmes policières qui deviennent mères, mais qu'est-ce que D.D. avait dans le crâne ?

Elle n'aurait pas dû être enceinte. Elle n'était pas assez forte. Derrière une façade sévère de plus en plus fissurée, il n'y avait qu'un immense puits de tristesse. Tous les cadavres qu'elle avait examinés au fil des ans. Les autres enfants qui n'étaient pas rentrés chez eux. Les visages sans remords des parents, oncles, grands-parents ou même voisins qui avaient commis les crimes.

Le monde était cruel. Elle ne résolvait une affaire de meurtre que pour passer à la suivante. Ne mettait un parent sadique à l'ombre que pour voir un mari violent libéré le lendemain. Et la ronde ne s'arrêtait jamais. D.D. était condamnée à passer le restant de sa carrière à arpenter des coins perdus à la recherche de petits corps sans vie qui n'avaient jamais été aimés ni même désirés.

Elle voulait juste ramener Sophie chez elle. Sauver au moins cette enfant-là. Changer au moins cette petite chose-là dans l'univers, et maintenant… maintenant…

« Chut… » Bobby lui caressait les cheveux.

Est-ce qu'elle pleurait ? Peut-être, mais ça ne suffisait pas. Elle posa sa joue baignée de larmes au creux de l'épaule de Bobby. Sentit sa chaleur frémissante. Ses lèvres trouvèrent son cou, au goût de sel. Et rien au monde ne lui parut plus naturel que de pencher la tête en arrière pour joindre ses lèvres à celles de Bobby. Il ne se déroba pas. Au contraire, elle sentit ses mains étreindre ses épaules. Alors elle l'embrassa à nouveau, cet homme qui avait été son amant, une des rares personnes qu'elle considérait comme un pilier.

Le temps fut suspendu, une ou deux fractions de seconde où elle n'eut pas à réfléchir, seulement à ressentir.

Puis les mains de Bobby se crispèrent à nouveau. Il la repoussa en douceur jusqu'à ce qu'elle soit bien calée dans le siège passager et lui sur le siège conducteur, quelques bonnes dizaines de centimètres les séparant.

« Non », dit-il.

D.D. était sans voix. Elle prenait peu à peu conscience de la gravité de ce qu'elle venait de faire. Elle jeta des regards autour de la petite voiture, cherchant désespérément une échappatoire.

« C'était juste un moment », continua Bobby. D'une voix rauque. Il s'interrompit, se racla la gorge et répéta : « Un moment. Mais j'ai Annabelle et tu as Alex. On n'est pas assez cons pour gâcher la chance qu'on a. »

D.D. hocha la tête.

« D.D.... »

Tout de suite, elle secoua la tête. Elle ne voulait plus rien entendre. Elle avait fait assez de conneries comme ça. Un moment. Comme il avait dit. Un moment. La vie était une succession de moments.

Sauf qu'elle avait toujours eu un faible pour Bobby Dodge. Elle l'avait laissé partir et ne s'en était jamais remise. Si elle parlait maintenant, elle allait fondre en larmes et c'était idiot. Bobby méritait mieux. Alex méritait mieux. Ils méritaient tous mieux.

Alors elle se prit à repenser à Tessa Leoni et ne put s'empêcher de faire le rapprochement. Deux femmes, si compétentes sur le plan professionnel et tellement nullissimes dans leur vie personnelle.

La radio du tableau de bord se mit à crépiter. D.D. sauta dessus, espérant de bonnes nouvelles.

C'était l'équipe de recherche, agent Landley au rapport. Ils avaient suivi la trace de Tessa sur trois kilomètres et demi : elle avait longé le chemin de terre enneigé jusqu'au croisement avec la route. Là, la piste de traces de pas s'était interrompue, remplacée par des empreintes de pneus fraîches.

Tout laissait à penser que Tessa Leoni n'était plus seule ni à pied.

Elle avait complice et véhicule.

Elle s'était envolée.

32

QUAND JULIANA ET MOI avions douze ans, nous nous étions trouvé une devise : « À quoi servent les amies ? » C'était comme un mot de passe, qui voulait dire que si l'une de nous avait besoin d'un service, le plus souvent pour une affaire embarrassante ou pressante, l'autre devait accepter parce que c'était à ça que servaient les amies.

Juliana avait oublié ses exercices de mathématiques. À quoi servent les amies ? lançait-elle devant nos casiers, et je me dépêchais de lui donner mes réponses. Mon connard de père refusait que je reste après les cours pour l'athlétisme. À quoi servent les amies ? lui disais-je, et Juliana demandait à sa mère de prévenir mon père qu'elle me déposerait chez moi parce que mon père ne contredisait jamais la mère de Juliana. Juliana s'amourachait du mec mignon en cours de biologie. À quoi servent les amies ? Je me faufilais jusqu'à lui pendant le déjeuner pour découvrir si mon amie avait ses chances.

J'étais arrêtée pour le meurtre de mon mari. À quoi servent les amies ?

Samedi après-midi, j'ai cherché le numéro de Juliana ; mon monde était en train de s'effondrer et il m'est apparu que j'avais besoin d'aide. Dix ans avaient passé et il n'y avait toujours qu'une personne au monde à qui je pouvais faire confiance. Alors, quand l'homme en noir est enfin parti, laissant le corps de mon mari sous la neige dans le garage, j'ai cherché le nom d'épouse, l'adresse et le numéro de téléphone de mon ancienne meilleure amie. J'ai appris ces informations par cœur pour ne laisser aucune trace écrite.

Ensuite, j'ai fabriqué deux petits engins explosifs, chargé la Denali et pris le volant.

Mes derniers gestes de femme libre. Je le savais déjà. Brian avait mal agi, mais c'était Sophie et moi qui allions payer. Alors j'avais donné cinquante mille dollars à l'assassin de mon mari pour gagner vingt-quatre heures. Du temps dont je tentais désespérément de me servir pour prendre deux coups d'avance.

Dimanche matin, Shane est arrivé et la partie a commencé. Une heure plus tard, pratiquement tabassée à mort, victime d'une commotion cérébrale et d'une fracture de la pommette, j'étais passée de brillante stratège à femme authentiquement battue, hébétée, désorientée, et, quelque part dans un coin de ma cervelle embrouillée, j'espérais vaguement que je m'étais trompée du tout au tout. Peut-être que Brian n'était pas mort sous mes yeux. Peut-être que Sophie n'avait pas été enlevée dans son lit. Peut-être que la prochaine fois que je me réveillerais, mon monde aurait comme par magie retrouvé son intégrité et mon mari et ma fille seraient à côté de moi et me tiendraient la main.

Je n'ai jamais eu cette chance.

Au lieu de ça, je suis restée clouée sur un lit d'hôpital jusqu'au lundi matin, où la police est venue m'arrêter et où le plan B s'est enclenché.

Tous les appels depuis une prison commencent par un message enregistré informant le destinataire que cet appel en PCV provient d'un établissement pénitentiaire. Accepte-t-il de payer cette communication ?

La question à un million de dollars, me suis-je dit lundi soir quand, dans la salle commune de l'unité de détention, j'ai composé le numéro de Juliana d'un doigt tremblant. Personne n'aurait pu être plus surpris que moi que Juliana accepte. Je parie qu'elle-même a été surprise. Et je parie que, dans les trente secondes qui ont suivi, elle a regretté de ne pas avoir refusé.

Comme tous les appels passés depuis la prison sont enregistrés, je suis restée vague.

« À quoi servent les amies ? » ai-je commencé, le cœur battant à tout rompre. J'ai entendu Juliana s'étrangler.

« Tessa ?

– J'aurais bien besoin d'une amie », ai-je continué, vite maintenant, avant que Juliana fasse quelque chose d'intelligent et me raccroche au nez, par exemple. « Demain après-midi. Je rappellerai. À quoi servent les amies ?»

Ensuite j'ai raccroché parce que le son de la voix de Juliana m'avait fait monter les larmes aux yeux et qu'on ne peut pas se permettre de pleurer en prison.

Et aujourd'hui, après avoir mis l'agent Fiske hors de combat, je lui ai pris son téléphone portable et j'ai piqué un cent mètres dans la neige compacte du chemin jusqu'à un immense sapin. Pliée en deux sous son baldaquin de verdure, j'ai rapidement composé le numéro de Juliana tout en récupérant un petit sac étanche que j'avais planqué sous les branches.

« Allô ? »

J'ai parlé vite. Itinéraire, coordonnées GPS et liste de fournitures. J'avais eu vingt-quatre heures en prison pour planifier mon évasion et je les avais mises à profit.

À l'autre bout du fil, Juliana n'a pas discuté. À quoi servent les amies ?

Elle aurait pu appeler la police sitôt raccroché. Mais ça m'aurait étonnée. Parce que la dernière fois que cette phrase avait été prononcée entre nous, c'était Juliana qui l'avait dite en me tendant le pistolet avec lequel son frère venait d'être tué.

J'ai posé le portable de l'agent Fiske et ouvert le sac étanche. À l'intérieur se trouvait le Glock 40 de Brian, que j'avais pris dans notre coffre.

Lui n'en aurait plus besoin. Alors que moi, oui.

Le temps que la voiture familiale gris métallisé s'arrête sur la route, mon assurance s'était envolée et j'étais fébrile de nervosité. Le pistolet rentré dans la poche de mon blouson noir, les bras serrés autour de moi, je guettais depuis la lisière du bois, avec l'impression d'être très voyante. D'une seconde à l'autre, une voiture de police allait passer dans un hurlement de moteur. Si je ne me planquais pas à temps, l'agent aux aguets m'apercevrait, ferait un demi-tour serré et c'en serait fini de moi.

Rester vigilante. Courir. Se cacher.

Alors un véhicule s'est profilé au loin, phares allumés dans la pénombre grandissante. Cette voiture roulait lentement, hésitante, comme si le conducteur cherchait quelque chose. Pas de galerie de toit pour les sirènes, donc c'était une voiture civile, pas une voiture de police. Maintenant ou jamais.

J'ai pris une grande inspiration et je suis sortie sur le bitume. Les phares ont balayé mon visage et la voiture a pilé.

Juliana était arrivée.

Je suis rapidement montée à l'arrière. À la seconde où j'ai refermé la portière, elle a démarré sur les chapeaux de roue. Je me suis retrouvée assise par terre et j'y suis restée.

Un siège auto. Vide, mais à moitié recouvert d'une couverture de bébé, donc récemment occupé. Je ne sais pas pourquoi ça m'a surprise. J'avais bien un enfant. Pourquoi pas Juliana ?

Quand nous étions petites, nous projetions d'épouser des frères jumeaux. Nous habiterions des maisons voisines et élèverions nos enfants ensemble. Juliana voulait trois enfants, deux garçons et une fille. Je prévoyais d'en avoir un de chaque sexe. Elle resterait à la maison avec ses enfants, comme sa mère. Je serais à la tête d'un magasin de jouets, où je ferais bien sûr des prix à ses rejetons.

À côté du siège auto se trouvait un sac de sport vert foncé. Je me suis mise à genoux, en restant invisible de l'extérieur, et j'ai ouvert le sac. À l'intérieur, j'ai trouvé tout ce que j'avais demandé : une tenue de rechange, entièrement noire. Des sous-vêtements propres, deux autres hauts. Ciseaux, maquillage, casquette noire et gants.

Cent cinquante dollars, en petites coupures. Sans doute tout ce qu'elle avait pu réunir dans des délais aussi courts.

Je me suis demandé si ça représentait beaucoup d'argent pour la Juliana d'aujourd'hui. Je ne connaissais que la jeune fille qu'elle avait été, pas l'épouse ni la mère qu'elle était devenue.

J'ai commencé par sortir tous les vêtements noirs et je les ai disposés sur la banquette. À force de contorsions, j'ai réussi à enlever la combinaison orange pour enfiler le jean noir et un col roulé noir. J'ai tire-bouchonné mes cheveux au-dessus de ma tête et posé la casquette sombre dessus.

Ensuite je me suis retournée pour m'observer dans le rétroviseur.

Juliana me regardait. Ses lèvres pincées dessinaient une ligne mince, ses doigts étaient blancs de crispation sur le volant.

Nouveau-né, me suis-je dit immédiatement. Elle donnait cette impression : la jeune maman épuisée qui ne dort toujours pas la nuit, légèrement sur les nerfs. Qui savait que la première année serait difficile et qui découvre avec surprise que c'est encore pire que ça. Elle a détourné les yeux, regardé la route.

Je me suis assise sur la banquette arrière.

« Merci », ai-je enfin dit.

Elle n'a rien répondu.

Nous avons roulé en silence pendant encore quarante minutes. La neige avait enfin commencé à tomber, faiblement d'abord, puis suffisamment dru pour obliger Juliana à lever le pied.

À ma demande, elle a mis les infos à la radio. Pas un mot d'un incident impliquant des policiers, donc D.D. Warren et son équipe avaient dû survivre à ma petite surprise et décider de ne pas communiquer sur le sujet.

Logique. Aucun policier n'a envie d'admettre qu'il a perdu un prisonnier, surtout s'il pense pouvoir le rattraper d'ici peu. Jusqu'à preuve du contraire, j'étais seule et à pied, donc D.D. croyait sans doute me remettre la main au collet en moins d'une heure.

Pas fâchée de la décevoir, mais soulagée qu'il n'y ait pas de victime. J'avais fait de mon mieux pour disposer les deux engins explosifs de manière à ce qu'ils explosent vers l'arrière et le tronc couché plutôt que vers l'équipe de recherche. Mais comme je débutais dans le domaine, je n'avais aucun moyen de savoir si ça marcherait.

Assise derrière l'agent Fiske, j'espérais et redoutais tout à la fois ce qui allait se produire.

La voiture a de nouveau ralenti. Juliana avait mis son clignotant, elle s'apprêtait à sortir de l'autoroute pour prendre la nationale 9. Elle avait respecté les limites de vitesse pendant tout le trajet, les yeux rivés sur la route, les deux mains sur le volant. La conductrice idéale pour une évasion.

Maintenant que nous arrivions au terme de notre équipée, je voyais sa lèvre trembler. Elle avait peur.

Je me suis demandé si elle me croyait coupable du meurtre de mon mari. Coupable de l'assassinat de ma fille. J'aurais dû l'assurer de mon innocence, mais je ne l'ai pas fait.

Je me disais que personne n'était mieux placé qu'elle pour savoir à quoi s'en tenir.

Encore douze minutes. Douze petites minutes pour remonter le temps, revenir dans notre ancien quartier. Passer devant son ancienne maison, devant celle, minable, de mes parents.

Juliana n'a regardé aucun des bâtiments. Elle n'a pas soupiré, n'a pas été envahie par la nostalgie, n'a pas prononcé un mot.

Deux derniers virages et nous y étions : le garage de mon père.

Elle s'est rangée, a éteint les phares.

La neige tombait à gros flocons maintenant, recouvrait le monde noir d'un linceul blanc.

J'ai fini de rassembler mes affaires et je les ai rangées dans le sac de sport, que j'allais emporter avec moi. Ne laisser aucune trace derrière soi.

« Quand tu rentreras chez toi, ai-je dit d'une voix étonnamment forte dans le silence, dilue de l'ammoniaque dans de l'eau chaude et nettoie la voiture avec. Ça effacera les empreintes digitales. »

Juliana m'a de nouveau regardée dans le rétroviseur, toujours sans dire un mot.

« La police va remonter jusqu'à toi. Elle va se concentrer sur le coup de fil que je t'ai passé hier soir depuis la prison. C'est une des seules pistes qu'ils aient, donc ils vont la suivre. Dis la vérité. Ce que j'ai dit, ce que tu as dit. Toute la conversation a été enregistrée, donc tu ne leur apprendras rien et nous n'avons rien dit de compromettant. »

Juliana m'a regardée, toujours silencieuse.

« Ils ne devraient pas pouvoir remonter la piste de l'appel d'aujourd'hui, lui ai-je dit. Notre seul point de contact a été le portable d'une tierce personne et je vais le passer au chalumeau. Quand j'aurai fait fondre ses circuits, il ne pourra plus parler. Donc, cet après-midi, tu es partie faire une promenade en voiture. J'ai fait exprès de choisir un itinéraire sans péage, donc ils n'auront aucun moyen de savoir où tu as été. Tu as pu aller n'importe où, pour faire n'importe quoi. Donne-leur du fil à retordre. »

Il allait sans dire qu'elle tiendrait le coup devant les questions de la police. Ce ne serait pas la première fois.

« Nous sommes quittes, a-t-elle brusquement répondu d'une voix monocorde. Ne m'appelle plus. Nous sommes quittes. »

J'ai souri, tristement, sincèrement désolée. Dix ans que nous gardions nos distances. Et nous aurions continué sans ce samedi matin où mon stupide mari était mort dans notre stupide cuisine.

On dit que les liens du sang sont les plus forts. Mais notre amitié l'avait emporté et j'avais donc fait à l'époque ce que je savais nécessaire pour Juliana. Quitte à en souffrir.

« Je referais la même chose, ai-je dit tout bas, en la regardant dans les yeux par l'intermédiaire du rétroviseur. Tu étais ma meilleure amie, je t'aimais et je referais la même chose.

– Tu l'as vraiment appelée Sophie ?

– Oui. »

La main sur la bouche, Juliana Sophia MacDougall née Howe a fondu en larmes.

J'ai mis le sac de sport sur mon épaule et je suis sortie dans la nuit enneigée. Encore un instant et le moteur a démarré. Puis les phares se sont allumés et Juliana est partie.

Je me suis dirigée vers le garage de mon père. À voir les lumières, je devinais qu'il m'attendait déjà.

33

BOBBY ET D.D. retournèrent au QG en silence. Bobby au volant, D.D. sur le siège passager. Les poings serrés sur ses genoux, elle essayait de ne penser à rien, mais son cerveau s'emballait quand même.

Elle n'avait rien mangé de la journée et n'avait dormi au mieux que d'un œil la nuit précédente. Si on ajoutait à ça la journée la plus merdique de toute sa carrière, elle avait bien le droit de perdre un peu le nord et d'embrasser un homme marié tout en portant l'enfant d'un autre. Rien de plus logique.

Elle appuya son front contre la vitre fraîche et regarda la neige. Les flocons glacés tombaient dru à présent. Effaçaient les traces de Tessa Leoni. Bloquaient la circulation. Compliquaient un recueil de preuves déjà compliqué.

Avant de quitter la scène de crime, elle avait appelé son supérieur. Mieux valait que Horgan apprenne la situation par elle plutôt que par un flash dans les médias, où la nouvelle risquait d'éclater d'un instant à l'autre. D.D. avait perdu une femme soupçonnée d'un double meurtre. Elle l'avait emmenée dans un coin perdu du Massachusetts, où son équipe tout entière était tombée dans le piège tendu par une débutante.

La police municipale allait passer pour une bande de bras cassés. Sans compter que, vu l'ampleur qu'étaient en train de prendre les opérations, la brigade de recherche des fugitifs, qui appartenait à la police d'État, allait très certainement leur retirer toute l'affaire. Donc, non contente d'avoir l'air incompétente, la police municipale allait perdre toute chance de se racheter. Un aller simple pour le royaume des abrutis. Ce que ne manqueraient pas de souligner tous les journalistes à l'avenir : *La meurtrière présumée Tessa Leoni, que la police de Boston a laissé s'évader…*

Autant espérer être enceinte, pensa D.D. Comme ça, au lieu d'être renvoyée, elle pourrait partir en congé maternité.

Elle avait mal.

Littéralement. Mal à la tête. À la poitrine aussi. Elle pleurait la perte de Sophie Leoni, une mignonne petite fille qui méritait mieux. Est-ce qu'elle attendait tous les matins avec impatience que sa mère rentre du travail ? Câlins et bisous, blottie contre elle pour écouter des histoires ou lui montrer fièrement ses derniers dessins ? D.D. l'aurait parié. Les enfants sont comme ça. Ils aiment, sans limites. De tout leur cœur. Avec chaque fibre de leur être.

Ensuite les adultes de leur entourage les trahissent.

La police les trahit.

Et ça ne s'arrête jamais.

J'aime ma fille.

« Je vais m'arrêter, dit Bobby en mettant son clignotant à droite. Il faut que je mange. Tu veux quelque chose ? »

D.D. fit signe que non.

« Et pourquoi pas des céréales ? Il faut que tu avales quelque chose, D.D. Les hypoglycémies ne t'ont jamais réussi.

– Pourquoi tu fais ça ?

– Quoi ?

– T'occuper de moi. »

Bobby quitta la route des yeux le temps de la regarder. « Je parie qu'Alex en ferait autant. Si tu le laissais faire. »

Elle fit la grimace. Bobby fit semblant de ne pas voir son regard noir et retourna son attention vers la route traîtresse. Il fallut quelques minutes pour changer de file en douceur, trouver la sortie et rejoindre le parking d'une petite galerie marchande. D.D. remarqua la présence d'une teinturerie, d'une animalerie et d'une supérette.

C'était la supérette que visait Bobby. Ils trouvèrent une place juste devant, les conditions météo hivernales ayant fait fuir la plupart des clients. En descendant de voiture, D.D. fut surprise de découvrir la couche de neige qui s'était déjà accumulée. Bobby fit le tour du véhicule et lui offrit son bras sans mot dire.

Elle accepta son aide et avança avec prudence sur le trottoir enneigé jusqu'au magasin illuminé. Bobby prit la direction du rayon traiteur. D.D. tint cinq secondes avant que l'odeur de poulet rôti ne la fasse battre en retraite. Elle laissa donc Bobby et déambula de son côté, attrapa une pomme au rayon fruits et légumes, une boîte de Cheerios au rayon céréales. Peut-être un de ces jus de fruits bio à la mode, pensa-t-elle, ou un cocktail protéiné. Elle pourrait ne plus se nourrir que de boissons diététiques, ce serait la prochaine étape logique.

Elle se retrouva dans le petit rayon pharmacie et sut en un éclair ce qu'elle allait faire.

Vite, avant qu'elle puisse changer d'avis, avant que Bobby arrive : contraceptifs, préservatifs, préservatifs, et, bien sûr, pour les cas où le préservatif craquait, tests de grossesse. Elle attrapa la première boîte qui lui tomba sous la main. Uriner sur un bâtonnet, attendre de voir ce qu'il disait. Ça ne devait pas être bien sorcier.

Pas le temps de payer. Bobby la repèrerait forcément. Alors elle fila vers les toilettes, pomme, boîte de céréales et test de grossesse serrés contre elle.

Un panonceau vert indiquait qu'il était interdit d'entrer dans les toilettes avec des articles.

On s'en fout, pensa-t-elle en poussant la porte.

Elle s'adjugea la cabine pour handicapé. Il s'y trouvait une table à langer murale en plastique. Elle l'ouvrit et s'en servit comme plan de travail. Pomme, Cheerios, test de grossesse.

Ses doigts tremblaient. Violemment. Au point qu'elle n'arrivait pas à lire ce qui était écrit sur la boîte. Alors elle reposa le test sur la table à langer et lut les instructions tout en défaisant le bouton de son pantalon pour le descendre jusqu'aux genoux.

C'était sans doute le genre de choses que les femmes faisaient chez elles. Dans un confort douillet, au milieu de leurs serviettes préférées, de murs couleur pêche et de pots-pourris de fleurs séchées. Elle s'accroupit dans ces toilettes publiques au carrelage gris industriel et fit ce qu'elle avait à faire : essayer de positionner le bâtonnet avec ses doigts toujours tremblants et uriner sur commande.

Il lui fallut s'y reprendre à trois fois. Elle posa le bâtonnet sur la table à langer, refusant de le regarder. Finit d'uriner. Remonta son pantalon. Alla se laver les mains au lavabo.

Puis elle retourna dans la cabine. Dehors, elle entendit la porte des toilettes s'ouvrir. Les pas d'une autre femme qui entrait, se dirigeait vers la cabine voisine. D.D. ferma les yeux, retenant son souffle.

Elle se sentait prise en faute, comme une mauvaise élève qui fume dans les toilettes.

Il ne fallait pas qu'on la voie, qu'on la découvre. Pour qu'elle regarde le bâtonnet, il lui fallait une intimité absolue.

Chasse d'eau. Porte de cabine qui s'ouvre. Bruit de l'eau qui coule dans le lavabo, souffle du sèche-main automatique.

La porte extérieure s'ouvrit. Se referma.

D.D. était de nouveau seule.

Lentement, elle entrouvrit un œil. Puis le deuxième. Elle regarda le bâtonnet.

Un signe plus, rose.

Le commandant D.D. Warren était officiellement enceinte.

Elle se rassit sur les toilettes, se prit la tête entre les mains et fondit en larmes.

Plus tard, assise sur le bord des toilettes, elle mangea la pomme. L'afflux de sucre dans son sang lui donna d'un seul coup une faim de loup. Elle dévora la moitié de la boîte de céréales et quitta les toilettes en quête de barres énergétiques, assortiments de fruits secs, chips, yaourts et bananes.

Lorsque Bobby finit par la retrouver, elle faisait la queue à la caisse avec son trognon de pomme, une boîte de céréales entamée, un test de grossesse ouvert et une demi-douzaine d'autres articles. La caissière, trois piercings au visage et une constellation de tatouages en forme d'étoiles, la regardait d'un œil clairement désapprobateur.

« Où tu étais passée ? demanda Bobby, contrarié. J'ai cru que je t'avais perdue. »

Puis son regard tomba sur le test de grossesse. Il ouvrit de grands yeux. Et ne dit plus un mot.

D.D. tendit sa carte de crédit, prit ses sacs de course. Sans dire un mot, elle non plus.

Ils arrivaient à la voiture lorsque son portable sonna. Elle regarda qui appelait : Phil, depuis le QG.

Le boulot. Tout juste ce dont elle avait besoin.

Elle décrocha, écouta ce que Phil avait à dire et, suite à ce qu'il lui annonçait ou à ses ripailles, se réconcilia un peu avec sa journée.

Elle rangea son téléphone et se retourna vers Bobby, posté à côté de la voiture.

« Tu sais quoi ? Tessa Leoni a passé un coup de fil pendant qu'elle était aux bons soins du bureau du shérif de Suffolk County. À vingt et une heures hier soir, elle a appelé sa meilleure amie d'enfance, Juliana Sophia Howe.

– La sœur du mec qu'elle a tué ?

– Tout juste. Bon, si tu étais arrêté pour le meurtre de ton conjoint, quelle probabilité il y aurait que tu appelles la famille de la dernière personne que tu as tuée ?

– C'est louche, dit Bobby.

– Je trouve aussi. »

Le visage de D.D. s'illumina. « On va se la faire !

– Ça marche. » Bobby ouvrit sa portière et se figea. « D.D… » Il jeta un coup d'œil vers ses sacs de course. « Heureuse ?

– Oui, dit-elle en hochant lentement la tête. Je crois que oui. »

En arrivant chez Juliana après un trajet périlleux, Bobby et D.D. découvrirent la petite maison illuminée comme en plein jour derrière les gros flocons qui tombaient avec lenteur. Une familiale gris métallisé et une berline plus sombre étaient garées dans l'allée.

Alors que Bobby et D.D. approchaient, la porte d'entrée s'ouvrit et un homme apparut. Il portait encore son costume de bureau, mais avait les bras chargés d'un bébé et d'un sac à langer. Il rencontra leur regard alors qu'ils gravissaient le perron.

« Je lui ai déjà dit d'appeler un avocat », dit-il.

Le mari attentionné, conclut D.D. « Elle en a besoin ?

– C'est une femme bien et une mère formidable. Si vous voulez vous en prendre à quelqu'un, retournez donc tuer son frère. Lui aurait mérité d'être poursuivi. Pas elle. »

Ayant dit ce qu'il avait à dire, le mari de Juliana passa entre eux en les bousculant et marcha dans la neige jusqu'à la berline bleu marine. Encore une minute pour attacher bébé à l'arrière et la famille de Juliana eut déblayé le terrain.

« Nous sommes attendus, on dirait, murmura Bobby.

– On va se la faire ! » répéta D.D.

Le mari aimant n'avait pas complètement tiré la porte derrière lui, si bien que Bobby n'eut qu'à la pousser pour ouvrir. Juliana était assise sur le canapé, en plein dans l'axe de la porte. Elle ne se leva pas, mais les regarda sans émotion.

D.D. entra la première. Elle montra sa plaque et présenta Bobby. Juliana resta assise. Bobby et D.D. restèrent debout. La pièce bruissait déjà de tension et il fut donc facile à D.D. d'en tirer la conclusion logique :

« Vous l'avez aidée, hein ? Cet après-midi, vous êtes passée chercher Tessa Leoni sur les lieux où elle avait enterré sa fille. Vous vous êtes rendue complice d'une fugitive. Pourquoi ? Voyons, continua D.D. en montrant autour d'elle la jolie petite maison avec ses peintures neuves et sa joyeuse collection de jouets de bébé, pourquoi risquer de perdre tout ça ?

– Elle n'est pas coupable. »

D.D. leva un sourcil. « Quand est-ce que vous avez pris la pilule qui rend bête et combien de temps il faut pour que les effets s'estompent ?

– Ce n'est pas moi l'imbécile, ici, répondit farouchement Juliana. C'est vous !

– Comment ça ?

– C'est toujours comme ça avec vous, éclata Juliana avec amertume. La police. Les flics. Vous regardez, mais vous ne voyez rien. Vous demandez, mais vous n'entendez rien. Il y a dix ans, ils ont foiré sur toute la ligne. Pourquoi ce serait différent aujourd'hui ? »

D.D. observa la jeune maman, interloquée par la violence de son emportement. Alors elle comprit. Ce que le mari leur avait dit dehors. Pourquoi Juliana avait inexplicablement accepté d'aider la femme qui avait détruit sa famille dix ans plus tôt. Son ressentiment persistant contre la police.

D.D. fit un premier pas, un deuxième. Elle s'accroupit, se retrouva à la hauteur de Juliana, vit ses joues sillonnées de larmes.

« Dites-nous, Juliana. Qui a tué votre frère, cette nuit-là ? Il est temps de vous libérer de ce poids. Alors parlez, je vous promets qu'on écoutera.

– Ce n'était pas Tessa qui avait le pistolet, murmura Juliana Howe. Elle l'avait apporté pour moi. Parce que je lui avais demandé. Elle n'avait pas le pistolet. À aucun moment.

– Qui a tiré sur Tommy, Juliana ?

– C'est moi. J'ai tiré sur mon frère. Et je suis désolée, mais je recommencerais s'il le fallait ! »

Maintenant que le barrage avait enfin cédé, Juliana confessa le reste de l'histoire d'un trait, en sanglotant. La première nuit où son frère avait abusé d'elle à son retour à la maison. Le lendemain matin, où il l'avait suppliée en pleurant de lui pardonner. Il avait bu, il ne savait pas ce qu'il faisait. Bien sûr, plus jamais ça n'arriverait… mais, pitié, il ne fallait rien dire à papa et maman.

Elle avait accepté de garder son secret, mais ensuite cela s'était reproduit. Six fois, il l'avait violée, et il n'était plus soûl, et il ne s'excusait plus. Il lui disait que c'était sa faute. Si elle ne s'habillait pas comme ça, si elle ne s'exhibait pas sous son nez…

Alors elle avait commencé à porter des vêtements trop larges, à ne plus se coiffer ni mettre de maquillage. Est-ce que cela avait aidé ou est-ce que c'était simplement parce qu'il était parti pour l'université, où il avait trouvé plein d'autres filles à violer ? En tout cas, il la laissait la plupart du temps tranquille. Sauf le week-end.

Elle n'arrivait plus à se concentrer en cours, avait toujours des cernes noirs sous les yeux parce que, si on était vendredi, alors Tommy allait peut-être rentrer à la maison et il fallait qu'elle soit vigilante. Elle avait ajouté un verrou à la porte de sa chambre. Deux semaines plus tard, en revenant de l'école, elle avait trouvé la porte complètement fracassée.

« Je suis vraiment désolé, avait dit Tommy pendant le dîner. Je n'aurais pas dû courir comme ça dans le couloir. » Et ses parents l'avaient regardé avec un grand sourire parce qu'il était leur fils aîné et qu'ils étaient en adoration devant lui.

Un lundi matin, Juliana avait craqué. Arrivée à l'école, elle s'était mise à pleurer, inconsolable. Tessa l'avait emmenée dans la cabine du fond des toilettes des filles et elle avait attendu que Juliana arrête de pleurer et se mette à parler.

Ensemble, elles avaient mis au point un plan. Le père de Tessa avait un pistolet. Elle le prendrait.

« De toute façon, il ne fait jamais attention, avait dit Tessa. Ça ne devrait pas être difficile. »

Tessa devait donc prendre le pistolet et l'apporter le vendredi soir. Elle serait invitée à dormir. Elle monterait la garde. Quand Tommy arriverait, Juliana sortirait l'arme. Elle braquerait le pistolet sur lui en lui disant que si jamais il s'avisait de la toucher encore, elle lui ferait exploser les couilles.

Elles s'étaient entraînées à dire cette phrase. Elle leur plaisait.

Ça paraissait logique, planquées dans les toilettes. Tommy, comme n'importe quel tyran, avait besoin de rencontrer de la résistance. Alors, il battrait en retraite et Juliana serait de nouveau en sécurité.

Tout ça paraissait parfaitement logique.

Dès le jeudi, Tessa avait le pistolet. Le vendredi soir, elle était venue et l'avait donné à Juliana.

Ensuite elles s'étaient installées sur le canapé et, un brin nerveuses, avaient commencé leur soirée cinéma.

Tessa s'était endormie par terre. Juliana sur le canapé. Mais toutes les deux s'étaient réveillées quand Tommy était rentré.

Pour une fois, il n'avait pas regardé sa sœur. Mais il ne pouvait plus détacher ses yeux de la poitrine de Tessa.

« Comme des pommes mûres », avait-il dit en s'approchant d'elle d'un pas mal assuré alors que Juliana sortait triomphalement le pistolet.

Elle l'avait braqué sur son frère. Elle lui avait ordonné de s'en aller. De les laisser tranquilles, Tessa et elle, *sinon.*

Mais Tommy l'avait regardée en s'esclaffant. « Sinon *quoi* ? Est-ce que tu sais même tirer avec ce truc ? À ta place, je vérifierais le cran de sûreté. »

Juliana avait immédiatement levé l'arme pour vérifier le cran de sûreté. Alors Tommy s'était jeté sur elle pour essayer d'attraper le pistolet.

Tessa criait. Juliana criait. Tommy montrait les dents, tirait les cheveux de Juliana, mettait ses mains partout sur elle.

Le pistolet, écrasé entre eux. La balle, qui partait.

Tommy qui reculait en regardant sa jambe d'un air estomaqué.

« Salope », avait dit son frère. Le dernier mot qu'il lui avait dit. « Salope », avait-il répété avant de s'effondrer pour, lentement mais sûrement, mourir.

Juliana avait paniqué. Elle ne voulait pas... Ses parents, mon Dieu, ses parents...

Elle avait mis le pistolet dans les mains de Tessa. Il fallait que Tessa le prenne. Il fallait que Tessa... se sauve... qu'elle s'en aille. *Va-t'en va-t'en va-t'en.*

Alors Tessa l'avait fait. Et ces mots avaient été les derniers que Juliana avait dits à sa meilleure amie. *Va-t'en va-t'en va-t'en.*

Le temps que Tessa rentre chez elle, la police arrivait chez Juliana. Juliana aurait pu reconnaître les faits. Elle aurait pu avouer comment était vraiment son frère. Mais sa mère criait comme une hystérique, son père était frappé de stupeur, et elle n'avait pas pu s'y résoudre. Elle n'avait pas pu.

Juliana avait murmuré le nom de Tessa à la police et, en un clin d'œil, la fiction était devenue réalité. Tessa avait tué son frère.

Et Tessa n'avait jamais démenti.

« J'aurais avoué, dit Juliana. Si ça avait été jusqu'au procès, si Tessa avait vraiment paru en mauvaise posture... j'aurais avoué. Mais d'autres femmes ont commencé à témoigner et il est devenu clair que Tessa ne serait jamais inculpée. Le procureur lui-même a dit qu'à ses yeux c'était de la légitime défense.

« J'ai cru qu'elle s'en sortirait bien. Et mon père... à ce moment-là, c'était une épave. S'il ne pouvait pas accepter l'idée que Tommy ait agressé d'autres femmes, comment aurait-il cru ce qu'il m'avait fait *à moi* ? Ça paraissait mieux de ne rien dire. Sauf que... plus on se tait, plus ça devient difficile de parler. J'avais envie de voir Tessa, mais je ne savais pas quoi dire. J'avais envie que mes parents sachent ce qui s'était passé, mais je ne savais pas comment leur dire.

» J'ai perdu la parole. Littéralement. Pendant un an. Et mes parents ne s'en sont même pas aperçus. Ils étaient trop occupés avec leur dépression nerveuse pour se soucier de la mienne. Ensuite Tessa a disparu ; j'ai entendu dire que son père l'avait jetée dehors. Elle ne m'en a jamais rien dit. Elle n'est pas passée me dire au revoir. Peut-être qu'elle aussi était devenue muette. Je n'ai jamais su. Jusqu'à votre visite d'hier matin, je ne savais pas qu'elle était devenue policière, je ne savais pas qu'elle s'était mariée et je ne savais pas qu'elle avait une petite fille qui s'appelait Sophie. C'est mon deuxième prénom, vous savez. Elle a donné mon nom à sa fille. Après tout ce que je lui avais fait, elle a quand même donné mon nom à sa fille...

– Une fille qui est morte, aujourd'hui, remarqua brutalement D.D.

– Vous vous trompez !

– C'est vous qui vous trompez, Juliana : nous avons vu le corps. Du moins, des morceaux, elle l'a fait exploser. »

Juliana blêmit, mais secoua de nouveau la tête. « Vous vous trompez, s'entêta la jeune femme.

– Encore une fois, venant d'une femme dont les parents sont des spécialistes du déni...

– Vous ne connaissez pas Tessa.

– Depuis dix ans, vous non plus.

– Elle est maligne. Débrouillarde. Mais elle ne ferait pas de mal à un enfant, pas après ce qui est arrivé à son frère. »

Bobby et D.D. se regardèrent. « Quel frère ?

– Un bébé mort-né. C'est ça qui a déchiré sa famille, des années avant que je la rencontre. Sa mère a fait une grave dépression, elle aurait probablement dû être hospitalisée, mais qu'est-ce qu'on savait de ces choses-là à l'époque ? Elle vivait cloîtrée dans sa chambre. Elle n'en sortait jamais et en tout cas elle ne s'est jamais occupée de Tessa. Son père faisait de son mieux, mais il n'était pas très présent. Ça n'empêchait pas Tessa de les aimer. Elle essayait de s'occuper d'eux, à sa manière. Et elle aimait aussi son petit frère. Un jour, nous lui avons fait un enterrement, juste elle et moi. Et elle a pleuré, vraiment pleuré, parce que c'était la seule chose qu'on n'avait jamais le droit de faire chez elle. »

D.D. regardait Juliana. « Vous savez quoi, vous auriez pu m'en parler avant.

– Et vous, vous auriez pu comprendre avant. Les flics. Il faut que ce soit les victimes qui fassent tout le boulot à votre place ? »

D.D. se hérissa. Bobby posa vite une main apaisante sur son bras.

« Où l'avez-vous emmenée ? demanda-t-il posément.

– Je ne sais pas de quoi vous parlez, dit Juliana.

– Vous êtes allée chercher Tessa en voiture. Vous l'avez déjà reconnu.

– Non. C'est faux. Votre collègue a dit que j'étais allée la chercher en voiture. Moi, je n'ai jamais rien dit de tel. »

D.D. grinça des dents. « Vous voulez la jouer comme ça ? » Elle montra les jouets qui jonchaient le sol. « On peut vous emmener au QG. Saisir votre voiture. La mettre en pièces pendant que vous moisirez derrière les barreaux. Quel âge a votre enfant, déjà ? Parce que je ne sais même pas si les bébés ont le droit de faire des visites en prison.

– Tessa m'a appelée lundi peu après vingt et une heures, répondit Juliana d'un air de défi. Elle a dit : À quoi servent les amies ? J'ai dit : Tessa ? Parce que j'étais surprise d'entendre sa voix après toutes ces années. Elle a dit qu'elle me rappellerait. Et elle a raccroché. Voilà ce qu'on s'est dit, et c'est le seul échange que j'ai eu depuis dix ans avec Tessa Leoni. Si vous voulez savoir pourquoi elle a appelé, ce qu'elle voulait dire et si elle avait l'intention de me recontacter, il va falloir lui poser la question. »

D.D. en restait comme deux ronds de flan, littéralement. Qui aurait cru que la petite camarade banlieusarde de Tessa aurait un tel cran ?

« Un seul cheveu dans votre voiture et vous êtes fichue. »

Juliana fit mine de se prendre la tête à deux mains. « Oh, mince, je suis désolée. Je vous ai dit que j'avais passé l'aspirateur ? Oh, et justement l'autre jour, j'ai appris la meilleure recette de grand-mère pour laver sa voiture : un truc avec de l'ammoniaque… »

D.D. regarda cette parfaite ménagère. « Je vais vous coffrer rien que pour ça.

– Allez-y.

– Tessa a tué son mari. Elle a traîné son corps jusque dans le garage et elle l'a recouvert de neige, répondit brusquement D.D. Tessa a tué sa fille, elle a emporté son corps dans les bois et elle l'a piégé avec des explosifs suffisamment puissants pour descendre l'équipe de recherche. Voilà la femme que vous essayez de protéger.

– Voilà la femme dont vous *pensiez* qu'elle avait tué mon frère, corrigea Juliana. Vous vous trompiez. De là à imaginer que vous vous trompez sur le reste…

– Nous ne nous trompons pas… »

Mais D.D. s'interrompit. L'air soucieux. Une idée venait de lui traverser l'esprit, ce doute insidieux qu'elle avait éprouvé dans la forêt. Et merde.

« Il faut que je passe un coup de fil. Vous. Pas bouger. Éloignez-vous d'un pas de ce canapé et je vous jette en taule. »

Puis, d'un signe de tête, elle fit signe à Bobby de la suivre sur le perron, où elle sortit son portable.

« Qu'est-ce…, commença-t-il, mais elle le fit taire.

– Le service de médecine légale ? demanda-t-elle dans le téléphone. Allez me chercher Ben. Je sais qu'il travaille. Pourquoi vous croyez que j'appelle ? Dites-lui que c'est le commandant Warren, parce que je vous parie qu'il est devant un microscope en train de se dire qu'il y a comme un blême. »

34

LE GARAGE DE MON PÈRE n'avait jamais été très reluisant et les dix ans qui s'étaient écoulés n'avaient rien arrangé. Un bâtiment trapu en parpaings, dont la peinture extérieure couleur de nicotine se décollait en grosses écailles. Le chauffage avait toujours été capricieux ; en hiver, mon père travaillait sous les voitures en combinaison de ski. La plomberie ne valait pas mieux. Il y avait autrefois eu des toilettes en état de marche. La plupart du temps, mon père et ses copains urinaient le long de la clôture, en hommes qui marquent leur territoire.

Deux avantages à l'atelier de mon père, cependant : primo, tout un cheptel de voitures d'occasion en attente de réparation avant une revente ; deuxio, un chalumeau, idéal pour découper le métal et, accessoirement, faire fondre un téléphone portable.

La lourde porte principale était fermée à clé. Idem pour le rideau de fer. Mais la porte de service était ouverte. J'ai suivi la lueur de l'ampoule dénudée jusqu'au fond du garage, où mon père, assis sur un tabouret, fumait une cigarette en me regardant arriver.

Une demi-bouteille de whisky était posée derrière lui sur l'établi. Il m'avait fallu des années pour comprendre à quel point mon père était alcoolique. Et que si nous allions nous coucher à neuf heures du soir, ce n'était pas seulement parce que mon père se levait tôt, mais parce qu'il était trop soûl pour continuer sa journée.

Quand j'ai eu Sophie, j'ai espéré que ça m'aiderait à comprendre mes parents et leur douleur sans fin. Mais non. Même s'ils pleuraient la perte d'un nouveau-né, comment avaient-ils pu ne pas sentir l'amour que leur portait l'enfant qui leur restait ? Comment avaient-ils pu littéralement cesser de me voir ?

Mon père a pris une dernière bouffée avant d'écraser sa cigarette. Il n'utilisait pas de cendrier ; son établi balafré en tenait lieu.

« Je savais que tu viendrais, a-t-il dit avec la voix rauque d'un fumeur de toujours. Ils viennent d'annoncer ton évasion aux infos. J'ai pensé que tu allais rappliquer. »

Alors comme ça, le commandant Warren avait reconnu son erreur. Tant mieux pour elle.

Sans répondre à mon père, je suis allée vers le chalumeau.

Mon père portait encore sa combinaison pleine de cambouis. Même à cette distance, je voyais qu'il avait toujours une large carrure, des pectoraux développés. Le fruit de journées passées à travailler les bras au-dessus de la tête.

S'il voulait m'arrêter, il aurait la force physique de son côté.

J'avais les mains tremblantes à cette idée quand je suis arrivée devant les deux bouteilles de gaz du chalumeau. J'ai pris les lunettes de protection sur leur crochet et je me suis préparée à passer aux choses sérieuses. Je portais les gants noirs que Juliana m'avait apportés et j'ai dû les enlever pour démonter le téléphone : le sortir de sa coque, retirer la batterie.

Ensuite, j'ai remis les gants noirs et enfilé des gants de soudeur par-dessus. J'ai mis le sac de sport au pied du mur et posé le téléphone portable sur le sol en ciment, la meilleure surface quand on travaille avec un chalumeau qui coupe le métal comme du beurre.

À quatorze ans, j'avais passé tout un été à travailler dans le garage de mon père. J'aidais à faire les vidanges, à remplacer les bougies, à permuter les pneus. Encore une de mes fausses bonnes idées : pour que mon père s'intéresse à mon univers, peut-être fallait-il que je m'intéresse au sien.

Nous avons travaillé tout l'été côte à côte, et il grondait des ordres de sa voix grave. Et puis, quand l'heure de la pause arrivait, il se retirait dans son bureau poussiéreux et me laissait manger seule dans le garage. Ni moments de silence complice entre un père et sa fille, ni sobres compliments. Il me disait quoi faire. Je faisais ce qu'il me disait. Point barre.

À la fin de l'été, j'avais compris que mon père n'était pas un bavard et qu'il ne m'aimerait sans doute jamais.

Heureusement que j'avais Juliana pour compenser.

Mon père était toujours sur le tabouret. Sa cigarette finie, il était passé au Jack Daniel's, qu'il buvait dans un vieux gobelet en plastique.

J'ai descendu les lunettes de protection sur mes yeux, allumé le chalumeau et fait fondre le téléphone portable de l'agent Fiske jusqu'à ce qu'il ne reste plus qu'un petit bloc de plastique noir inerte.

Ça m'a bien ennuyé de le détruire – on ne sait jamais quand on peut avoir besoin de passer un coup de fil. Mais je ne pouvais pas m'y fier. Certains téléphones ont un GPS intégré, donc ils auraient pu s'en servir pour me pister. Et si je passais un coup de fil, ils pourraient le localiser par triangulation. D'un autre côté, je ne pouvais pas non plus prendre le risque de le balancer dans la nature : si la police le récupérait, elle y trouverait la trace de mon appel à Juliana.

D'où le chalumeau, qui, il faut le reconnaître a fait son office.

Je l'ai éteint. J'ai fermé les bouteilles, enroulé les tuyaux, raccroché les gants de soudeur et les lunettes de protection.

Afin de laisser le moins de traces possibles, j'ai jeté le téléphone fondu, maintenant refroidi, dans le sac de sport. La police ne tarderait pas à débarquer. Quand on pourchasse un fugitif, on va toujours voir les lieux qu'il avait l'habitude de fréquenter et ses proches, aux rangs desquels ils devaient compter mon père.

Je me suis redressée et, ma première tâche accomplie, je me suis enfin tournée vers lui.

Son âge le rattrapait. Je le voyais à présent. Ses joues se faisaient bajoues, son front était strié de profondes rides. Il avait l'air défait. Un ancien jeune homme puissant, désabusé par la vie et tous les rêves qui ne s'étaient jamais réalisés.

J'aurais voulu le haïr, mais j'en étais incapable. C'était une constante dans ma vie : j'aimais des hommes qui ne me méritaient pas et, même en le sachant, je désirais tout de même leur amour.

« Ils disent que tu as tué ton mari. » Il s'est mis à tousser, une toux qui est immédiatement devenue grasse.

« Il paraît.

– Et ma petite-fille. »

Il a dit cela sur un ton accusateur. Ça m'a fait sourire.

« Tu as une petite-fille, toi ? C'est marrant parce que je ne me souviens pas que ma fille ait reçu une seule visite de son grand-père. Ni cadeau d'anniversaire, ni babiole à mettre au pied du sapin de Noël. Alors me parle pas de petits-enfants, papy. On récolte ce qu'on sème.

– Tu es dure.

– Je tiens ça de toi. »

Il a brutalement reposé son verre. Du liquide ambre s'est renversé. J'ai senti une odeur de whisky et l'eau m'est montée à la bouche. Plutôt que de tourner en rond avec une dispute qui ne nous mènerait nulle part, je n'avais qu'à prendre une chaise et boire avec mon père. C'était peut-être ça qu'il attendait, l'été de mes quatorze ans. Il n'avait pas besoin d'une enfant qui travaille pour lui, il avait besoin d'une fille qui boive avec lui.

Deux alcooliques côte à côte dans la faible lumière d'un garage vétuste.

Comme ça, nous aurions tous les deux failli à nos enfants.

« Je vais prendre une voiture.

– Je vais te dénoncer.

– Fais ce que tu as à faire. »

Je me suis tournée vers le panneau perforé à gauche de l'établi, avec des petits crochets pour les clés. Mon père est descendu de son tabouret et s'est dressé de toute sa hauteur devant moi.

Un type costaud, imbu de toute la fausse bravoure de son copain Jack D. Mon père ne m'avait jamais frappée. Au moment où j'attendais qu'il le fasse pour la première fois, je n'étais pas effrayée, juste lasse. Je connaissais cet homme ; il n'avait pas seulement le visage de mon père, mais celui de la demi-douzaine de connards que je devais raisonner cinq soirs par semaine.

« Papa, me suis-je entendue dire d'une voix douce. Je ne suis plus une petite fille. Je suis agent de police, et si tu veux m'arrêter, il va falloir t'y prendre mieux que ça.

– Je n'ai pas élevé une tueuse d'enfant.

– C'est vrai. Tu as raison. »

Son front s'est plissé. L'esprit embrumé, il avait du mal à comprendre.

« Tu veux que je plaide mon innocence ? ai-je continué. J'ai déjà essayé, une fois. Ça n'a pas marché.

– Tu as tué le jeune Howe.

– Non.

– La police dit que si.

– Ça m'ennuie beaucoup d'avoir à te le dire, mais il arrive que la police se trompe.

– Alors pourquoi tu es entrée dans la police si elle est nulle ?

– Comme ça. Je voulais être utile. Et je suis bonne dans mon métier.

– Jusqu'à ce que tu tues ton mari et ta fille.
– Non.
– La police dit que si.
– On tourne en rond. »

Il a de nouveau plissé le front.

« Je vais prendre une voiture, ai-je répété. Je vais m'en servir pour partir à la poursuite de l'homme qui a enlevé ma fille. Tu peux discutailler avec moi ou bien tu peux me dire lequel de ces tacots est le plus apte à avaler quelques kilomètres. Oh, et ce serait sympa d'avoir de l'essence. Passer dans une station n'est pas trop indiqué dans ma situation.

– J'ai une petite-fille, a-t-il dit d'un air bourru.

– Oui. Elle a six ans, elle s'appelle Sophie et elle compte sur moi pour venir à son secours. Alors aide-moi, papa. Aide-moi à la sauver.

– C'est une teigneuse comme sa mère ?
– Franchement, j'espère.
– Qui l'a enlevée ?
– Première chose qu'il va falloir que je découvre.
– Comment tu vas t'y prendre ? »

J'ai souri, un sourire amer cette fois-ci. « Disons simplement que l'État du Massachusetts a beaucoup investi dans ma formation et qu'il va avoir son retour sur investissement. La voiture, papa. Je n'ai pas beaucoup de temps et Sophie non plus. »

Sans broncher, il a croisé les bras et m'a regardée de haut. « Est-ce que tu me mens ? »

Je n'avais plus envie de discuter. Alors j'ai fait un pas, je l'ai enlacé à la taille et j'ai posé la tête sur son large torse. Il sentait la cigarette, l'huile de moteur et le whisky. Il sentait mon enfance, la maison et la mère qui me manquaient encore.

« Je t'aime, papa. Je t'ai toujours aimé. Je t'aimerai toujours. »

Son corps tremblait. Un léger frisson. J'ai choisi de croire que c'était sa manière de me dire qu'il m'aimait aussi. D'autant que l'autre hypothèse était trop pénible.

Je me suis écartée. Il a décroisé les bras, s'est approché du panneau perforé et m'a tendu une clé.

« La Ford bleue, derrière. Beaucoup de kilomètres, mais elle en a encore dans le ventre. Quatre roues motrices. Tu vas en avoir besoin. »

Pour conduire sur route enneigée. Parfait.

« Il y a des bidons d'essence contre le mur extérieur. Sers-toi.

– Merci.

– Amène-la, a-t-il dit brusquement. Quand tu l'auras retrouvée, quand tu l'auras… récupérée, je voudrais… je voudrais rencontrer ma petite-fille.

– Peut-être. »

Mon hésitation l'a fait sursauter, il m'a regardée d'un œil noir.

J'ai pris la clé et j'ai soutenu son regard sans broncher. « Conseil d'un alcoolique à un autre : il faut que tu arrêtes de boire, papa. Ensuite, on verra.

– Tu es dure. »

J'ai souri une dernière fois et embrassé sa joue parcheminée en murmurant : « Je tiens ça de toi. »

La clé en main, j'ai attrapé mon sac de sport et je me suis éclipsée.

35

« POURQUOI LA SCÈNE DE LA FORÊT était-elle aussi abominable ? demandait D.D. un quart d'heure plus tard avant de répondre elle-même à la question : Parce qu'on ne peut pas imaginer qu'une mère tuerait son enfant et ferait ensuite exploser son corps. On ne peut pas imaginer qu'une femme puisse faire une chose pareille. »

Bobby, debout à côté d'elle sur le perron de Juliana Howe, hocha la tête. « Diversion. Elle avait besoin de gagner du temps pour son évasion.

– Pas vraiment, en fait. Elle était déjà seule avec l'agent Fiske, à plusieurs centaines de mètres de l'équipe de recherche. Elle aurait facilement pu sauter sur Fiske sans cette diversion et prendre une bonne demi-heure d'avance. C'est pour ça que faire exploser les restes de l'enfant semblait si abominable : c'était gratuit. Pourquoi faire une chose aussi horrible ?

– D'accord, tu as gagné : pourquoi faire une chose pareille ?

– Parce qu'elle avait besoin que les os soient fragmentés. Elle ne pouvait pas se permettre que nous retrouvions les restes *in situ*. Parce que, là, il aurait été évident que le corps n'était pas celui d'un enfant. »

Bobby ouvrit de grands yeux. « Pardon ? Les lambeaux de vêtements roses, le jean, la côte, la dent…

– Les vêtements ont été cachés là avec le corps. La côte est à peu près de la bonne taille pour une enfant de six ans... ou pour un grand chien. Ben vient de s'amuser comme un petit fou à examiner des fragments d'os en laboratoire. Ces ossements ne sont pas humains. Ils sont canins. Bonne taille. Mauvaise espèce. »

Bobby comprit en deux temps. « Putain de bordel », dit-il, lui qui ne jurait pratiquement jamais. « Le berger allemand. Le vieux chien de Brian Darby, celui qui avait claqué. C'est ce corps-là que Tessa a enterré ?

– Il semblerait. D'où la forte odeur de décomposition dans la Denali. D'après Ben, l'épaisseur et la longueur de nombreux os chez un grand chien sont les mêmes que chez un enfant de six ans. Bien sûr, le crâne ne correspond pas du tout, sans parler de petits détails comme la queue et les pattes. Donc on ne pourrait jamais confondre un squelette canin intact avec un squelette humain. Mais des fragments d'ossements éparpillés... Ben s'excuse de son erreur. Il est un peu gêné, à vrai dire. Ça fait un moment qu'une scène de crime ne lui avait pas mis la tête à l'envers comme ça.

– Une seconde, objecta Bobby en levant une main prudente. Les chiens de recherche de cadavres, tu te souviens ? Ils n'auraient pas détecté de restes non humains. Leur flair et leur dressage sont meilleurs que ça.

– Sacrément maligne, répondit tout bas D.D. en souriant. Ce n'est pas ce qu'a dit Juliana ? Tessa Leoni est très maligne, il faut le reconnaître.

« Deux dents de devant, expliqua-t-elle ensuite. Et trois tampons pleins de sang, retrouvés sur la scène après notre départ. Ben fournit une partie du matériel de dressage qu'utilisent les équipes cynophiles. D'après lui, les maîtres-chiens ne manquent pas d'imagination quand il s'agit de trouver du “cadavre”, puisqu'il est interdit de s'approprier de vraies dépouilles. Apparemment, les dents sont comme des os. Donc les maîtres-chiens en récupèrent chez leur dentiste et s'en servent pour le dressage. Même chose pour les tampons usagés. Tessa a caché un cadavre de chien, mais parsemé le site de "cadavre humain" : les dents de lait de sa fille agrémentées de quelques articles d'hygiène féminine.

– C'est immonde, dit Bobby.

– C'est ingénieux, répliqua D.D.

– Mais dans quel but ? »

D.D. dut réfléchir. « Parce qu'elle savait que nous l'accuserions. Elle était déjà passée par là, non ? Elle n'avait pas tué Tommy Howe, et pourtant la police l'avait cru. Donc, nous avions raison : ce qu'elle a vécu il y a dix ans rejaillit sur ce qu'elle vit aujourd'hui. Un nouveau drame se produit dans la vie de Tessa Leoni : son premier réflexe est de se dire qu'on va l'accuser. Sauf que cette fois-ci on va sans doute l'arrêter. Donc elle organise toute une mise en scène pour pouvoir s'évader.

– Mais dans quel but ? répéta Bobby. Si elle n'a rien fait, pourquoi ne pas nous dire la vérité ? Pourquoi… un stratagème aussi compliqué ? Elle travaille dans la police, maintenant. Est-ce qu'elle ne devrait pas faire un peu plus confiance au système ? »

D.D. lui lança un regard appuyé.

Il soupira. « Okay. Nous sommes des cyniques dans l'âme.

– Mais pourquoi ne pas nous parler ? continua D.D. Réfléchissons à ça. Nous supposions que Tessa avait tué Tommy Howe il y a dix ans. Nous nous trompions. Nous supposions qu'elle avait tué son mari, Brian, samedi matin. Eh bien, peut-être que nous nous trompons aussi là-dessus. Ce qui voudrait dire que quelqu'un d'autre est coupable. Quelqu'un qui aurait tué Brian et enlevé Sophie.

– Pourquoi tuer le mari, mais kidnapper l'enfant ?

– Chantage, répondit immédiatement D.D. On en revient aux jeux d'argent. Brian avait trop de dettes. Mais au lieu de le faire cracher, lui, le maillon faible, ils s'attaquent à Tessa : ils tuent Brian pour montrer qu'ils ne plaisantent pas et enlèvent Sophie. Tessa pourra récupérer sa fille si elle paye. Donc Tessa va à la banque, retire cinquante mille dollars…

– Clairement pas suffisants, fit remarquer Bobby.

– Exactement. Il lui faut plus d'argent, mais aussi gérer le fait que son mari est mort, abattu avec son pistolet, comme l'a montré l'analyse balistique. »

Bobby eut une idée. « Elle était chez elle, dit-il brusquement. Il n'y a que comme ça qu'ils ont pu tuer Brian avec son pistolet. Tessa était chez elle. Peut-être même qu'elle est arrivée en plein milieu d'une scène. Quelqu'un détenait déjà son enfant. Que peut-elle faire ? L'homme exige qu'elle lui donne son Sig Sauer et…

– Tue Brian, conclut D.D.

– Elle est foutue. Elle sait qu'elle est foutue. Son mari a été abattu avec son arme de service, son enfant a été enlevée et il y a un antécédent de meurtre dans son dossier. Quelle chance y a-t-il que quelqu'un la croie ? Même si elle avait dit : *Hé, un truand a buté mon mari accro au jeu avec mon arme de service et maintenant j'ai besoin de votre aide pour sauver mon enfant…*

– Je n'aurais jamais gobé ça, répondit catégoriquement D.D.

– Les policiers sont des cyniques dans l'âme, répéta Bobby.

– Alors elle réfléchit. Pour récupérer Sophie, il faut absolument qu'elle se procure l'argent ; pour se procurer l'argent, il faut absolument qu'elle reste libre.

– Donc elle s'organise. »

D.D. était concentrée. « Bon, suite à son expérience avec Tommy, le plan A est de plaider la légitime défense. Mais ça risque de ne pas être simple, vu que l'accusation de violences conjugales fera reposer la charge de la preuve sur elle, donc elle juge qu'il lui faut aussi une solution de secours. Le plan B sera donc de cacher des ossements de chien dans les bois et de prétendre qu'il s'agit de la dépouille de sa fille. Si la légitime défense ne marche pas et qu'elle est finalement arrêtée, elle pourra s'évader en se servant du plan B.

– Malin, observa Bobby. Comme l'a dit Juliana, elle est débrouillarde.

– Compliqué, répliqua D.D. en se renfrognant. Surtout que maintenant elle est en cavale et qu'il lui sera d'autant plus difficile de se procurer l'argent et de voler au secours de Sophie. Pourquoi prendre un tel risque quand la vie de sa fille est en jeu ? Est-ce qu'il ne serait pas plus simple de reconnaître ses torts et de nous supplier de l'aider ? D'obtenir que nous pourchassions les truands et que nous secourions Sophie, quitte à ce qu'on l'arrête avant ?

– Peut-être que, comme Juliana, elle n'a qu'une confiance limitée dans les policiers. »

Mais D.D. eut soudain une autre idée. « Peut-être, dit-elle lentement, qu'un policier fait justement partie du problème. »

Bobby la regarda, puis elle le vit comprendre où elle voulait en venir.

« Qui l'a tabassée ? reprit D.D. Qui l'a frappée avec une telle violence que pendant vingt-quatre heures elle ne tenait même plus debout ? Qui ne l'a pas quittée un instant lorsque nous étions chez elle dimanche matin, une main sur son épaule ? J'ai pris ça pour une manifestation de soutien. Mais peut-être qu'il la rappelait au silence.

– L'agent Lyons.

– Ce précieux "ami" qui lui a fracturé la pommette et qui a rendu son mari accro au jeu. Peut-être parce que lui-même passait déjà une bonne partie de son temps à Foxwoods.

– L'agent Lyons ne fait pas partie de la solution, murmura Bobby. Il est au cœur du problème.

– On va se le faire ! » dit D.D.

Elle commençait déjà à descendre le perron lorsque Bobby l'attrapa par le bras.

« D.D., tu sais ce que ça veut dire ?

– Que je vais enfin pouvoir me payer l'agent Lyons ?

– Non. Sophie Leoni. Elle est peut-être encore en vie. Et l'agent Lyons sait où elle se trouve. »

D.D. se figea. En proie à une bouffée d'émotions. « Alors écoute-moi, Bobby. On n'a pas droit à l'erreur et j'ai un plan. »

36

La vieille Ford n'aimait ni les changements de vitesse, ni les freinages. Heureusement, entre l'alerte-neige et l'heure tardive, les routes étaient plus ou moins désertes. J'ai croisé plusieurs chasse-neige, quelques véhicules de secours et diverses voitures de police qui vaquaient à leurs occupations. Le regard droit, je respectais scrupuleusement les limitations de vitesse. Vêtue de noir, une casquette baissée sur le front, je me sentais quand même très voyante au moment de rentrer dans Boston, vers mon quartier.

Je suis lentement passée devant chez moi. J'ai regardé le faisceau de mes phares éclairer le ruban jaune de scène de crime, qui jurait sur la neige blanche immaculée.

On voyait, on sentait que la maison était vide. Une vraie caricature de Lieux du Drame.

J'ai continué et trouvé à me garer sur le parking désert d'une supérette.

J'ai pris mon sac sur mon épaule et fini le trajet à pied.

Je me dépêchais, à présent. J'aurais voulu être protégée par l'obscurité, mais j'en trouvais peu dans cette ville animée qui ne manquait ni de lampadaires, ni de puissants néons. Première à droite, première à gauche, et ma cible était en vue.

La voiture de patrouille de Shane était garée devant chez lui. Il était onze heures moins cinq, il allait sortir d'un instant à l'autre pour prendre son service.

Je me suis mise en position, accroupie derrière le coffre, à un endroit où je pouvais me fondre dans l'ombre portée de la Crown Vic.

J'avais froid aux mains, même avec des gants. J'ai soufflé sur mes doigts pour les réchauffer ; je ne pouvais pas me permettre qu'ils soient engourdis. Je n'aurais droit qu'à un seul essai. Ce serait la victoire ou l'échec.

Mon cœur battait à cent à l'heure. J'avais un peu la tête qui tournait et je me suis brusquement rendu compte que je n'avais rien mangé depuis une bonne douzaine d'heures. Trop tard maintenant. La porte s'est ouverte. La lumière du perron s'est allumée. Shane est sorti.

Sa femme, Tina, se tenait derrière lui en peignoir éponge rose. Rapide bisou sur la joue pour son mari qui partait au travail. J'ai ressenti un pincement au cœur. Vite réprimé.

Shane a descendu la première marche, la deuxième. La porte s'est refermée derrière lui ; Tina n'attendait pas qu'il soit tout à fait parti.

J'ai libéré le souffle que j'avais retenu sans m'en apercevoir et commencé le compte à rebours dans ma tête.

Shane a fini de descendre le perron, pris l'allée, avec les clés qui tintaient dans sa main. Arriver à la voiture, enfoncer la clé dans la serrure, la tourner, ouvrir la portière côté conducteur.

J'ai surgi de derrière la voiture et je lui ai enfoncé le canon de mon Glock 40 dans le cou.

« Un mot et tu es mort. »

Shane n'a rien dit.

J'ai pris son arme de service. Et nous sommes tous les deux montés dans sa voiture de patrouille.

Je l'ai fait asseoir à l'arrière, loin de la radio et du tableau de bord. J'ai pris le siège conducteur, laissant la fenêtre de sécurité coulissante ouverte entre nous. Je tenais le Glock de mon côté de la vitre blindée, braqué en plein sur ma cible, hors d'atteinte de Shane même s'il tendait le bras. Normalement, les policiers visent le tronc – la partie du corps la plus volumineuse. Mais comme Shane portait déjà son gilet pare-balles, je braquais mon arme sur son crâne massif.

Sur mon ordre, il m'a donné son téléphone portable, son ceinturon et son bip. J'ai entassé tout ça sur le siège passager et pris les menottes métalliques, que je lui ai rendues pour qu'il se les passe.

L'individu maîtrisé, je l'ai quitté du regard le temps de démarrer la voiture. Je l'ai senti se tendre, se préparer à agir.

« Ne fais pas le con. J'ai quelque chose à te rendre, tu te souviens ? » ai-je dit en montrant mon visage meurtri. Il s'est de nouveau affaissé et ses mains menottées sont mollement retombées sur ses genoux.

Le moteur a vrombi. Si jamais la femme de Shane jetait un coup d'œil par la fenêtre, elle verrait son mari faire chauffer la voiture pendant qu'il contactait le central, répondait peut-être à quelques messages.

S'attarder cinq à dix minutes n'aurait rien de trop insolite. Mais au-delà, elle risquait de s'inquiéter, peut-être même de sortir voir ce qui se passait. Autrement dit, je n'avais pas beaucoup de temps pour cette conversation.

Quand même encore quelques piques à lancer.

« Fallait me frapper plus fort, ai-je dit en me retournant pour consacrer toute mon attention à mon ancien collègue. Tu croyais vraiment qu'un traumatisme crânien suffirait à me sortir du jeu ? »

Shane n'a rien dit. Il regardait le Glock, pas mon visage en compote.

J'ai senti la colère monter. Comme une envie de me faufiler par l'ouverture de la cloison de sécurité pour le frapper quatre ou cinq fois avec la crosse du pistolet avant de finir de l'assommer à mains nues.

J'avais eu confiance en Shane, mon collègue. Brian avait eu confiance en lui, son meilleur ami. Et il nous avait tous les deux trahis.

Je l'avais appelé samedi après-midi, après avoir payé le tueur à gages. Mon dernier espoir dans un monde en train de se désintégrer à vitesse grand V. Bien sûr qu'on m'avait interdit d'appeler la police. Bien sûr qu'on m'avait ordonné de me taire, *sinon.* Mais Shane n'était pas simplement un collègue. C'était mon ami, le meilleur ami de Brian. Il allait m'aider à sauver Sophie.

Au lieu de ça, sa voix froide, totalement dénuée d'émotion à l'autre bout du fil : « C'est pas ton truc de respecter les consignes, hein, Tessa ? Quand ces types-là te disent de te taire, *tu te tais.* Alors maintenant, arrête d'essayer de tous nous faire tuer et fais ce qu'ils t'ont dit. »

En réalité, Shane savait déjà que Brian était mort. Lui-même avait reçu des consignes à ce sujet et il m'en avait alors fait part : Brian était un mari violent ; dans le feu de l'action, il était allé trop loin et j'avais tiré pour me défendre. Aucune trace d'agression physique ? Pas d'inquiétude, il allait m'aider. J'avais bredouillé qu'on m'avait accordé vingt-quatre heures pour préparer le retour de Sophie. Parfait, m'avait-il interrompue. Il serait là à la première heure le lendemain matin. Un léger passage à tabac et nous alerterions les autorités ensemble ; Shane resterait à chaque instant à mes côtés. Shane me surveillerait et rendrait compte.

Évidemment, avais-je alors réalisé. Shane n'était pas seulement l'ami de Brian, il était le complice de ses turpitudes. Et maintenant, il devait à tout prix sauver sa tête. Quitte, pour cela, à sacrifier Brian, Sophie et moi.

J'étais foutue et la vie de ma fille était en jeu. C'est incroyable comme vous pouvez d'un seul coup ouvrir les yeux quand votre enfant a besoin de vous. Comme il devient parfaitement sensé de recouvrir de neige le corps de votre mari. Et de ressortir le cadavre de Duke de sous la terrasse, où Brian l'avait entreposé en attendant le dégel du printemps. Et de faire des recherches sur les explosifs sur Internet…

J'avais renoncé à mon déni. J'avais pris le chaos à bras-le-corps. Et j'avais découvert que j'étais beaucoup plus impitoyable que je ne l'aurais jamais cru.

« Je suis au courant pour l'argent », ai-je dit à Shane dans la voiture. Malgré ma ferme intention de garder mon calme, je sentais la colère remonter. Je me souvenais du premier coup de poing de Shane, qui m'avait fracassé la pommette. De sa silhouette imposante au-dessus de moi quand j'étais tombée sur le sol ensanglanté. De cette minute sans fin où j'avais réalisé qu'il pouvait me tuer et qu'alors il ne resterait plus personne pour sauver Sophie. J'avais pleuré. J'avais supplié. Voilà ce que mon « ami » m'avait fait.

Les yeux de Shane, agrandis par la surprise, sont montés vers les miens.

« Tu croyais que je ne ferais jamais le lien ? Pourquoi tu aurais monté toute cette mascarade, exigé que je m'accuse du meurtre de mon mari ? Parce que tes complices et toi, vous vouliez vous débarrasser de moi. Vous vouliez m'enlever toute crédibilité et ensuite me faire porter le chapeau du détournement de fonds. Ça n'intéresse pas tes copains truands de me faire cracher de l'argent. Tu te sers de moi pour effacer tes traces, me faire accuser pour tout l'argent que *tu* as volé au syndicat. Tu allais tout me coller sur le dos. *Tout !* »

Il n'a rien dit.

« Tu n'es qu'un salopard ! Si j'allais en prison, que deviendrait Sophie ? Tu as signé son arrêt de mort, espèce d'ordure. Tu as pratiquement tué ma fille de tes mains ! »

Shane blêmit. « Je n'ai pas… Je ne voulais pas. Ça ne serait jamais allé aussi loin !

– *Aussi loin ?* Tu as *volé* le syndicat. Tu as trompé tes amis, tes collègues et ta famille. Ça n'était pas aller trop loin ?

– C'était l'idée de Brian, a répondu Shane comme un automate. Il avait besoin de cet argent. Il avait un peu trop perdu… Il disait qu'ils allaient le tuer. J'essayais juste de l'aider. Parole, Tessa. Tu connais Brian. J'essayais juste de l'aider. »

En guise de réponse, j'ai attrapé son ceinturon de la main gauche, j'en ai sorti le Taser et je l'ai montré.

« Encore un mensonge et je te fais danser. On se comprend, Shane ? Arrête de *mentir* ! »

Il a avalé et nerveusement passé la langue au coin de ses lèvres.

« Mais je… Eh merde, a-t-il soudain laissé échapper. Je suis désolé, Tessa. Je ne sais pas comment on en est arrivés là. Au début, j'accompagnais Brian à Foxwoods pour que *lui* ne dérape pas. Alors bien sûr, il m'arrivait aussi de jouer de temps en temps. Et puis j'ai gagné deux-trois fois. Mais alors, ce qu'on appelle gagner. Cinq mille dollars, d'un claquement de doigts. J'ai offert une nouvelle bague à Tina. Elle a pleuré. Et c'était… super. Génial. Comme si j'étais Superman. Alors évidemment, il a fallu que je rejoue, sauf qu'on ne gagne pas à tous les coups. Alors tu te mets à jouer davantage, parce que ça va venir. Parce que c'est ton tour. Une bonne main, c'est tout ce qu'il te faut, une bonne main.

» On se disait ça, ces dernières semaines. Une bonne après-midi aux tables et la situation serait rétablie. On n'aurait plus de problèmes. Ne serait-ce que deux heures. Juste deux heures de chance et on serait sortis d'affaire.

– Vous avez détourné l'argent du syndicat. Vous avez vendu votre âme à des truands. »

Shane m'a regardée. « Il faut de l'argent pour faire de l'argent », m'a-t-il dit avec simplicité, comme si c'était l'explication la plus logique au monde.

Peut-être que ça l'était, pour un joueur.

« À qui as-tu emprunté l'argent ? Qui a tué Brian ? Qui a enlevé ma fille ? »

Haussement d'épaules.

« Putain de merde, Shane ! Ils ont ma gamine. Tu vas parler ou je t'explose le crâne !

– Ils vont me tuer de toute façon ! a-t-il riposté avec une animation nouvelle, du feu dans le regard. Il ne faut pas les faire chier, ces mecs. Ils m'ont déjà envoyé des photos : Tina qui fait ses courses, Tina qui va au yoga, Tina qui passe prendre les garçons. Je suis désolé pour Brian. Je suis désolé pour Sophie. Mais je dois protéger ma famille. J'ai peut-être fait des conneries, mais je n'aurais pas tout raté.

– Shane, tu n'as pas encore compris. Je vais te tuer. Et ensuite je te collerai le mot "balance" sur la poitrine. Après ça, je donne maximum quarante-huit heures à vivre à Tina et aux garçons. »

Il s'est troublé. « Tu ne...

– Imagine tout ce que tu serais prêt à faire pour tes fils et figure-toi que c'est la même chose pour moi. »

Il a poussé un petit soupir. Il m'a regardée et j'ai lu dans ses yeux qu'il avait enfin compris comment tout cela allait se terminer. Peut-être que, comme moi, il avait passé les derniers jours à comprendre que l'enfer a plusieurs étages et qu'aussi bas qu'on pense être tombé, on peut toujours s'enfoncer davantage dans les ténèbres.

« Si je te donne un nom, a-t-il lâché, il faut que tu le tues. Ce soir. Jure-le-moi, Tessa. Que tu le descendras avant qu'il descende ma famille.

– Ça marche.

– Je les aime, a-t-il murmuré. J'ai fait des conneries, mais j'aime ma famille. Je veux juste qu'ils aillent bien. »

À mon tour de garder le silence.

« Je suis désolé pour Brian, Tessa. Vraiment, je ne pensais pas qu'ils en arriveraient là. Je ne pensais pas qu'ils lui feraient du mal. Ni qu'ils s'en prendraient à Sophie. Je n'aurais jamais dû jouer. Je n'aurais jamais dû tenir une de ces foutues cartes entre mes mains.

– Le nom, Shane. Qui a tué Brian ? Qui a enlevé ma fille ? »

Il a regardé mon visage meurtri, a enfin paru touché. Alors il a hoché la tête, s'est un peu redressé sur la banquette. Autrefois, Shane était un bon policier. Autrefois, il était un bon ami. Peut-être qu'il essayait de retrouver cette personne-là en lui.

« John Stephen Purcell, m'a-t-il dit. Un encaisseur. Qui vend ses services. Trouve Purcell et il aura Sophie. Du moins, il saura où elle est.

– Son adresse ? »

Petite hésitation. « Enlève-moi les menottes et je te la trouve. »

Son flottement avait suffi à me mettre sur mes gardes. J'ai refusé. « Tu n'aurais jamais dû faire de mal à ma fille, ai-je murmuré en levant le Glock.

– Allez, Tessa. Je t'ai donné le renseignement qu'il te fallait, m'a-t-il dit en entrechoquant ses poings menottés. Merde, c'est du délire. Libère-moi. Je t'aiderai à récupérer ta fille. On trouvera Purcell ensemble. Allez… »

J'ai souri, mais d'un sourire triste. C'était si simple, à l'entendre. Sauf qu'il aurait pu me faire cette proposition le samedi. Et qu'au lieu de ça, il m'avait dit de rester les bras croisés et de me taire, et, oh oui, qu'il passerait le lendemain pour me filer une trempe.

Gentil Brian. Méchant Brian.

Gentil Shane. Méchant Shane.

Gentille Tessa. Méchante Tessa.

Peut-être qu'en nous tous, la frontière qui sépare le bien du mal est plus mince qu'elle ne devrait. Et peut-être qu'une fois cette frontière franchie, il n'y a pas de retour en arrière possible. Nous ne sommes plus les mêmes.

« Shane, ai-je murmuré, pense à tes fils. »

Il a paru perplexe, puis je l'ai vu comprendre : les policiers qui trouvent la mort dans l'exercice de leurs fonctions font bénéficier leur famille d'un capital-décès, contrairement à ceux qui vont en prison pour avoir détourné des fonds et s'être livré à des activités criminelles.

Comme Shane l'avait dit, il avait fait des conneries, mais il n'aurait pas tout raté.

Le Gentil Shane a pensé à ses trois fils. Et j'ai vu le moment où il arrivait à la conclusion logique. Il s'est décrispé. Son visage s'est détendu.

Shane Lyons m'a regardée une dernière fois.

« Désolé, a-t-il murmuré.

– Moi aussi. »

Et j'ai appuyé sur la détente.

Ensuite j'ai quitté l'allée avec la voiture de patrouille et je me suis engagée dans la rue, pour finalement me garer à l'arrière d'un entrepôt plongé dans le noir, le genre d'endroit où un policier pourrait se rendre s'il repérait une activité suspecte. Je suis montée à l'arrière, sans faire attention à l'odeur fétide du sang, au fait que le corps de Shane était encore chaud et souple.

J'ai fouillé ses poches, puis son ceinturon, et j'ai découvert, coincé à côté de son téléphone portable, un bout de papier avec des chiffres qui ressemblaient à des coordonnées GPS. J'ai cherché ces coordonnées avec l'ordinateur de bord et noté l'adresse et l'itinéraire correspondants.

Je suis repassée à l'arrière, je lui ai enlevé ses menottes et remis son ceinturon. Je lui avais fait une fleur en le tuant avec le Glock de Brian. J'aurais pu me servir de son Sig Sauer à lui, ce qui aurait fait naître l'hypothèse d'un suicide. Auquel cas, Tina et les garçons n'auraient eu droit à rien.

Je ne suis pas encore aussi endurcie, me suis-je dit. Pas encore un cœur de pierre.

J'éprouvais une drôle de sensation dans les joues. Mon visage était étrangement engourdi.

Je me suis concentrée sur ma mission. La nuit ne faisait que commencer et j'avais du pain sur la planche.

J'ai été ouvrir le coffre de la voiture. Les policiers ont à cœur d'être parés à toute éventualité et Shane ne m'a pas déçue. Sur le côté du coffre, un pack de bouteilles d'eau, une demi-douzaine de barres énergétiques et même des rations militaires. J'ai jeté la nourriture dans mon sac de sport tout en me fourrant déjà la moitié d'une barre énergétique dans la bouche, et je me suis servi de la clé de Shane pour ouvrir le long coffre métallique où il rangeait ses armes.

Il avait un fusil Remington, une carabine M4, six boîtes de munitions et un couteau KA-BAR.

J'ai tout pris.

37

Bobby et D.D. se rendaient chez l'agent Lyons quand ils entendirent l'appel : *Collègue en difficulté, collègue en difficulté…*

Le central donna une adresse. D.D. la rentra dans l'ordinateur. Et pâlit lorsque la carte s'afficha à l'écran.

« C'est tout près de chez Tessa, murmura-t-elle.

– Et de chez Lyons. »

Ils se regardèrent.

« Merde. »

Bobby mit le gyrophare, pied au plancher. Ils filèrent vers l'adresse dans un silence complet.

Le temps qu'ils arrivent, ambulances et voitures de patrouille engorgeaient déjà les lieux. Un grand nombre d'agents tournaient en rond, plus ou moins désœuvrés. Ce qui ne pouvait signifier qu'une seule chose.

Bobby et D.D. descendirent de voiture. Le premier agent qu'ils croisèrent appartenait à la police d'État, alors Bobby prit l'initiative.

« Situation ? demanda-t-il.

– L'agent Shane Lyons. Une balle en pleine tête, dit le jeune policier, la gorge nouée. Mort. Décès constaté sur les lieux. Les secours n'ont rien pu faire. »

Bobby hocha la tête, jeta un regard vers D.D.

« Il était en intervention ? demanda-t-elle.

– Négatif. Il n'avait pas encore contacté le coordonnateur. Le capitaine Parker mène l'enquête, dit le jeune agent en montrant un homme en épais manteau de laine gris qui se tenait dans le périmètre sécurisé. Si vous voulez lui parler. »

Bobby et D.D. le remercièrent et poursuivirent leur chemin.

Bobby connaissait Al Parker. D.D. et lui montrèrent leurs plaques à l'agent en tenue qui tenait le registre de scène de crime, puis ils passèrent sous le ruban jaune et abordèrent le chargé d'enquête.

Parker, un grand échalas, se redressa à leur arrivée. Il serra la main de Bobby en gardant ses gants de cuir et Bobby présenta D.D.

La neige se calmait enfin. Il en restait quelques centimètres sur la chaussée, qui révélaient un chaos d'empreintes là où agents et ambulanciers s'étaient précipités pour porter secours. Mais les empreintes d'une seule voiture. Ce fut la première idée de D.D. S'il y avait eu un autre véhicule, il aurait laissé une trace quelconque, mais elle ne voyait rien.

Elle le fit remarquer au capitaine Parker, qui confirma.

« Il semblerait que l'agent Lyons soit allé en voiture derrière l'entrepôt, expliqua-t-il. Il n'était pas encore officiellement en service. Et il n'a pas informé le central qu'il intervenait suite à des signes d'activité suspecte... »

Le capitaine Parker laissa cette constatation parler d'elle-même.

Les agents en service signalent toujours tout. C'est dans leur ADN. Qu'ils fassent une pause-café, une pause-pipi ou qu'ils épient des cambrioleurs en pleine action, ils le signalent. Donc ce qui avait amené l'agent Lyons dans ce coin isolé n'était pas d'ordre professionnel, mais personnel.

« Une balle en pleine tête, continua le capitaine Parker. Tempe gauche. Tirée depuis le siège avant. L'agent Lyons était sur la banquette arrière. »

D.D. sursauta. Bobby aussi.

Voyant la tête qu'ils faisaient, le capitaine Parker les invita à aller voir la voiture de patrouille, dont les quatre portières étaient ouvertes. Il commença par la tache de sang sur la banquette arrière, puis en déduisit la trajectoire de la balle.

« Il portait son ceinturon ? s'étonna Bobby.

– Oui, mais les marques sur ses poignets laissent penser qu'il a eu les mains attachées. Les menottes n'étaient plus là quand le premier agent est arrivé, mais l'agent Lyons en a porté à un moment ou un autre de la soirée. »

La scène n'était pas du goût de D.D. : un agent ligoté, sur la banquette arrière, nez à nez avec le canon d'une arme. Elle se recroquevilla encore dans son blouson d'hiver, sentit des flocons froids danser sur ses cils.

« Son arme ? demanda-t-elle.

– Le Sig Sauer est dans son étui. Mais regardez voir. »

Parker les conduisit à l'arrière de la voiture et ouvrit le coffre. Il était vide. D.D. comprit immédiatement ce que cela voulait dire. Aucun policier, en tenue ou non, ne se promène avec un coffre vide. Il aurait dû s'y trouver du matériel de première nécessité, et au moins un fusil ou une carabine, voire les deux.

Du regard, elle demanda confirmation à Bobby.

« L'équipement standard comporte un fusil Remington et une carabine M4, dit celui-ci. Quelqu'un s'est servi. »

Parker les regarda tous les deux, mais ni D.D. ni Bobby n'ajoutèrent un mot. L'identité de l'individu en question allait de soi pour eux : une personne qui connaissait l'agent Lyons, qui avait pu l'attirer dans sa voiture de patrouille et qui avait à tout prix besoin d'armes à feu.

« La famille de l'agent Lyons ? demanda Bobby.

– Le colonel est parti l'informer.

– L'horreur, murmura Bobby.

– Trois petits garçons. L'horreur », convint Parker.

Le téléphone de D.D. sonna. Elle ne reconnut pas le numéro, mais c'était un appel local, alors elle s'excusa pour répondre.

Une minute plus tard, elle revenait vers Bobby et Parker.

« Faut y aller », dit-elle avec une petite tape sur le bras de Bobby.

Il ne posa pas de question, pas devant leur collègue. Il serra simplement la main de Parker en le remerciant de son obligeance et ils s'éloignèrent.

« Qui ? demanda Bobby lorsqu'ils furent hors de portée de voix.

– Incroyable mais vrai, la veuve de Shane. Elle a quelque chose pour nous. »

Bobby leva un sourcil interrogateur.

« Une enveloppe, précisa D.D. Que Shane lui aurait donnée dimanche soir en lui disant que s'il lui arrivait quelque chose, elle devait m'appeler moi et moi seule pour me la remettre. Le colonel vient de prendre congé. La veuve exécute les dernières volontés de son mari. »

C'étaient les grandes illuminations au domicile de Shane Lyons. Une demi-douzaine de voitures encombraient la rue, dont deux garées de manière illégale dans le jardin. De la famille, supposa D.D. Les épouses d'autres agents de police. Le réseau de solidarité qui se mettait en branle.

Elle se demanda si les fils de Shane étaient déjà réveillés. Si leur mère leur avait déjà annoncé que leur père ne rentrerait plus jamais à la maison.

Côte à côte devant la porte d'entrée, Bobby et elle attendaient, l'expression de leur visage soigneusement disciplinée, parce que c'était comme ça que ça se passait. Ils déploraient la mort de cet officier de police comme de n'importe quel autre, compatissaient à la douleur de sa famille et continuaient néanmoins à faire leur travail. La victime, Shane Lyons, était aussi un suspect. Rien n'était simple dans ce genre d'affaire.

Une femme d'un certain âge vint leur ouvrir. À ses traits, D.D. devina qu'elle était la mère de Tina Lyons. Elle montra sa plaque, Bobby en fit autant.

« Voyons, vous ne voulez tout de même pas interroger Tina maintenant, dit la femme à voix basse, déconcertée. Laissez au moins un ou deux jours à ma fille…

– C'est elle qui nous a appelés, madame, intervint D.D.

– Pardon ?

– Nous sommes ici parce qu'elle nous a demandé de venir. Si vous voulez bien simplement la prévenir que le commandant D.D. Warren est là, ça ne nous dérange pas d'attendre dehors. »

En fait, ils préféraient rester dehors. Quoi que Tina eût à leur remettre, mieux valait que cela se passe sans témoins.

Plusieurs minutes s'écoulèrent. Juste au moment où D.D. commençait à se dire que Tina avait dû changer d'avis, celle-ci arriva. Le visage défait, les yeux rougis par les larmes, elle portait un peignoir rose en tissu éponge, dont elle maintenait le col fermé d'une main. Dans l'autre, elle tenait une grande enveloppe toute blanche.

« Vous savez qui a tué mon mari ?

– Non, madame. »

Tina Lyons tendit brusquement l'enveloppe à D.D. « C'est la seule chose que je veux savoir. Je ne plaisante pas. C'est la *seule* chose que je veux savoir. Trouvez la réponse à cette question et on se reparlera. »

Retournant au réconfort précaire de sa famille et de ses amis, elle laissa D.D. et Bobby sur le perron.

« Elle sait quelque chose, dit Bobby.

– Elle soupçonne, rectifia D.D. Elle ne veut pas savoir. Je crois que c'était précisément le sens de sa phrase. »

D.D., serrant l'enveloppe entre ses mains gantées, se retourna vers l'allée enneigée. Minuit passé dans un quartier résidentiel tranquille, le trottoir était planté de lampadaires, et pourtant des recoins obscurs les menaçaient de toutes parts.

Elle se sentit d'un seul coup très voyante, exposée aux regards.

« Allons-y », glissa-t-elle à Bobby.

Ils retournèrent prudemment à leur voiture, D.D. avec l'enveloppe, Bobby avec son pistolet.

Dix minutes plus tard, après avoir zigzagué dans le labyrinthe des rues d'Allston-Brighton de manière à semer quiconque, Bobby était rassuré : personne ne les suivait. D.D. mourait d'envie de connaître le contenu de l'enveloppe.

Ils trouvèrent une supérette bourdonnante d'étudiants que n'avaient rebutés ni la météo ni l'heure tardive. La présence de tous ces véhicules rendait leur Crown Vic plus discrète et les étudiants étaient autant de témoins propres à décourager toute agression.

Satisfaite, D.D. échangea ses gants d'hiver contre des gants en latex et s'attaqua au rabat de l'enveloppe, qu'elle ouvrit avec précaution pour ne pas détruire de preuves.

À l'intérieur, elle trouva douze photos couleur 12x18 cm. Les onze premières montraient la famille de Shane. Ici, Tina qui faisait des courses. Là, Tina qui entrait dans un bâtiment avec un tapis de yoga. Ici, Tina qui passait prendre ses enfants à l'école. Là, les garçons en train de jouer dans la cour de récréation.

Il ne fallait pas être grand clerc pour comprendre le message. Quelqu'un avait épié la famille de Shane et ce quelqu'un voulait qu'il soit au courant.

Puis D.D. arriva à la dernière photo. Elle en eut le souffle coupé et, à côté d'elle, Bobby poussa un juron.

Sophie Leoni.

Sophie Leoni qui les regardait, ou plutôt qui regardait droit vers l'appareil photo, cramponnée à une poupée à qui il manquait un œil. Sophie serrait les lèvres, comme peut le faire une enfant qui a du mal à se retenir de pleurer. Mais elle levait un menton volontaire. Et même si ses joues étaient souillées de traînées de terre et de larmes et que ses beaux cheveux bruns ressemblaient à présent à un sac de nœuds, elle s'efforçait d'imprimer un air de défi à son regard bleu.

Le cadrage était serré, on devinait seulement du lambris en arrière-plan. Peut-être un cagibi ou une autre petite pièce. Une pièce aveugle et sombre, songea D.D. Voilà où on pourrait séquestrer une enfant.

Sa main se mit à trembler.

Elle retourna la photo, à la recherche d'autres indices.

Et trouva un message griffonné au feutre noir : *Vous ne voulez pas que ça arrive à votre enfant.*

D.D. retourna la photo, regarda à nouveau le visage en forme de cœur de Sophie, et ses mains tremblaient maintenant si violemment qu'elle dut poser la photo sur ses genoux.

« Elle a vraiment été kidnappée. Elle a vraiment… » Dans son désarroi, une nouvelle idée lui vint. « Et ça fait plus de trois jours, putain ! Quelles chances il nous reste de la retrouver au bout de *trois jours* ! »

Elle donna une claque au tableau de bord. Le choc lui fit mal à la main et ne contribua en rien à calmer sa colère.

Elle se retourna brusquement vers son partenaire. « Mais c'est quoi, ce merdier, Bobby ? Qui enlèverait l'enfant d'un policier et menacerait la famille d'un autre ? C'est dingue, *qui ferait un truc pareil ?* »

Bobby prit un instant de réflexion. Les doigts blancs, il se cramponnait au volant.

« Qu'a dit Tina quand elle t'a appelée ? demanda-t-il d'un seul coup. Quelles consignes lui avait laissées Shane ?

– S'il lui arrivait quelque chose, elle devait me remettre l'enveloppe.

– Pourquoi à toi, D.D. ? Avec tout le respect que je te dois, tu fais partie de la police municipale. Si Shane avait besoin d'aide, est-ce qu'il ne se serait pas tourné vers ses collègues, ses frères d'armes comme on dit ? »

D.D. le regarda. Elle se souvenait du premier jour de l'affaire, de la façon dont les policiers d'État avaient serré les rangs, même vis-à-vis d'elle, qui appartenait à la police municipale. Puis elle ouvrit de grands yeux.

« Tu ne crois tout même pas que…

– Il n'y a pas des masses de criminels qui auraient le culot de menacer un policier d'État, encore moins deux. Mais un autre policier, c'est possible.

– Pourquoi ?

– Il manque combien au syndicat de police ?

– Un quart de million. »

Bobby hocha la tête.

« Autrement dit, deux cent cinquante mille raisons de trahir l'uniforme. Deux cent cinquante mille raisons de tuer Brian Darby, d'enlever Sophie Leoni et de menacer Shane Lyons. »

D.D. examina cette hypothèse. « Tessa a tué l'agent Lyons. Il avait trahi l'uniforme, mais pire encore il avait trahi sa famille. Reste à savoir si elle a obtenu de Lyons les renseignements dont elle avait besoin.

– Le nom et l'adresse du ravisseur de sa fille.

– Lyons n'était qu'un sous-fifre. Peut-être que Brian Darby aussi. Ils ont dévalisé le syndicat pour financer leur passion du jeu. Mais quelqu'un d'autre les a aidés – le véritable cerveau de l'affaire. »

Bobby jeta un regard vers la photo de Sophie, sembla organiser ses idées. « Si c'est bien Tessa Leoni qui a tué l'agent Lyons et qu'elle est arrivée jusqu'ici, ça veut forcément dire qu'elle a une voiture.

– Et tout un petit arsenal.

– Alors peut-être bien qu'elle a obtenu un nom et une adresse.

– Elle est partie à la recherche de sa fille. »

Bobby eut enfin un sourire. « Dans ce cas, il vaudrait mieux pour le génie du crime qu'on le retrouve avant elle. »

38

IL Y A DES CHOSES auxquelles il vaut mieux ne pas penser. Alors je ne l'ai pas fait. J'ai roulé. Le Pike jusqu'à la 128, la 128 vers le sud jusqu'à Dedham. Encore douze kilomètres, quelques virages et je me suis retrouvée dans un quartier résidentiel très boisé. Des maisons anciennes, de vastes terrains. Le genre d'endroit où les gens ont des trampolines à l'avant des maisons et des étendoirs à linge à l'arrière.

Bon endroit pour séquestrer une enfant, me suis-je dit, et j'ai de nouveau arrêté de penser.

Au premier passage, j'ai raté la maison. Je n'avais pas vu les numéros sous la neige qui tombait. Quand je me suis rendu compte que j'étais allée trop loin, j'ai pilé et la vieille voiture est partie en tête-à-queue. J'ai tourné le volant dans le sens de la vrille, un réflexe qu'on m'avait enseigné, et ça m'a calmé les nerfs, rendu mon sang-froid.

La formation. On en revenait à ça.

Les truands ne sont pas formés.

Moi, je l'étais.

J'ai garé ma voiture au bord de la route. Bien en vue, mais j'avais besoin qu'elle soit accessible pour pouvoir m'enfuir rapidement. J'avais le Glock 40 de Brian dans le dos, coincé dans la ceinture de mon pantalon. La gaine du couteau KA-BAR avait des lanières pour fixation au mollet. Je l'ai sanglée sur ma jambe.

Ensuite, j'ai chargé le fusil. Quand on est une jeune femme plutôt fluette, le fusil est toujours un bon choix. Ça permet de dégommer un buffle sans même avoir besoin de viser.

J'ai vérifié mes gants noirs, descendu ma casquette noire sur mes yeux. Je sentais le froid, mais comme quelque chose d'abstrait et de lointain. J'entendais surtout un bruissement dans mes oreilles – mon sang, imaginais-je, pulsé dans mes veines par un flot d'adrénaline.

Pas de lampe de poche. J'ai laissé mes yeux s'accoutumer à cette obscurité qu'on ne trouve que sur les routes de campagne et je me suis enfoncée en courant dans les bois.

C'était agréable de bouger. Après vingt-quatre heures d'alitement à l'hôpital puis vingt-quatre heures d'emprisonnement, c'était bon de sortir enfin, d'agir, de faire ce qu'il y avait à faire.

Quelque part là-bas, il y avait ma fille. J'allais la sauver. J'allais tuer celui qui l'avait enlevée. Et on rentrerait toutes les deux chez nous.

À moins, bien sûr…

J'ai de nouveau arrêté de penser.

Les bois se sont éclaircis. J'ai débouché dans un jardin enneigé et je me suis arrêtée net pour observer la grande maison de plain-pied qui s'étendait devant moi. Pas de lumière aux fenêtres, pas la moindre lueur en guise de bienvenue. Il était nettement plus de minuit maintenant. Une heure où les honnêtes gens dorment.

Cela dit, ma cible ne gagnait pas honnêtement sa vie, n'est-ce pas ?

Spots extérieurs à détecteur de mouvement, me suis-je dit, tout de suite après. Des projecteurs qui s'illumineraient à la seconde où j'approcherais. Sans doute des portes et des fenêtres équipées d'alarmes. Au moins un minimum de mesures de sécurité.

Comme le dit l'adage, les menteurs voient des menteurs partout. Les assassins voient des assassins partout et prennent leurs dispositions en conséquence.

Pénétrer dans la maison sans me faire repérer n'était sans doute pas envisageable.

Très bien, j'allais donc l'attirer dehors.

J'ai commencé par la voiture noire que j'ai trouvée garée dans l'allée. Une Cadillac Esplanade toutes options. Mais comment donc. J'ai éprouvé un vif plaisir à fracasser la vitre conducteur avec la crosse du fusil.

Une alarme suraiguë s'est mise à hurler. J'ai couru vers le côté de la maison. Plein feu des projecteurs, sous lesquels l'avant et le côté du jardin apparaissaient avec un relief blanc aveuglant. Le dos collé au mur, face à la Cadillac, je me suis rapprochée autant que possible de l'arrière de la maison, d'où je supposais que Purcell finirait par sortir. Je retenais mon souffle.

Un encaisseur comme Purcell ne serait sans doute pas suffisamment con pour se précipiter sous la neige en caleçon. Mais il serait trop arrogant pour laisser quelqu'un lui tirer sa caisse impunément. Il allait venir. Armé. Et, penserait-il sans doute, prêt.

Il a fallu pas moins d'une minute. Puis j'ai entendu le petit grincement de la porte de derrière qui s'ouvrait, discrètement.

Je tenais négligemment le fusil au creux de mon bras gauche. Et, de ma main droite, je dégainais lentement le couteau.

Je n'avais jamais égorgé personne. Je n'avais jamais affronté personne d'aussi près.

J'ai de nouveau arrêté de penser.

Mes oreilles s'étaient déjà habituées aux hurlements de la sirène. Il m'était donc plus facile de détecter d'autres bruits : le léger crissement de la neige sous le premier pas de l'individu, le deuxième. J'ai jeté un coup d'œil en arrière, au cas où ils auraient été deux dans la maison, un qui sortirait furtivement par l'avant et l'autre par l'arrière pour me prendre en tenaille.

N'entendant les pas que d'une personne, je me suis focalisée dessus.

Je me suis obligée à respirer par le nez, à inspirer l'air au plus profond de mes poumons. À ralentir mon pouls. Arriverait ce qui devait arriver. C'était le moment de lâcher prise.

Tapie, le couteau prêt à frapper.

Une jambe est apparue. J'ai vu des bottes de neige noires, un jean épais, le pan d'une chemise rouge à carreaux.

J'ai vu un fusil baissé contre la cuisse de l'homme.

« John Stephen Purcell ? » ai-je soufflé.

Un visage stupéfait s'est retourné vers moi, les yeux sombres écarquillés, bouche bée.

J'ai levé les yeux vers l'homme qui avait tué mon mari et kidnappé mon enfant.

Et j'ai donné un grand coup de couteau.

Au moment même où il ouvrait le feu.

Ne jamais venir à une fusillade avec un couteau.

Le dicton ne se vérifie pas toujours. Purcell m'a touchée à l'épaule droite. Mais moi, je lui ai sectionné le jarret de la jambe gauche. Il s'est effondré en tirant une deuxième fois, dans la neige. J'ai envoyé balader son fusil d'un coup de pied, mis le mien en joue et, à part qu'il se débattait comme un fou contre la douleur, il n'a plus rien tenté contre moi.

De près, Purcell semblait avoir entre quarante-cinq et cinquante ans. Un encaisseur qui avait de la bouteille, donc. Le genre qui n'avait pas laissé son poing américain prendre la poussière. Son statut lui inspirait manifestement un certain orgueil, parce que même lorsque son jean s'est assombri sous un flot de sang, il a continué à serrer les dents sans mot dire.

« Tu te souviens de moi ? »

Après un temps, il a hoché la tête.

« Déjà dépensé l'argent ? »

Il a fait signe que non.

« Dommage parce que c'était ta dernière occasion de faire du shopping. Je veux ma fille. »

Il n'a rien dit.

Alors j'ai posé le bout du fusil sur son genou droit – celui de sa jambe encore valide. « Dis adieu à ta jambe. »

Ses yeux se sont agrandis. Ses narines se sont dilatées. Comme beaucoup de gros durs, Purcell était plus doué pour distribuer que pour recevoir.

« Je ne l'ai pas, a-t-il lâché d'une voix grinçante. Pas ici.

– C'est ce qu'on va voir. »

Je lui ai ordonné de se retourner sur le ventre, les mains dans le dos. J'avais une pleine poche de liens de serrage pris dans les réserves de Shane. J'ai commencé par lui attacher les poignets, puis les chevilles, malgré ses gémissements de douleur quand j'ai déplacé sa jambe gauche blessée.

Je devrais éprouver quelque chose, me suis-je vaguement dit. Un sentiment de triomphe, des remords, n'importe quoi. Je ne ressentais rien du tout.

Mieux valait ne pas y penser.

Purcell était blessé et ligoté. Pour autant, ne jamais sous-estimer l'ennemi. J'ai fouillé ses poches et découvert un canif, un biper et une dizaine de cartouches en vrac qu'il y avait glissé pour pouvoir recharger en cas d'urgence. J'ai tout pris et mis ça dans mes propres poches.

Ensuite, sans faire attention à ses grimaces, je l'ai tiré dans la neige avec mon bras gauche jusqu'à la véranda à l'arrière de la maison et je lui ai attaché les bras à un robinet extérieur avec un lien de serrage. Avec suffisamment de temps et d'énergie, il aurait peut-être réussi à se libérer, voire à arracher le robinet métallique, mais je ne prévoyais pas de le laisser aussi longtemps. Et puis, pieds et poings liés, avec un jarret sectionné, il n'irait pas si loin, pas si vite.

Mon épaule me brûlait. Je sentais du sang dégouliner le long de mon bras, sous ma chemise. Une sensation désagréable, comme quand on a de l'eau dans la manche. J'avais la vague impression que je n'accordais pas suffisamment d'importance à ma blessure. Que je souffrais sans doute beaucoup. Qu'il était sans doute bien plus grave de perdre autant de sang que d'avoir un peu d'eau dans la manche.

Je me sentais étrangement vide. Inaccessible aux émotions et à la gêne provoquée par la douleur physique.

Mieux valait ne pas y penser.

Je suis entrée à pas prudents dans la maison, le couteau rengainé, le fusil devant moi. J'étais obligée de caler le canon sur mon avant-bras gauche. Avec ma blessure, je risquais d'avoir du mal à viser. Mais bon, ça restait un fusil.

Purcell n'avait allumé aucune lumière. Logique, en fait. Quand vous vous apprêtez à faire une sortie dans le noir, allumer les lampes flinguerait votre vision nocturne.

Je suis entrée dans une cuisine obscure qui sentait l'ail, le basilic et l'huile d'olive. Manifestement, Purcell aimait cuisiner. De là, je suis passée dans le séjour, où se trouvaient deux énormes fauteuils relax et une gigantesque télé. Puis dans un petit bureau avec une table et plein d'étagères. Une petite salle de bain. Et un long couloir qui conduisait à trois portes entrouvertes.

Je me suis forcée à respirer, puis je me suis dirigée aussi furtivement que possible vers la première. J'étais en train de la pousser en douceur quand mon pantalon s'est mis à carillonner. Je me suis ruée dans la pièce, que j'ai balayée du fusil, prête à faire feu sur toute silhouette qui se jetterait sur moi, et je me suis collée dos au mur en me préparant à contre-attaquer.

Aucune ombre ne m'a assaillie. Éperdue, j'ai plongé la main droite dans ma poche pour en sortir le biper de Purcell, que je me suis efforcée d'éteindre d'une main malhabile.

Au dernier moment, j'ai jeté un œil à l'écran. Le message : *Lyons DCD. ADR Leoni.*

Shane Lyons était mort. Avis de recherche pour Tessa Leoni.

« Trop tard », ai-je murmuré. J'ai remis le biper dans ma poche et terminé mon inspection de la maison.

Rien. Rien, rien, rien.

Selon toute apparence, Purcell vivait en célibataire, avec une télé grand écran, une chambre d'ami et un bureau. C'est alors que j'ai vu la porte qui menait à la cave.

Mon pouls s'est de nouveau accéléré. J'ai senti le monde chavirer, prise de vertige, quand j'ai fait le premier pas vers cette porte fermée.

Perte de sang. Affaiblie. Devrais m'arrêter, panser la plaie.

Ma main sur la poignée, la tourner.

Sophie. Tous ces jours, tous ces kilomètres.

J'ai ouvert la porte et scruté l'obscurité.

39

LORSQUE D.D. ET BOBBY arrivèrent au garage du père de Tessa Leoni, ils trouvèrent la porte de service ouverte et l'homme en question effondré sur un établi. Ils s'engouffrèrent dans le hangar et D.D. se rua vers lui pendant que Bobby la couvrait.

Affolée, elle souleva la tête de Leoni pour voir s'il était blessé, puis eut un mouvement de recul en sentant la puanteur du whisky.

« Saloperie ! » s'exclama-t-elle en laissant la tête de Leoni retomber sur sa poitrine. Tout son corps glissa sur la gauche, tomba du tabouret, et il aurait fini par terre si Bobby n'était pas arrivé à temps pour le rattraper. Il l'allongea délicatement sur le sol et le fit rouler sur le côté pour réduire le risque que l'ivrogne ne s'étouffe dans son vomi.

« Prends ses clés de voiture, dit D.D. avec dégoût. On va demander à un patrouilleur de venir s'assurer qu'il rentre chez lui sans accident. »

Bobby fouillait déjà les poches de Leoni. Il y trouva un portefeuille, mais pas de clés. D.D. aperçut alors le panneau perforé avec sa collection de trousseaux.

« Les clés des clients ? » se demanda-t-elle à voix haute.

Bobby vint les examiner. « J'ai vu quelques vieux tas de boue à l'arrière. À tous les coups, il les retape pour les revendre.

– Donc si Tessa voulait se procurer rapidement un véhicule…

– Bien pensé. »

D.D. regarda le père de Tessa, ivre mort, et secoua encore la tête. « Il aurait au moins pu résister, bon sang.

– Peut-être qu'elle lui avait apporté de la bibine », dit Bobby en montrant la bouteille vide. Lui-même était alcoolique ; il savait ce que c'était.

« Donc c'est clair qu'elle a un véhicule. Ce serait sympa d'avoir une description, mais je ne suis pas persuadée que papa Leoni va nous parler de sitôt.

– Si ce n'est pas une casse illégale, Leoni doit avoir des papiers pour tout ça. Allons voir », dit Bobby en montrant la porte d'un petit bureau. Ils y trouvèrent une table, un vieux meuble de rangement gris et, à la fin du classeur du haut, une chemise en papier kraft intitulée « titres de propriété ».

D.D. s'en saisit et ils sortirent du garage, laissant l'ivrogne ronflant derrière eux. Ils identifièrent trois voitures parquées derrière un grillage. La chemise contenait les titres de propriété de quatre véhicules. Procédant par élimination, ils établirent donc qu'un pick-up Ford bleu marine de 1993 avait disparu. Le document lui donnait trois cent trente-deux mille kilomètres.

« Pas de première jeunesse, mais fiable, remarqua Bobby pendant que D.D. prenait sa radio pour signaler la disparition de la voiture.

– Plaque d'immatriculation ? demanda-t-elle.

– Aucune n'en a. »

D.D. regarda Bobby. « Va voir dans la rue. »

Il comprit à quoi elle pensait et commença à faire le tour du pâté de maison en petites foulées. De fait, à quelques maisons de là, sur le trottoir d'en face, il aperçut une voiture à qui manquait les deux plaques d'immatriculation. De toute évidence, Tessa les avait chapardées pour en équiper son véhicule.

Bien pensé, se dit-il à nouveau, mais bâclé aussi. Courant contre la montre, elle avait fait main basse sur les premières plaques venues au lieu de perdre du temps à aller en dérober à quelques rues de là, ce qui aurait été plus sûr.

Résultat, elle commençait à semer des indices qu'ils pourraient exploiter pour la retrouver.

L'idée aurait dû faire plaisir à Bobby, mais il était surtout las. Il ne pouvait s'empêcher de penser à ce que cela avait dû être de rentrer chez soi après le travail et de découvrir qu'un homme a pris votre fille en otage. *Donnez-nous votre arme et tout va bien se passer.*

Et qu'ensuite le même homme abatte votre mari de trois balles avant de disparaître dans la nature avec la petite.

Si la même chose était arrivée à Bobby, s'il avait trouvé quelqu'un en train de braquer un pistolet sur la tempe d'Annabelle, de menacer sa femme et son enfant…

Tessa avait dû être à moitié folle de désespoir et de peur. Elle avait dû accepter tout ce qu'ils voulaient, sans pour autant que la méfiance instinctive du policier ne la quitte. En sachant que sa coopération ne suffirait jamais, que, bien sûr, ils la trahiraient à la première occasion.

Alors il lui avait fallu à tout prix prendre un coup d'avance. Dissimuler la mort de son mari pour gagner du temps. Planquer un cadavre avec des dents de lait et une bombe artisanale en guise de macabre plan B.

Au début, Shane leur avait dit que Tessa l'avait appelé le dimanche matin en lui demandant de la tabasser. Sauf qu'ils savaient maintenant que Shane n'était certainement pas du côté de Tessa. Logique : pour « aider » une amie, on lui donne deux ou trois claques, pas un traumatisme crânien qui la cloue au lit toute une nuit à l'hôpital.

L'idée de tabasser Tessa était donc venue de Shane. Comment cela avait-il pu se passer ? *On va remonter le cadavre de ton mari du garage pour qu'il décongèle. Ensuite je te filerai une bonne dérouillée, histoire de rigoler un peu. Et tu appelleras la police pour dire que tu as tiré sur ton bon à rien de mari parce qu'il allait te tuer* ?

Ils savaient qu'elle serait arrêtée. Shane, au moins, devait savoir que la version de Tessa ne serait pas très crédible, surtout avec la disparition de Sophie et la conservation du corps de Brian dans la glace.

Ils voulaient qu'elle soit arrêtée. Ils avaient besoin qu'elle soit derrière les barreaux.

C'était une histoire d'argent, pensa de nouveau Bobby. Deux cent cinquante mille dollars avaient disparu. Qui les avait volés au syndicat ? Shane Lyons ? Un plus gros poisson ?

Quelqu'un qui avait eu l'intelligence de comprendre qu'il faudrait tôt ou tard fournir un suspect avant que l'enquête interne ne se rapproche trop de lui.

Quelqu'un qui s'était dit qu'un collègue discrédité, une femme, comme le montraient les caméras de surveillance de la banque, (au hasard, Tessa Leoni) serait un bouc émissaire idéal. L'addiction avérée de son mari aux jeux d'argent en faisait encore une meilleure candidate.

Brian était mort parce que sa dépendance au jeu, devenue incontrôlable, en faisait une menace pour tout le monde. Et Tessa avait été livrée sur un plateau aux autorités pour blanchir les autres. Faisons croire qu'elle a volé l'argent, que son mari l'a perdu au jeu et tout sera expliqué. L'enquête sera close et, ni vu ni connu, on pourra partir au soleil avec deux cent cinquante mille dollars en poche.

Brian mort, Tessa derrière les barreaux et Sophie…

Bobby n'était pas prêt à penser à cette question. Sophie était un facteur de risque pour ses ravisseurs. Peut-être que dans un premier temps ils l'avaient gardée en vie, au cas où Tessa n'aurait pas respecté leur plan. Mais le temps passant…

Tessa avait raison d'être partie sur le sentier de la guerre. Elle avait déjà perdu une journée en préparatifs, une journée à l'hôpital et une journée en prison. Le dénouement était proche. Le temps lui était compté. Dans les heures à venir, soit Tessa retrouverait sa fille, soit elle mourrait en essayant.

Une policière seule, s'attaquant à des truands qui n'avaient pas hésité à pénétrer par effraction chez un agent de police pour tuer son conjoint.

Qui pouvait avoir l'audace de faire ça ? Et les moyens ?

La mafia russe étendait ses immenses tentacules dans la région de Boston. On s'accordait à la trouver dix fois plus impitoyable que son homologue italienne et elle était rapidement en train de prendre le contrôle de tout ce qui était corruption, trafic de drogue et blanchiment d'argent. Mais subtiliser deux cent cinquante mille dollars au syndicat de la police n'était pas de leur niveau, se dit Bobby.

Les Russes préféraient risquer gros, gagner gros. Deux cent cinquante mille dollars, c'était de l'argent de poche par rapport à leurs affaires habituelles. Et puis voler la police d'État, s'attirer volontairement les foudres d'une puissante institution…

Bobby avait le sentiment qu'il y avait quelque chose de plus personnel dans cette affaire. Des truands n'auraient pas cherché à détourner l'argent d'un syndicat de police. En revanche, ils avaient pu faire pression sur un homme dans la place, qui aurait alors pensé que ce serait la meilleure méthode pour se procurer les fonds dont il avait besoin. Un homme qui aurait eu accès à l'argent, mais qui possédait aussi les informations et la capacité d'anticipation nécessaires pour brouiller les pistes…

En un éclair, Bobby comprit. Il fut horrifié. Glacé jusqu'au sang. Mais tout se tenait parfaitement.

D'un coup de coude, il fracassa la vitre passager de la voiture. Le verre vola en éclats. Une sirène retentit. Bobby ne prêta aucune attention à ces bruits. Il ouvrit la boîte à gants et y trouva la carte grise du véhicule, où figurait le numéro d'immatriculation sous lequel circulait maintenant la voiture de Tessa.

Puis il retourna en courant vers D.D. et le garage, fort d'une nouvelle information et d'une idée de leur destination finale.

40

LES GENS qu'on emmenait dans cette cave y trouvaient la mort.

Je l'ai su rien qu'à l'odeur. L'odeur ferreuse du sang, prenante, tellement incrustée dans le sol en ciment qu'aucune quantité d'eau de Javel ni de jus de citron ne parviendrait jamais à l'enlever. Il y a des gens qui ont un atelier dans leur sous-sol. John Stephen Purcell avait une chambre de torture.

Il fallait que j'allume l'ampoule du plafond. Cela foutrait en l'air ma vision nocturne, mais cela désorienterait aussi tout gangster prêt à se jeter sur moi.

Debout sur la première marche, la main sur l'interrupteur à ma gauche, j'ai hésité. Je n'étais pas sûre d'avoir envie qu'il y ait de la lumière dans ce sous-sol. Je n'étais pas sûre d'avoir envie de voir.

Après des heures d'un bienheureux engourdissement, mon sang-froid commençait à céder. L'odeur. Ma fille. L'odeur. Sophie.

Ils n'auraient pas torturé une petite fille. Qu'auraient-ils eu à y gagner ? Qu'aurait bien pu leur dire Sophie ?

J'ai fermé les yeux. Actionné l'interrupteur. Et, figée dans le profond silence qui se fait après minuit, j'ai guetté le premier gémissement de ma fille qui attendrait qu'on vienne à son secours ou la course d'un assaillant prêt à se ruer sur moi.

Je n'ai rien entendu du tout.

J'ai ouvert l'œil droit, compté jusqu'à cinq, ouvert le gauche. La lumière crue de l'ampoule ne m'a pas fait aussi mal que je l'avais craint. Le fusil toujours dans les bras, l'épaule droite ruisselante de sang, j'ai commencé à descendre.

Pas de désordre dans la cave de Purcell. Un homme de son état n'avait ni meubles de jardin, ni cartons de vieilleries, ni boîtes de décorations de Noël.

Cet espace dégagé contenait un lave-linge, un sèche-linge, un évier de buanderie et une grande table en inox. Une table bordée d'une rigole, exactement comme celles qu'on trouve dans les morgues. La rigole descendait vers un plateau au pied de la table, auquel on pouvait raccorder un tuyau pour évacuer les liquides vers l'évier.

Manifestement, quand il brisait des rotules ou sectionnait des phalanges, Purcell aimait faire les choses proprement. Mais, vu la grande tache rose au sol, il n'était pas toujours possible d'éviter les éclaboussures.

À côté de la table en inox se trouvait une vieille table pliante avec divers instruments, disposés comme ceux d'un chirurgien. Chaque ustensile avait été récemment nettoyé et les lames fraîchement aiguisées miroitaient sous l'ampoule du plafond.

J'aurais parié que Purcell consacrait beaucoup de temps à disposer son matériel avec minutie. Qu'il prenait plaisir à laisser ses victimes découvrir toute la palette de ses instruments pour que leur cerveau terrifié anticipe et lui mâche le travail. Après quoi, il devait les ligoter sur la table.

J'imaginais que la plupart commençaient à vider leur sac avant même qu'il se soit emparé de la première paire de tenailles. Et j'aurais parié que ça ne les sauvait pas.

Je suis passée devant la table, l'évier, le lave-linge et le sèche-linge. Derrière l'escalier, j'ai trouvé une porte qui menait à la réserve. Collée dos au mur sur le côté, j'ai tendu la main vers la poignée pour ouvrir.

Personne n'a surgi en trombe. Aucune enfant ne m'a accueillie avec des pleurs.

Toujours tremblante de nervosité, d'épuisement et d'un effroi qui me taraudait en silence, je me suis accroupie, j'ai mis mon fusil en joue et je me suis élancée dans l'obscurité.

Pour me retrouver nez à nez avec un bidon d'essence, un chauffe-eau, la caisse à outils et quelques étagères en plastique qui ployaient sous le poids de divers produits ménagers, de liens de serrage, d'un rouleau de corde. Et d'un épais tuyau, parfait pour finir de nettoyer au jet.

Je me suis lentement relevée et j'ai eu la surprise de constater que je vacillais, au bord de l'évanouissement.

Le sol était mouillé. J'ai regardé par terre, vaguement étonnée de voir une flaque de sang. Ça pissait le long de mon bras.

Besoin d'aide. Devrais aller aux urgences. Devrais...

Quoi, appeler la cavalerie ?

L'amertume de cette idée m'a redonné de l'énergie. J'ai quitté la cave pour regagner les ténèbres du rez-de-chaussée, sauf que cette fois-ci j'ai allumé dans toutes les pièces.

Comme je m'en doutais, j'ai trouvé tout un stock de matériel de premier secours dans la salle de bain de Purcell. Un homme qui exerçait sa profession devait s'attendre à des blessures qu'il devrait cacher et il avait donc garni son armoire à pharmacie en conséquence.

Impossible de retirer mon pull noir par la tête ; je l'ai donc découpé avec des ciseaux chirurgicaux. Ensuite, penchée au-dessus du lavabo, j'ai versé de l'eau oxygénée directement dans le trou sanglant.

Le choc et la douleur m'ont coupé le souffle et je me suis violemment mordu la lèvre.

Si j'avais été un vrai dur (disons Rambo), j'aurais repêché la balle avec des baguettes chinoise et recousu la plaie avec du fil dentaire. Comme ce n'était pas dans mes cordes, j'ai bourré le trou de gaze blanche et fixé ce bouchon sanglant avec des rubans de sparadrap blanc.

J'ai fait descendre trois comprimés d'ibuprofène avec de l'eau et j'ai pris une chemise à carreaux bleu marine dans la penderie de Purcell. Deux fois trop grande, elle sentait l'assouplissant et l'eau de Cologne pour homme. L'ourlet m'arrivait à mi-cuisse et j'ai dû tant bien que mal rouler les manches pour dégager mes mains.

Je n'avais jamais porté la chemise d'un homme que j'étais sur le point de tuer. Ça m'a paru étrangement intime, comme quand on se prélasse au lit dans la belle chemise de son amoureux après avoir couché avec lui pour la première fois.

Je suis allée trop loin, me suis-je dit, *j'ai perdu une partie de moi-même.* En cherchant ma fille, je découvrais en moi un abîme dont j'ignorais jusque-là l'existence. Est-ce que retrouver Sophie rendrait cela moins douloureux ? Est-ce que la lumière de son amour repousserait ces ténèbres ?

Et quelle importance, d'ailleurs ? Dès l'instant où elle était née, j'aurais donné ma vie pour mon enfant. Qu'était un peu de santé mentale à côté ?

J'ai pris le fusil et je suis ressortie ; Purcell gisait toujours au pied de la maison, les yeux fermés. J'ai cru qu'il avait perdu connaissance, mais quand la neige a crissé sous mes pieds, il a ouvert les yeux.

Il était pâle. Malgré les températures négatives, de la sueur perlait sur sa lèvre supérieure. Il avait perdu beaucoup de sang. Il était probablement à l'agonie et le savait, mais ça ne semblait pas l'étonner.

Purcell était de la vieille école. Quiconque se servira de l'épée périra par l'épée.

Cela n'allait pas me faciliter la tâche.

Je me suis accroupie à côté de lui.

« Je pourrais t'emmener à la cave. »

Haussement d'épaules.

« Histoire de te faire un peu tâter de tes méthodes. »

Nouveau haussement d'épaules.

« Tu as raison : je vais monter les instruments ici. Ça m'évitera de te trimballer dans toute la maison. »

Encore un haussement d'épaules. D'un seul coup, j'ai regretté que Purcell n'ait pas de femme ni d'enfant. Qu'est-ce que j'aurais fait, dans ce cas ? Je ne savais pas, mais je voulais le faire souffrir autant que lui m'avait fait souffrir.

J'ai posé le fusil derrière moi, hors de portée de Purcell. Ensuite j'ai tiré le couteau KA-BAR et je l'ai doucement soupesé dans ma main gauche.

Le regard de Purcell s'est fugitivement posé sur le couteau. Mais il n'a toujours rien dit.

« Tu vas mourir des mains d'une femme », ai-je annoncé, et j'ai enfin eu la satisfaction de voir ses narines se dilater. Son égo. Évidemment. Rien ne blesse autant un homme que d'être surclassé par une femme.

« Tu te rappelles ce que tu m'as dit ce matin-là dans la cuisine ? lui ai-je susurré. Que si je coopérais, tout se passerait bien. Que si je te donnais mon arme de service, tu libérerais ma famille. Et ensuite tu t'es retourné pour abattre mon mari. »

J'ai fait glisser le couteau sur le devant de sa chemise. La lame a fait sauter le premier bouton, le deuxième, le troisième. En dessous, Purcell portait un tee-shirt noir et la chaîne en or de rigueur.

J'ai planté la pointe du couteau dans le haut du mince tissu de coton et j'ai commencé à le déchirer.

Purcell regardait la lame avec une intense fascination. Je voyais son imagination se mettre en branle, lui figurer tout ce qu'une grande lame acérée comme ça pourrait lui infliger. Alors qu'il était chez lui, les mains liées. Impuissant. Vulnérable.

« Je ne vais pas te tuer », ai-je dit en fendant le tee-shirt noir.

Il a ouvert de grands yeux. M'a regardé d'un air hésitant.

« Tu voudrais bien, hein ? Tomber au front. Une fin digne d'un gangster qui se respecte. »

Dernier bouton de la chemise. Sauté. Dernier centimètre de tee-shirt. Tranché.

Du bout de la lame, j'ai écarté les vêtements. Son ventre était d'une pâleur inattendue, la taille un peu épaisse, mais ferme. Sportif. Pas immense. Peut-être boxeur. Il savait qu'il était important de garder la forme dans son métier. Il faut des muscles pour traîner des corps inconscients jusqu'à la cave et les ligoter sur la table.

Une certaine stature pour enlever une petite fille de six ans qui se débat.

J'ai encore repoussé ses vêtements avec le couteau, exposé son flanc gauche. J'ai regardé son épaule nue avec fascination. La chair de poule qui grenait sa peau dans le froid. Le bourgeon rond de son téton juste au-dessus du cœur.

« Tu as mis une balle à mon mari ici », ai-je murmuré en traçant une croix avec le couteau. Le sang est monté, dessinant un X rouge parfait sur sa peau. La lame, tranchante comme un rasoir, faisait des coupures bien nettes. Shane n'avait jamais plaisanté avec le matériel.

« Balle suivante ici. » J'ai déplacé la lame. Peut-être que j'ai coupé plus profond cette fois-ci parce que Purcell a inspiré en tremblant, frémi sous moi.

« Troisième balle, juste ici. » Cette fois, j'ai clairement été profond. Quand j'ai relevé le couteau, le sang coulait le long de la lame et gouttait sur le ventre de Purcell.

Du sang dans la neige blanche toute propre.

Brian agonisant dans la cuisine claire toute propre.

Le truand tremblait maintenant. Je l'ai regardé en face. Pour qu'il voie la mort dans mes yeux. Pour qu'il voie la tueuse que j'étais devenue grâce à lui.

« Voilà le topo. Tu me dis où est ma fille et en échange je te détache. Je ne vais pas te donner de couteau ni quoi que ce soit d'aussi stupide, mais je te laisse une chance face à moi. Peut-être que tu prendras le dessus ; dans ce cas, tant pis pour moi. Et sinon, tu auras au moins chèrement vendu ta peau au lieu de terminer ficelé comme un dindon dans ton jardin. Tu as jusqu'à cinq pour te décider. *Un.*

– Je ne suis pas une balance », a dit Purcell avec hargne.

J'ai haussé les épaules et, parce que l'envie m'a pris, j'ai coupé une énorme touffe de ses épais cheveux bruns. « *Deux.* »

Il a tressailli, sans céder. « Tu vas me tuer, de toute façon. »

Encore des cheveux, peut-être même un bout d'oreille. « *Trois.*

– Salope.

– La bave du crapaud... » J'ai attrapé une grosse boule de cheveux bruns au-dessus de son front. Bien échauffée maintenant, je tirais fort, jusqu'à voir son cuir chevelu se soulever. « *Quatre.*

– Je n'ai pas ta fille ! a explosé Purcell. Je ne fais pas les enfants. Je leur ai dit dès le début, pas les enfants.

– Alors elle est où ?

– C'est toi, le flic. Tu ne crois pas que tu devrais le savoir ? »

J'ai donné un grand coup de couteau. Coupé beaucoup de cheveux et, pas d'erreur, du cuir chevelu. Du sang rouge a bouillonné. Et dégouliné sur le sol glacé, rosissant dans la neige.

Je me suis demandé si je connaîtrais jamais un nouvel hiver où la neige fraîche ne me donnerait pas envie de vomir.

Purcell a braillé, agité de soubresauts dans ses liens. « Tu as fait confiance aux mauvaises personnes. Et maintenant tu t'en prends à moi ? Je t'ai rendu service ! Ton mari était un minable. Ton copain policier encore pire. Et comment tu crois que je suis rentré chez toi, connasse ? Tu t'imagines que ton jules m'aurait ouvert la porte comme ça ? »

Je me suis figée. Je l'ai regardé. Et j'ai compris, à cet instant, la pièce du puzzle qui me manquait. J'étais restée tellement sous le choc du traumatisme de samedi matin que je ne m'étais jamais posé la question de l'enchaînement des événements. Je n'avais jamais analysé la scène avec un regard de flic.

Par exemple, Brian se savait déjà menacé. D'où la musculation, le récent achat du Glock 40. Ses sautes d'humeur et ses colères. Il savait qu'il s'était mis dedans jusqu'au cou. Alors, c'est clair, jamais il n'aurait ouvert la porte à un individu comme John Stephen Purcell, surtout avec Sophie dans la maison.

Sauf que Sophie n'était plus dans la maison quand j'étais rentrée.

Elle avait déjà disparu. Purcell était seul dans la cuisine, avec Brian sous la menace du pistolet. Sophie avait déjà été emmenée, par une deuxième personne qui avait dû arriver en même temps que lui. Quelqu'un à qui Brian avait ouvert sans se méfier. Quelqu'un qui avait accès au fonds de pension de la police. Qui connaissait Shane. Qui se sentait assez puissant pour contrôler tous les protagonistes.

J'ai dû blêmir parce que Purcell a éclaté de rire. Une sorte de râle dans sa poitrine.

« Tu vois ? Je dis la vérité. Le problème, ce n'est pas moi. Ce sont les hommes autour de toi. »

Il a continué à rire ; le sang dégoulinait sur son visage et lui donnait l'air aussi fou que les sentiments que j'éprouvais. Nous étions comme deux jumeaux, me suis-je brutalement aperçu. Des soldats dans une guerre, dont les généraux usaient et abusaient, trahissaient la confiance.

D'autres prenaient les décisions. Nous, nous payions les pots cassés.

J'ai reposé le couteau derrière moi, à côté du fusil. Mon bras droit me lançait. À force de m'en servir, la plaie par balle s'était remise à saigner. Je sentais le liquide dégouliner de nouveau le long de mon bras. Encore des taches roses dans la neige.

Ça ne durerait plus longtemps, je le savais. Et, comme Purcell, je n'avais pas peur. J'étais résignée à mon sort.

« Lyons est mort. »

Purcell a cessé de rire.

« Il se trouve que tu l'as tué il y a deux heures. »

Purcell a pincé les lèvres. Il comprenait vite.

De l'arrière de mon pantalon, j'ai tiré le 22 semi-automatique que j'avais trouvé scotché à l'arrière de la cuvette des toilettes dans la salle de bain. Simple arme de secours pour un type comme lui, mais ça ferait l'affaire.

« Acheté au marché noir, j'imagine. Numéro de série limé. Aucun moyen de remonter la piste.

– Tu m'avais promis un combat à la loyale, a protesté Purcell.

– Et tu m'avais promis de libérer mon mari. J'imagine que ça fait de nous deux menteurs. »

Je me suis penchée vers lui. « Qui tu aimes ? lui ai-je murmuré dans la neige ensanglantée.

– Personne, a-t-il répondu d'un air las. Je n'ai jamais aimé personne. »

J'ai hoché la tête, pas étonnée. Et je l'ai abattu. Deux balles dans la tempe gauche, un classique dans les règlements de compte. Ensuite, j'ai repris le couteau et, avec détachement, j'ai gravé le mot « balance » sur la peau du mort. Il fallait faire disparaître les trois X que j'avais dessinés sur sa poitrine, sinon une enquêtrice aussi futée que D.D. Warren serait directement remontée jusqu'à moi.

Mon visage me faisait une drôle d'impression. Dur. Sévère, même pour moi. Je me suis rappelé cette cave bien rangée où flottaient encore des odeurs d'eau de Javel et de sang, et les souffrances que Purcell aurait pris plaisir à m'infliger si je lui en avais laissé l'occasion. Peine perdue. J'étais faite pour être policière, pas tueuse. Et chaque nouvel acte de violence m'enlevait quelque chose que je ne retrouverais jamais.

Mais je continuais parce que, comme toutes les femmes, j'avais un don pour le masochisme.

Derniers détails : prendre le Glock 40 de Brian dans le sac de sport et refermer la main droite de Purcell sur la crosse pour y mettre ses empreintes ; ranger le 22 de Purcell dans le sac, que je jetterais dans la première rivière venue ; planquer le Glock 40 dans la maison, scotché à l'arrière des toilettes comme le 22 l'avait été.

Quelque temps après le lever du jour, des policiers découvriraient le corps de Purcell attaché au robinet, manifestement torturé, sans vie. Ils fouilleraient la maison, découvriraient sa cave, et cela répondrait à une bonne partie de leurs questions : quand on fait carrière dans cette profession, on s'expose à mal finir.

Au cours de leur fouille, ils tomberaient aussi sur le Glock 40 de Brian. Les services balistiques feraient le rapprochement avec la balle qui avait tué l'agent de police Shane Lyons et formuleraient l'hypothèse que Purcell s'était un jour introduit chez moi pour dérober l'arme de mon mari et s'en était ensuite servi pour abattre un policier unanimement respecté.

L'enquête sur le meurtre de Purcell serait rangée dans les dossiers non prioritaires – juste un malfrat qui avait trouvé une mort violente. Shane serait inhumé avec tous les honneurs dus à sa fonction et sa famille indemnisée.

Bien sûr, la police chercherait l'arme qui avait servi à tuer Purcell. Elle s'interrogerait sur son meurtrier. Mais toutes les questions ne sont pas destinées à trouver des réponses.

De même que tous les gens ne sont pas destinés à être crus.

Une heure dix-sept du matin. Je me suis relevée en vacillant et je suis retournée à la voiture. Je me suis enfilée deux bouteilles d'eau et deux barres énergétiques. Épaule droite en feu. Fourmis dans les doigts. Sensation de creux à l'estomac. Une curieuse insensibilité sur le pourtour de mes lèvres.

Et j'ai repris la route, le fusil sur les genoux, mes mains sanglantes sur le volant.

Sophie, j'arrive.

41

« C'EST HAMILTON », dit Bobby en entraînant D.D. hors du garage de Leoni pour regagner leur voiture au pas de course.

« Hamilton ? On parle bien de Hamilton, le lieutenant-colonel de la police d'État ?

– Exact. Il a les entrées, l'occasion, il connaît toutes les parties prenantes. Peut-être que la passion du jeu de Brian a tout déclenché, mais c'est Hamilton, le cerveau de l'affaire. *Les gars, vous avez besoin d'argent ? Figurez-vous qu'il y a tout un magot qui dort là à ne rien faire...*

– Entre lui et Shane... », murmura D.D. Elle hochait la tête, parcourue d'un premier frisson d'excitation. Un nom, un suspect, une cible. Elle monta en voiture et Bobby s'engagea sur la chaussée, filant déjà vers l'autoroute.

« C'est ça, dit-il. Pas bien difficile de comprendre comment on monte une société-écran, et Hamilton tirait les ficelles de l'intérieur pour effacer leurs traces. Mais toutes les bonnes choses ont une fin.

– Une fois l'enquête interne ouverte...

– Leurs jours étaient comptés. Des enquêteurs d'État commençaient à mettre leur nez dans leurs affaires et, grâce à Shane et Brian qui continuaient à trop jouer, ils avaient aussi des truands de tout poil qui voulaient une part du gâteau. Évidemment, Hamilton s'est inquiété.

Et Brian et Shane sont passés du statut de complices à celui de facteurs de risque dont il pouvait parfaitement se dispenser.

– Hamilton aurait tué Brian et kidnappé Sophie pour que Tessa avoue le meurtre de son mari et soit accusée d'avoir détourné l'argent du syndicat ? s'interrogea D.D. À moins que ce ne soit un homme de main. Le genre de truand que Brian s'était déjà mis à dos. Le genre de type prêt à commettre un dernier meurtre pour rentrer dans ses fonds.

– Le genre de type qui aurait posté des photos de la famille de Shane en guise d'avertissement, ajouta Bobby.

– C'est toujours comme ça avec les gradés, dit D.D. Ils sont très forts pour avoir des idées, mais ils n'aiment pas se salir les mains pour les mettre à exécution. »

Elle eut un instant d'hésitation.

« Si on suit cette logique, où est Sophie ? Est-ce que Hamilton prendrait le risque de séquestrer lui-même une petite fille de six ans ?

– Je ne sais pas. Mais je te parie que si on lui tombe sur le râble sans prévenir, on aura la réponse. Il doit être en ville, sur les lieux du meurtre de Lyons, à papoter avec le colonel et les autres gradés. »

D.D. hocha la tête, puis attrapa Bobby par le bras. « Il n'est pas là-bas. Tout ce que tu veux.

– Pourquoi ?

– Parce que Tessa est en cavale. Nous le savons. Il le sait. Et maintenant il doit aussi être au courant que le fusil et la carabine M4 de Lyons ont disparu. Donc il sait que Tessa est armée jusqu'aux dents, dangereuse, et qu'elle cherche à tout prix à localiser sa fille.

– Il est en fuite, conclut Bobby, pour échapper à son propre agent. »

Mais ce fut alors son tour d'avoir une objection. « Non, pas un type aussi expérimenté et rusé que Hamilton. La meilleure défense, c'est l'attaque, non ? Il est parti retrouver Sophie. Si elle est encore en vie, il va remettre la main sur elle. Elle est la seule monnaie d'échange qui lui reste.

– Mais où est-elle ? demanda encore une fois D.D. Ça fait trois jours qu'on a une alerte-enlèvement en vigueur dans tout l'État. Il y a sa photo sur tous les écrans de télé, son signalement à la radio. Si elle était dans le coin, on devrait avoir une piste à l'heure qu'il est.

– Ce qui signifie qu'elle est enfermée sous contrôle étroit, réfléchit Bobby. À la campagne, sans voisins immédiats. Avec quelqu'un chargé de la garder sous clé. Donc un endroit inaccessible, mais bien approvisionné. Un lieu dont Hamilton pense qu'il ne sera jamais soupçonné.

– Il n'aurait jamais planqué Sophie dans sa maison. Trop proche de lui. Et si elle était chez un ami d'ami ? Ou dans sa résidence secondaire ? On a vu des photos de lui où il chasse le chevreuil. Est-ce qu'il aurait un pavillon de chasse, un chalet dans les bois ?

– Banco, dit Bobby en souriant. Hamilton a un chalet près du mont Greylock à l'ouest de l'État. À deux heures et demie de route du QG de la police, blotti au pied des Berkshire. Isolé, contrôlable et suffisamment loin pour qu'il puisse nier avec une certaine crédibilité : même si le chalet lui appartient, il peut affirmer qu'il n'y a pas mis les pieds depuis des jours ou des semaines, surtout avec tous les événements qui ont exigé son attention à Boston.

– Tu saurais nous y emmener ? » demanda aussitôt D.D.

Bobby hésita. « J'y ai été une ou deux fois, mais ça remonte à des années. Il lui arrive d'inviter des collègues pour des week-ends de chasse, ce genre de choses. Je revois les routes…

– Phil, dit D.D. en attrapant son téléphone portable. Prends le Pike. Je vais nous trouver l'adresse. »

Bobby mit le gyrophare et fila pied au plancher vers le Pike, la route la plus directe pour traverser tout l'État. D.D. composa le numéro du commissariat central. Il était plus de minuit, mais, police municipale ou police d'État, personne ne dormait cette nuit-là ; Phil décrocha dès la première sonnerie.

« Tu es au courant pour Lyons ? demanda-t-il en guise de bonjour.

– On en vient. J'ai une mission délicate pour toi. Je veux savoir tout ce qu'il y a à savoir sur Gerard Hamilton. Fais des recherches sur les noms de ses proches aussi. Je veux toutes les adresses connues et ensuite un bilan financier complet. »

Un silence. « Le lieutenant-colonel de la police d'État, tu veux dire ? demanda Phil avec circonspection.

– Je t'avais prévenu que c'était délicat. »

D.D. entendit un cliquetis. Les doigts de Phil qui couraient déjà sur le clavier.

« Tiens, si tu veux une information officieuse, même pas un ragot de machine à café, plutôt le genre pissotière..., proposa Phil en pianotant.

– Je ne demande que ça.

– J'ai entendu dire que Hamilton s'était trouvé une poulette. Une Italienne au tempérament volcanique.

– Son nom ?

– Aucune idée. Le type ne m'a parlé que de son... arrière-train.

– Les hommes sont des porcs.

– En ce qui me concerne, je suis un porc qui aime sa femme et qui a besoin qu'elle survive à quatre enfants, alors je ne me sens pas visé.

– Tu fais bien, lui accorda D.D. Commence à creuser, Phil. Donne-moi ce dont j'ai besoin parce qu'on pense qu'il séquestre peut-être Sophie Leoni. »

D.D. raccrocha. Bobby arriva à la bretelle de raccordement vers le Pike. Il la gravit à 110 à l'heure et ils prirent le virage sur les chapeaux de roue. Les routes étaient enfin déneigées et la circulation était fluide à cette heure de la nuit. Bobby accéléra jusqu'à 160 sur la large autoroute plate qui les catapultait vers l'ouest du Massachusetts. Ils avaient plus ou moins deux cents kilomètres à faire, songea D.D., dont une partie où il faudrait lever le pied. Deux heures, estima-t-elle. Deux heures avant, enfin, de sauver Sophie Leoni.

« Tu crois que c'est une bonne policière ? » demanda soudain Bobby.

D.D. n'eut pas besoin de lui demander de qui il parlait. « Je ne sais pas. »

Bobby quitta des yeux la nuit noire qui défilait à vitesse grand V pour jeter un regard vers elle. « Jusqu'où tu serais prête à aller ? demanda-t-il d'une voix douce en baissant les yeux vers le ventre de D.D. Si c'était ton enfant, jusqu'où tu serais prête à aller ?

– J'espère ne jamais avoir à le découvrir.

– Parce que moi, je les tuerais tous, déclara-t-il tout net en crispant et décrispant les mains sur le volant. Si quelqu'un menaçait Annabelle, kidnappait Carina. Il n'y aurait pas assez de munitions dans tout l'État pour ce que je voudrais leur faire. »

D.D. ne doutait pas une seconde de ce qu'il disait, mais elle n'était quand même pas d'accord.

« Ce n'est pas bien, Bobby. Même si on te provoque, même si c'est l'autre qui a commencé… Ce sont les criminels qui recourent à la violence. Nous sommes policiers. Nous sommes censés être raisonnables. Si nous ne sommes même pas capables de respecter ces règles… qui pourra ? »

Après cela, ils roulèrent en silence ; écoutant le ronflement rauque du moteur poussé à son maximum, ils regardaient les lumières de la ville fuser comme des éclairs.

Sophie, pensa D.D., *on arrive.*

42

LE LIEUTENANT-COLONEL Gerard Hamilton était mon supérieur, mais je n'irais pas jusqu'à dire que je le connaissais bien. D'abord, il était plusieurs échelons au-dessus de moi. Et puis il était plutôt du genre sorties entre potes. Quand il voyait des collègues, c'était avec Shane et l'invitation incluait souvent le grand complice de Shane, mon mari, Brian.

Ils allaient voir un match des Red Sox, se faisaient un petit week-end de chasse ou un voyage d'étude à Foxwoods.

Avec le recul, tout se tenait. Les petites excursions de Shane. Mon mari qui suivait le mouvement. Hamilton aussi.

Moyennant quoi, quand Brian avait commencé à miser trop gros, à s'enfoncer… Qui avait pu savoir à quel point il était étranglé financièrement ? Qui connaissait une autre méthode pour s'enrichir rapidement ? Qui s'était trouvé idéalement placé pour profiter de la faiblesse de mon mari ?

Shane n'avait jamais été un champion des cellules grises. Le lieutenant-colonel Hamilton, en revanche… Lui aurait su comment entraîner Shane et Brian. Une petite fraude par ici, par là. C'est fou comme les gens peuvent trouver des justifications à leurs mauvaises actions quand ils commencent petit.

Par exemple, quand j'étais sortie de prison, je ne prévoyais pas de tuer Shane, ni d'assassiner un gangster du nom de John Stephen Purcell, ni de rouler dans la nuit glacée vers le pavillon de chasse de mon supérieur avec un fusil sur les genoux.

Peut-être que Brian et Shane s'étaient dit qu'ils ne faisaient qu'« emprunter » cet argent. En tant que délégué syndical, Shane devait tout savoir du fonds de pension et du solde disponible. Hamilton savait sans doute comment accéder à ces fonds, quel type de société-écran serait le plus adapté pour spolier les retraités de la police d'État. Avec ses relations, ça devait être l'affaire d'un coup de fil.

Ils avaient créé une société fictive et leur affaire était sur les rails : ils facturaient le fonds de pension, touchaient l'argent et allaient jouer.

Combien de temps pensaient-ils faire durer l'escroquerie ? Un mois ? Six mois ? Un an ? Peut-être qu'ils ne se projetaient pas aussi loin. Peut-être qu'ils ne s'étaient pas posé la question sur le moment. Mais l'Inspection avait évidemment fini par découvrir le pot-aux-roses et ouvrir une enquête. Malheureusement pour Brian et Shane, ce genre d'enquête ne s'arrêtait pas avant que la cellule d'investigation n'ait obtenu des réponses.

Est-ce que c'était à ce moment-là que Hamilton avait décidé de faire de moi le bouc émissaire ? Ou bien est-ce que c'était un effet domino ? Parce qu'après avoir pioché dans le fonds de pension de la police, Brian et Shane avaient continué à manquer d'argent et emprunté à des individus peu recommandables, jusqu'au jour où ils s'étaient retrouvés menacés à la fois par une enquête interne et par des exécuteurs de basses œuvres ?

À un moment donné, Hamilton s'était rendu compte que Shane et Brian risquaient de craquer sous la pression, d'avouer leurs méfaits pour sauver leur tête et de le livrer sur un plateau.

Des deux, Brian était clairement celui qui représentait le plus grand danger. Peut-être Hamilton avait-il passé un dernier accord avec le gang : il finirait de rembourser les créances douteuses de Brian et Shane, et en échange ils supprimeraient Brian et l'aideraient à me mettre tous ces crimes sur le dos.

Shane resterait en vie, mais il serait trop terrifié pour parler ; Hamilton et ses acolytes garderaient leur argent mal acquis.

Brian serait mort. Je serais en prison. Sophie… bon, une fois que j'aurais fait tout ce qu'ils demandaient, ils n'auraient plus besoin d'elle, n'est-ce pas ?

Ma famille serait donc rayée de la carte pour que Shane vive et que la cupidité de Hamilton soit satisfaite.

La fureur m'a tenue éveillée pendant les trois heures de trajet vers Adams, tout à l'ouest de l'État, où je savais que Hamilton possédait une résidence secondaire. Je n'y avais été qu'une fois, pour un barbecue d'automne qu'il avait donné quelques années auparavant.

Dans mon souvenir, le chalet en rondins était petit et isolé. Idéal pour randonner, chasser ou séquestrer une fillette.

Les doigts de ma main droite refusaient de bouger. L'hémorragie s'était enfin calmée, mais je soupçonnais que la balle avait endommagé des tendons, peut-être même des nerfs. L'inflammation aggravait encore la lésion et je ne pouvais plus serrer le poing. Ni appuyer sur une détente.

J'allais me débrouiller avec ma main gauche. Avec un peu de chance, Hamilton ne serait pas là. Un de ses agents venait de trouver la mort dans l'exercice de ses fonctions, il devait être à Allston-Brighton pour régler les formalités.

J'allais me garer au pied du long chemin de terre qui montait au chalet et je traverserais les bois à pied ; j'aurais pris le fusil, avec lequel je pourrais tirer de la main gauche en le calant contre ma hanche. Je viserais comme un pied, mais c'était l'avantage d'un fusil de chasse : la zone d'impact est tellement large qu'il n'est pas indispensable de bien viser.

Je ferais une reconnaissance autour du chalet, m'imaginais-je mentalement. Je le trouverais déserté. Briserais une vitre avec la crosse du fusil. Entrerais et découvrirais ma fille profondément endormie dans une chambre sombre.

Je la délivrerais et on s'enfuirait ensemble. Peut-être qu'on partirait pour le Mexique, mais la meilleure chose à faire serait d'aller tout droit au commissariat central de Boston. Sophie pourrait témoigner que Hamilton l'avait kidnappée. Une enquête sur la situation financière du lieutenant-colonel révèlerait un solde bancaire bien plus élevé qu'il n'était légitime. Hamilton serait arrêté. Sophie et moi serions sauvées.

Nous reprendrions le cours de nos vies et nous n'aurions plus jamais peur. Un jour, elle arrêterait de réclamer Brian. Et un jour, j'arrêterais de le pleurer.

J'avais besoin de croire que ce serait aussi facile.

J'avais trop mal pour que ça se passe autrement.

À quatre heures trente-deux du matin, j'ai trouvé le chemin de terre qui menait au chalet de Hamilton, je me suis rangée sur le côté et garée derrière un buisson couvert de neige.

Je suis descendue de voiture.

J'ai cru sentir de la fumée.

J'ai pris le fusil.

Et j'ai entendu ma fille hurler.

43

BOBBY ET D.D. venaient de quitter le Pike pour s'engager sur l'asphalte noir de la nationale 20, en rase campagne, quand le portable de D.D. sonna. Le carillon sonore la tira brutalement de son état semi-comateux. Elle décrocha, porta le téléphone à son oreille. Phil.

« D.D., tu roules toujours vers l'ouest ?

– On y est déjà.

– Bon, Hamilton a deux propriétés. La première à Framingham, près du QG de la police d'État. J'imagine que c'est la résidence principale, elle appartient conjointement à Gerard et Judy Hamilton. Mais il y a une deuxième maison, à Adams, seulement à son nom à lui.

– L'adresse ? »

Phil la donna. « Mais écoute voir : le scanner vient de choper un message concernant un incendie domestique à Adams, près de la réserve nationale du mont Greylock. Est-ce que ce serait une coïncidence ? Sinon, c'est peut-être le chalet de Hamilton qui brûle.

– Merde ! dit D.D. en se redressant, tout à fait réveillée. Phil, appelle les autorités du coin. Je veux des renforts. Des agents de la police locale ou municipale, mais pas de la police d'État. » Bobby lui lança un regard, mais ne protesta pas. « Vite ! » ordonna-t-elle en coupant la communication, puis elle rentra immédiatement l'adresse de Hamilton dans le système de navigation de la voiture.

« Phil nous a trouvé l'adresse, apparemment c'est à côté de l'incendie.

– C'est pas vrai ! dit Bobby en frappant le volant. Hamilton y est déjà et il est train de détruire les preuves !

– Pas si on a encore notre mot à dire. »

44

SOPHIE A DE NOUVEAU CRIÉ et je me suis secouée. J'ai attrapé à la fois le fusil et la carabine, versé des chevrotines et des cartouches 223 dans les poches de mon pantalon. Les doigts de ma main droite, engourdis, laissaient tomber plus de munitions dans la neige que dans mes poches. Pas le temps de ramasser. Je suis partie, en espérant que l'adrénaline et l'énergie du désespoir suffiraient.

Alourdie par mon petit arsenal, j'ai foncé dans les bois enneigés, vers l'odeur de fumée et la voix de ma fille.

Encore un cri. Un adulte qui jurait. Le grésillement du bois mouillé qui prenait feu.

Le chalet était droit devant. Le souffle court, je bondissais d'arbre en arbre, cherchant mes appuis dans la neige fraîche. J'ignorais combien de personnes il pouvait y avoir. Il me fallait jouer l'effet de surprise pour espérer nous sortir de là, Sophie et moi. Ne pas trahir ma position, trouver un point en hauteur.

Ma formation de policière me conseillait une approche stratégique, mais mon instinct de mère me poussait à foncer dans le tas pour prendre ma fille sous le bras, *allez, allez, allez.* La fumée s'épaississait. Je toussais, les yeux brûlants, quand j'ai enfin franchi le sommet d'un petit tertre à gauche de la propriété. J'ai découvert le chalet de Hamilton en proie aux flammes et ma fille aux prises avec une femme en grosse parka noire. La femme essayait de faire monter Sophie dans un 4x4. Ma fille, qui ne portait rien d'autre que le mince pyjama rose dans lequel je l'avais mise au lit quatre jours auparavant, sa poupée préférée dans les bras, se débattait comme un beau diable.

Elle a mordu la femme au poignet. L'autre a retiré son bras et lui a asséné une gifle. La tête de ma fille est partie sur le côté. Sophie a vacillé avant de tomber en arrière dans la neige, secouée de quintes de toux à cause de la fumée.

« Non, non, non, pleurait ma petite fille. Laissez-moi partir. Je veux ma maman. *Je veux ma maman !* »

Poser le fusil – trop risqué quand ma fille était si proche de la cible. Plutôt la carabine, sortir le chargeur, chercher dans ma poche gauche. Toujours laisser la place de deux balles dans le chargeur d'une M4 pour que l'alimentation se fasse sans à-coups, me dictait ma formation de policière.

Descends-les tous, ordonnait mon instinct de mère.

J'ai levé la carabine, engagé la première cartouche.

Du sang frais suintait de mon épaule. Mes doigts gourds se positionnaient laborieusement sur la détente.

La femme regardait Sophie à ses pieds. « En voiture, sale môme stupide, hurlait-elle d'une voix stridente.

– Lâche-moi ! »

Nouveau cri. Nouvelle gifle.

Caler la crosse de la carabine militaire au creux de mon épaule ensanglantée et viser la femme brune qui rouait maintenant mon enfant de coups.

Sophie pleurait, les bras sur la tête pour se protéger.

Je suis sortie du bois. Ma cible dans la ligne de mire.

« Sophie ! ai-je crié dans la nuit crépitante et âcre. Sophie. *Cours !* »

Comme je l'avais espéré, le son inattendu de ma voix a capté leur attention. Sophie s'est retournée. La femme s'est redressée d'un seul coup pour localiser l'intrus.

Elle m'a regardée. « Mais qui... »

J'ai tiré.

Sophie n'a jamais regardé en arrière. Vers le corps qui s'affaissait d'un seul coup, la tête qui explosait sous l'impact d'une cartouche 223 et se transformait en une flaque de neige écarlate.

Ma fille ne s'est jamais retournée. Elle a entendu ma voix et a couru vers moi.

Alors qu'un pistolet me rentrait dans l'oreille et que Gerard Hamilton disait : « Espèce de salope. »

D.D. et Bobby suivirent le GPS dans un méandre de routes de campagne jusqu'à rejoindre un étroit chemin de terre bordé de camions de pompiers et de pompiers à la mine sombre. Bobby éteignit les phares. D.D. et lui se ruèrent hors du véhicule en montrant leur plaque.

Les nouvelles étaient brèves et mauvaises.

À leur arrivée, les pompiers avaient entendu des cris suivis de coups de feu. Le chalet se trouvait à plusieurs centaines de mètres, au milieu des bois. Vu la fumée et la chaleur, le bâtiment devait être totalement englouti par les flammes. Les pompiers attendaient maintenant que la police sécurise les lieux pour aller faire leur travail. Attendre n'était pas vraiment leur fort, surtout quand l'un d'eux était certain que les cris étaient ceux d'un enfant.

Bobby dit à D.D. de rester dans la voiture.

Pour toute réponse, D.D. se dirigea d'un pas décidé vers l'arrière du véhicule, passa son gilet en Kevlar et prit le fusil. Elle donna la carabine à Bobby. Après tout, c'était lui, l'ancien tireur d'élite.

Il n'était pas content. « J'y vais le premier. En reconnaissance, dit-il avec brusquerie.

– Je te donne six minutes », répliqua-t-elle sur le même ton.

Bobby enfila son gilet, chargea la M4 et longea la propriété escarpée. Trente secondes plus tard, il disparaissait dans les bois enneigés. Et trois minutes plus tard, D.D. suivait ses traces.

Encore des sirènes au loin.

Les policiers de secteur qui arrivaient enfin.

D.D. s'attacha à suivre la piste de Bobby.

Fumée, chaleur, neige. Un hiver en enfer.

Il était temps de retrouver Sophie. Temps de boucler cette affaire.

Hamilton a arraché la carabine de mon bras invalide. La M4 est mollement tombée de mes mains dans la sienne. Le fusil était à mes pieds. Il m'a ordonné de le ramasser et de lui donner.

Du sommet du monticule, je voyais Sophie courir vers moi, traverser le terrain à toutes jambes, dans un décor d'arbres saupoudrés de neige et de flammes rouge vif.

Le canon du pistolet de Hamilton s'enfonçait dans le creux sensible derrière mon oreille.

J'ai commencé à me baisser. Hamilton s'est insensiblement écarté pour me laisser de la place et je lui ai violemment reculé dedans en hurlant de toutes mes forces : « Sophie, va-t'en ! Dans la forêt. Va-t'en, va-t'en, va-t'en !

– Maman ! » a-t-elle crié, à cent mètres de là.

Hamilton m'a donné un coup de crosse avec son Sig Sauer. Je me suis lourdement effondrée, mon bras droit sous moi. Encore une douleur fulgurante. Peut-être un bruit de déchirure. Pas le temps de récupérer. Hamilton, au-dessus de moi, m'a encore frappée, m'a ouvert la joue, le front. Le sang ruisselait sur mon visage, m'aveuglait, et je me suis recroquevillée en position fœtale dans la neige.

« Si vous aviez fait ce qu'on vous disait ! » criait-il. Il portait son uniforme de cérémonie et son pardessus de laine noire, son chapeau à large bord descendu sur les yeux. Il avait dû revêtir cette tenue quand il avait appris qu'un agent avait trouvé la mort dans l'exercice de ses fonctions. Et ensuite, quand il avait compris qu'il s'agissait de Shane et que moi, en cavale, je courais toujours…

Il était venu chercher ma fille. Vêtu de l'uniforme réglementaire d'un lieutenant-colonel de la police d'État du Massachusetts, il était venu s'en prendre à une enfant.

« Vous étiez une bonne policière, me crachait-il, debout au-dessus de moi, masquant les arbres, l'incendie, le ciel de la nuit. Si seulement vous aviez fait ce qu'on vous disait, tout le monde s'en serait bien sorti !

– Sauf Brian, ai-je réussi à répondre, suffoquée. Vous l'avez fait tuer.

– Il avait le démon du jeu. Je vous ai rendu service.

– Vous avez kidnappé ma fille. Vous m'avez envoyée en prison. Juste pour un peu d'argent. »

En réponse, mon supérieur m'a donné le coup de pied le plus violent qu'il a pu dans le rein gauche – de quoi avoir du sang dans les urines, si toutefois je vivais jusque-là.

« Maman, maman ! » Je me suis rendu compte avec épouvante que Sophie s'était rapprochée. Elle courait toujours vers ma voix, escaladait le talus enneigé.

Non, aurais-je voulu crier. *Sauve-toi, va-t'en.*

Mais ma voix me trahissait. Hamilton avait chassé l'air de mes poumons. Mes yeux me piquaient à cause de la fumée, les larmes coulaient sur mon visage, j'étouffais, secouée de haut-le-cœur dans la neige. Mon épaule me brûlait. Mon estomac était noué de crampes.

Des points noirs dansaient devant moi.

Bouger. Me lever. Me battre. Pour Sophie.

Hamilton a de nouveau pris son élan. Et lancé son pied pour me frapper en pleine poitrine. Cette fois-ci, j'ai baissé mon bras gauche, intercepté son pied et roulé sur le côté. Surpris, Hamilton a été déséquilibré, obligé de poser un genou dans la neige.

Alors au lieu de se servir du Sig Sauer pour me frapper, il a tiré.

La détonation m'a assourdie. J'ai immédiatement ressenti une chaleur cuisante, puis une douleur cuisante. Au côté gauche. Ma main a agrippé ma taille et j'ai levé les yeux, vers mon supérieur, un homme en qui on m'avait appris à avoir confiance.

Il avait l'air stupéfait. Peut-être même un peu désarçonné, mais il s'est vite remis, le doigt de nouveau sur la détente.

Alors que Sophie arrivait au sommet du tertre et nous découvrait.

J'ai eu une vision. Le joli visage pâle de ma fille. Ses cheveux, un vrai paquet de nœuds. Ses yeux, bleu vif, radieux, qui se posaient sur moi. Et elle s'est mise à courir, comme seule une enfant de six ans peut le faire ; Hamilton n'existait pas pour elle, la forêt n'existait pas pour elle, ni cet effroyable incendie, ni la nuit menaçante ou les terreurs indicibles qui avaient dû la tourmenter pendant des jours.

C'était une petite fille qui avait enfin retrouvé sa mère et elle fonçait droit vers moi, cramponnant d'une main Gertrude, tandis qu'elle ouvrait l'autre bras et se jetait sur moi ; j'ai poussé un gémissement sous la vague de douleur et de bonheur qui m'envahissait.

« Je t'aime, je t'aime, je t'aime, ai-je dit dans un souffle.

– Maman, maman, maman, maman, maman.

– Sophie, Sophie, Sophie… »

Je sentais ses larmes chaudes sur mon visage. Même si ça me faisait mal, j'ai quand même levé la main pour lui caresser les cheveux. J'ai regardé Hamilton et caché le visage de ma fille dans mon cou. « Sophie, ai-je murmuré sans jamais le quitter du regard, ferme les yeux. »

Ma fille s'est accrochée à moi, deux moitiés d'un tout, enfin réunies.

Elle a fermé les yeux.

Et j'ai dit, de la voix la plus claire dont j'étais capable : « Allez-y. »

Une silhouette s'est profilée dans l'ombre derrière Hamilton. À mon commandement, il a levé sa carabine. Au moment même où Hamilton braquait le canon de son Sig Sauer sur ma tempe gauche.

Je me suis concentrée sur le contact de ma fille, le poids de son corps, la pureté de son amour. Un cadeau à emporter avec moi dans l'abîme.

« Si vous aviez fait ce que je disais », proférait Hamilton au-dessus de moi.

Et dans la fraction de seconde qui a suivi, Bobby Dodge a tiré.

45

Lorsque D.D. arriva en haut de la propriété, Hamilton, au pied de Bobby, était mort. Bobby regarda D.D. et secoua la tête.

Ensuite elle entendit des pleurs.

Sophie Leoni. Il lui fallut une seconde pour découvrir la petite silhouette rose de l'enfant. Elle était par terre, couchée sur une silhouette noire, ses bras maigres noués autour du cou de sa mère, secouée de violents sanglots.

Alors que D.D. approchait, Bobby mit un genou en terre à côté d'elles et posa une main sur l'épaule de Sophie.

« Sophie, dit-il doucement, Sophie, regarde-moi. Je travaille dans la police, comme ta maman. Je suis venu l'aider. S'il te plaît, regarde-moi. »

Sophie leva enfin son visage baigné de larmes. Elle aperçut D.D. et ouvrit la bouche comme pour hurler. D.D. la rassura.

« Ce n'est rien, ce n'est rien. Je m'appelle D.D. Je suis aussi une amie de ta maman. Elle nous a fait venir ici pour qu'on t'aide.

– Le chef de ma maman m'a emmenée, expliqua clairement Sophie. Il m'a donnée à la méchante femme. J'ai dit non. J'ai dit que je voulais rentrer chez moi ! J'ai dit que je voulais maman ! »

Son visage se décomposa à nouveau. Elle se remit à pleurer, sans bruit cette fois-ci, toujours collée au corps immobile de sa mère.

« Nous savons, dit D.D. en se mettant à la hauteur de l'enfant et en posant timidement une main dans son dos. Mais le chef de ta maman et la méchante femme ne peuvent plus te faire de mal, d'accord, Sophie ? Nous sommes là et tu es en sécurité. »

À voir la tête de Sophie, elle ne les croyait pas. D.D. ne pouvait pas l'en blâmer.

« Est-ce que tu es blessée ? » demanda Bobby.

L'enfant fit signe que non.

« Et ta maman ? demanda D.D. Tu veux bien qu'on regarde, pour être sûrs qu'elle va bien ? »

Sophie s'écarta légèrement, assez pour que D.D. découvre la tache sombre sur le côté gauche de la chemise bleu marine de Tessa, le sang rouge dans la neige. Sophie le vit également. La lèvre inférieure de la fillette se mit à trembler. Elle ne dit pas un mot de plus. Elle se coucha simplement dans la neige à côté de sa mère inconsciente et lui tint la main.

« Reviens, maman, implora-t-elle. Je t'aime. Reviens. »

Bobby dévala la pente à toute vitesse pour aller chercher les secours.

Pendant que D.D. retirait son blouson pour en recouvrir la mère et la fille.

Tessa reprit connaissance au moment où on la chargeait dans l'ambulance. Ses yeux s'ouvrirent d'un seul coup, elle prit une brusque inspiration et tendit la main avec affolement. Les ambulanciers voulurent l'empêcher de bouger. Alors D.D. eut la bonne réaction : elle prit Sophie et la posa au bord de la civière.

Tessa attrapa sa fille par le bras, serra fort. D.D. eut l'impression que Tessa pleurait, ou alors c'était elle qui avait les larmes aux yeux. Elle ne savait plus très bien.

« Je t'aime, murmura Tessa à sa fille.

– Je t'aime encore plus fort, maman. Encore plus fort. »

Les ambulanciers refusèrent que Sophie reste sur la civière. Tessa avait besoin de soins immédiats et l'enfant les gênerait. Après trente secondes de négociation, il fut décidé que Sophie voyagerait à l'avant de l'ambulance pendant qu'on s'occuperait de sa mère à l'arrière. Les ambulanciers, pressés, commencèrent à entraîner la fillette vers l'avant du véhicule.

Elle leur échappa le temps de filer vers sa mère pour déposer quelque chose à côté d'elle, puis elle courut s'asseoir sur le siège passager.

D.D. vit alors la poupée borgne de Sophie blottie contre le corps inerte de Tessa. Les ambulanciers la chargèrent.

L'ambulance les emporta.

D.D. resta dans l'aube enneigée, une main sur le ventre. Une odeur de fumée dans les narines. Un goût de larmes dans la bouche.

Elle leva les yeux vers la forêt, où un incendie finissait de se consumer. La dernière tentative de Hamilton pour effacer ses traces, qui leur avait coûté la vie, à lui et à sa compagne.

D.D. aurait voulu éprouver un sentiment de victoire. Ils avaient sauvé l'enfant, vaincu leur adversaire malfaisant. Maintenant, si l'on oubliait les quelques journées de corvée de paperasse qui les attendaient, ils allaient pouvoir se reposer un peu sur leurs lauriers.

Mais cela ne lui suffisait pas.

D.D. Warren avait bouclé une affaire avec succès et, pour la première fois en douze ans de carrière, cela ne lui suffisait pas. Elle n'avait pas envie d'annoncer la bonne nouvelle à ses supérieurs, de donner des réponses gratifiantes à la presse, ni même de s'envoyer quelques bières avec son équipe pour se détendre.

Elle avait envie de rentrer chez elle. De se blottir contre Alex pour sentir l'odeur de son après-rasage, d'éprouver le réconfort familier de ses bras autour d'elle. Et elle avait envie (elle n'en revenait pas) d'être encore avec lui quand le bébé bougerait pour la première fois, de le regarder dans les yeux quand la première contraction arriverait, de le tenir par la main quand leur bébé viendrait au monde.

Elle voulait une petite fille ou un petit garçon qui l'aimerait autant que Sophie Leoni aimait de toute évidence sa mère. Et elle voulait rendre cet amour au centuple, le sentir grandir année après année, comme Tessa l'avait dit.

D.D. voulait une famille.

Il lui fallut attendre dix heures. Bobby ne pouvait pas travailler : comme il avait fait usage d'une arme à feu, il était obligé de rester sur la touche en attendant l'arrivée de la brigade chargée de mener l'enquête interne lors de tels incidents. Ce fut donc seule que D.D. dut informer son supérieur des derniers rebondissements, puis sécuriser les lieux et traiter les abords en attendant que les dernières braises de l'incendie refroidissent. Encore accueillir de nouveaux policiers et techniciens de scène de crime. Encore répondre à des questions, encore diriger des agents.

Elle travailla pendant le petit déjeuner. Bobby lui apporta un yaourt et un sandwich au beurre de cacahuète pour le déjeuner. Elle travaillait. Elle sentait la fumée et la sueur, le sang et la cendre.

L'heure du dîner arriva et passa. Le soleil se coucha de nouveau. La vie d'une enquêtrice de la criminelle.

Elle fit ce qu'elle avait à faire. S'occupa du nécessaire.

Et, enfin, elle eut fini.

La scène était sécurisée, Tessa avait été transférée par hélicoptère à l'hôpital de Boston et Sophie était en sécurité à ses côtés.

D.D. monta en voiture et prit la direction du Pike.

Elle appela Alex en arrivant à Springfield. Il préparait du poulet à la parmigiana et était ravi d'apprendre qu'elle rentrait enfin à la maison.

Elle lui demanda s'il ne pouvait pas remplacer le poulet par des aubergines.

Il voulut savoir pourquoi.

Et cela la fit rire, puis pleurer, mais les mots ne venaient pas. Alors elle lui dit qu'il lui manquait et il lui promit toutes les aubergines à la parmigiana du monde. Ça, se dit D.D., c'était de l'amour. L'amour d'Alex. Son amour à elle. Leur amour.

« Alex, réussit-elle enfin à articuler. Écoute, Alex. Oublie le dîner. J'ai quelque chose à te dire... »

Je suis restée hospitalisée près de deux semaines. J'ai eu de la chance. La balle de Hamilton a traversé les tissus sans presque toucher aucun organe important. En revanche, Purcell, l'homme de main, était resté pro jusqu'au bout. Il m'a démoli la coiffe des rotateurs, d'où de multiples opérations et d'interminables mois de rééducation. On m'a dit que je ne récupèrerais jamais toute la mobilité de mon épaule droite, mais que je retrouverais l'usage de mes doigts quand l'inflammation aurait régressé.

On verra bien.

Sophie est restée avec moi à l'hôpital. Par dérogation. Le règlement de l'hôpital n'autorisait la présence des enfants que pendant les heures de visite. Le jour de mon admission, Mme Ennis, avertie, est venue proposer son aide. Mais elle n'a pas pu décoller Sophie de moi et, au bout de dix minutes, la surveillante lui a fait signe que c'était bon.

Sophie avait besoin de sa mère. J'avais besoin de Sophie.

Alors on nous a laissées, deux filles dans une chambre rien qu'à nous, un luxe invraisemblable. Nous dormions ensemble, mangions ensemble et regardions Bob l'éponge *ensemble. Notre petite thérapie personnelle.*

Vers le neuvième jour, nous avons fait un tour dans mon ancienne chambre d'hôpital et, abracadabra, nous avons retrouvé au fond du tiroir du bas le bouton qui manquait à Gertrude.

Je l'ai recousu l'après-midi même avec du fil de suture et Sophie lui a préparé un lit d'hôpital pour sa convalescence.

Gertrude allait s'en remettre, m'a-t-elle solennellement annoncé. Gertrude avait été une petite fille très courageuse.

Après cela, nous avons encore regardé Bob l'éponge, *mon bras autour de ma petite fille, sa tête sur mon épaule, même si ça me faisait mal.*

L'hôpital a organisé le passage d'un pédopsychiatre pour Sophie. Elle a refusé de parler de sa captivité et elle n'avait toujours pas prononcé le nom de Brian. Le médecin m'a conseillé de « continuer à dialoguer » et de laisser Sophie venir à moi. Quand elle serait prête, m'a-t-il dit, elle parlerait. Et à ce moment-là, je ne devrais rien laisser paraître et me garder de tout jugement dans mes commentaires.

J'ai trouvé que c'était un drôle de conseil à donner à une femme qui venait de commettre trois meurtres pour sauver sa fille, mais je n'ai rien dit.

Je gardais Sophie dans mes bras. D'un commun accord, nous dormions avec les lumières allumées, et quand elle faisait des dessins pleins de nuit noire, de flammes rouges et de coups de feu, je la complimentais sur le niveau de détail et je lui promettais de lui apprendre à tirer dès que mon bras serait guéri.

Cette idée lui plaisait énormément.

Les enquêteurs D.D. Warren et Bobby Dodge sont revenus. Accompagnés de Mme Ennis, qui a emmené Sophie à la cafétéria de l'hôpital pour que je puisse répondre à leurs dernières questions.

Non, Brian ne m'avait jamais frappée. Je m'étais fait des bleus aux côtes en tombant dans mes escaliers verglacés et, comme j'étais en retard pour ma patrouille, je m'étais soignée toute seule. Shane, en revanche, m'avait tabassée le dimanche matin pour donner l'impression que j'avais tué Brian en situation de légitime défense.

Non, je ne savais pas que l'agent Lyons avait été abattu. Quelle horrible tragédie pour sa famille ! Avait-on déjà des pistes ?

Ils m'ont montré les photos d'un homme au visage fin, des yeux noirs qui jetaient des éclairs, une épaisse chevelure brune. Oui, je reconnaissais cet homme : c'était celui que j'avais découvert dans ma cuisine le samedi matin, tenant mon mari sous la menace d'une arme. Il m'avait dit que si je coopérais, tout le monde s'en sortirait bien. Alors j'avais enlevé mon ceinturon et il avait pris mon Sig Sauer pour tuer mon mari de trois balles en pleine poitrine.

Purcell m'avait ensuite expliqué que si je voulais revoir ma fille en vie, il fallait que je me plie exactement à ses ordres.

Non, je n'avais jamais vu Purcell avant ce matin-là, je ne connaissais pas sa réputation de tueur à gages, je ne savais pas pourquoi il tenait mon mari sous la menace d'une arme ni ce qu'il avait fait de Sophie. Oui, je savais que mon mari était un joueur compulsif, mais je ne m'étais pas rendu compte que la situation avait dégénéré au point qu'un encaisseur avait été engagé pour régler le problème.

Après que Purcell avait abattu Brian, je lui avais offert cinquante mille dollars s'il me donnait un peu de temps avant de donner l'alerte. Je lui avais expliqué que je pouvais congeler le corps et ensuite le décongeler pour appeler la police le dimanche matin. Ça ne m'empêcherait pas de faire ce que Purcell me disait, seulement, étant donné que j'allais être incarcérée pour le meurtre de mon mari, il me fallait vingt-quatre heures pour préparer le retour de Sophie.

Purcell avait accepté le marché et j'avais passé le samedi après-midi à ensevelir le corps de Brian sous la neige, à récupérer le cadavre du chien sous la terrasse et à fabriquer des engins explosifs. J'avais essayé de faire en sorte qu'ils explosent vers l'arrière pour qu'il n'y ait pas de blessé.

Oui, j'avais planifié mon évasion. Et non, il ne m'avait pas semblé que j'aurais pu sans danger révéler à qui que ce soit, même à des enquêteurs de la police municipale, ce qui se passait réellement. D'une part, je ne savais pas qui avait enlevé Sophie et je craignais réellement pour sa vie. D'autre part, je savais qu'au moins un de mes collègues, l'agent Lyons, était impliqué. Comment savoir si des policiers municipaux n'étaient pas eux aussi mouillés ? Voire, comme on l'avait finalement découvert, un haut gradé ?

Sur le moment, je fonctionnais à l'instinct et j'essayais de respecter scrupuleusement mes instructions, mais je me rendais aussi compte que si je ne m'évadais pas pour retrouver ma fille par moi-même, je pouvais aussi bien la considérer comme morte.

D.D. voulait savoir qui était venu me chercher en voiture sur le lieu de l'explosion. Je l'ai regardée droit dans les yeux et je lui ai répondu que j'avais fait du stop. Elle a voulu une description du véhicule. Par malheur, je ne me souvenais de rien.

Mais j'avais finalement atterri au garage de mon père, où je m'étais servie dans son stock de véhicules. Il était ivre mort, pas en état de m'y autoriser ni de protester.

Une fois que j'avais eu la Ford, j'étais allée tout droit au chalet de Hamilton pour l'affronter et libérer Sophie.

Non, je ne savais pas ce qui était arrivé à Shane cette nuit-là ni pourquoi il avait été tué avec le Glock 40 de Brian. Mais si on avait retrouvé l'arme chez le tueur à gages, ne fallait-il pas en déduire qu'il était l'auteur du meurtre ? Peut-être quelqu'un avait-il estimé que Shane leur faisait courir un risque et qu'il fallait le supprimer ? Pauvre Shane. J'espérais que sa femme et ses enfants tenaient le coup.

D.D. me regardait d'un air furax. Bobby ne disait rien. Nous avions un point commun, lui et moi. Il savait exactement ce que j'avais fait. Et je crois qu'il se résignait au fait qu'une femme qui avait déjà trois meurtres sur la conscience n'allait pas comme par enchantement passer aux aveux, même si sa collègue prenait sa grosse voix.

Oui, j'avais tué la maîtresse de Hamilton, Bonita Marcoso. Elle agressait mon enfant. Je n'avais pas eu d'autre choix que d'employer la force.

Quant au lieutenant-colonel… En le tuant, Bobby Dodge m'avait sauvé la vie, ai-je affirmé à D.D. Et je tenais à ce que ça figure dans le procès-verbal. Sans l'action du capitaine Bobby Dodge, Sophie et moi ne serions sans doute plus de ce monde.

« Les enquêteurs sont arrivés à la même conclusion, m'a informée Bobby.

– C'est bien. Merci. »

Il a un peu rougi, gêné de cette attention. Ou alors, il n'aimait tout simplement pas qu'on le remercie d'avoir donné la mort.

En ce qui me concerne, je n'y pense pas beaucoup. Je n'en vois pas l'intérêt.

Voilà la situation en résumé, ai-je conclu pour D.D. : mon mari n'était pas un mari violent ni un père maltraitant. Juste un joueur compulsif qui s'était enfoncé dans les dettes. Et peut-être que j'aurais dû réagir plus tôt. Lui couper les vivres. Le jeter dehors.

Je n'étais pas au courant pour les cartes de crédit qu'il avait prises au nom de Sophie. Ni pour le détournement des fonds du syndicat. Il y avait beaucoup de choses que j'ignorais, mais cela ne faisait pas de moi une coupable. Juste une épouse lambda, qui avait espéré en vain que son mari renoncerait à jouer pour rentrer à la maison auprès de sa femme et de son enfant.

« Désolé, m'avait-il dit en mourant dans notre cuisine. Tessa… je t'aime encore plus fort. »

Je rêve de lui, vous savez. Je ne peux pas le dire au commandant Warren. Mais je rêve de mon mari, et cette fois-ci c'est le Gentil Brian ; il me tient par la main et Sophie file devant nous sur son vélo. Nous marchons. Nous parlons. Nous sommes heureux.

Je me réveille en larmes, donc ce n'est pas très grave que je souffre d'insomnies.

Vous voulez savoir combien le lieutenant-colonel a gagné en définitive ? D'après D.D., l'Inspection a retrouvé cent mille dollars sur son compte. Risible, quand on songe que cela ne représente qu'une fraction de ce qu'il aurait légitimement touché pour sa retraite s'il s'était contenté de faire consciencieusement son travail avant de partir s'adonner à la pêche en Floride.

Le lieutenant-colonel avait commandité l'assassinat de mon mari et perdu de l'argent dans l'opération.

Le reste des fonds était resté introuvable. Aucune trace ni dans les comptes de Shane ni dans ceux de Brian. D'après D.D., l'Inspection pensait que les deux hommes avaient perdu ces sommes mal acquises au casino, pendant que Hamilton conservait précieusement sa part du butin. Par une ironie du sort, leur passion du jeu épargnerait à Shane et Brian d'être accusés du détournement, tandis que Hamilton et sa petite amie Bonita (en qui on avait formellement identifié la femme qui avait fermé le compte en banque de la société-écran) en endosseraient la responsabilité à titre posthume.

Bonne nouvelle pour la veuve de Shane, me suis-je dit, et bonne nouvelle pour moi.

Par la suite, j'ai appris que Shane avait été inhumé avec tous les honneurs dus à sa fonction. La police avait établi qu'il avait sans doute accepté un rendez-vous avec Purcell dans cette ruelle. Purcell l'avait maîtrisé et abattu, peut-être pour le supprimer comme il avait supprimé Brian.

Concernant le meurtre de Purcell, aucune piste n'est écartée, m'a-t-on indiqué, l'arme n'ayant pas encore été retrouvée.

Comme je l'ai dit au commandant Warren, j'ignore tout de cette affaire et il ne faudrait laisser personne dire le contraire.

Sophie et moi habitons maintenant un trois pièces dans la même rue que Mme Ennis. Nous ne sommes jamais retournées dans l'ancienne maison ; je l'ai vendue en quelque chose comme trois heures parce que, même si elle avait été le théâtre d'un meurtre, elle possédait un des plus grands jardins de Boston.

Sophie ne pose pas de questions sur Brian, elle ne parle pas de lui. Ni de son enlèvement. Je crois qu'elle a l'impression de me protéger. Que vous dire ? elle tient de sa mère. Elle voit un spécialiste toutes les semaines. Il me recommande d'être patiente, alors je le suis. J'estime que ma mission consiste désormais à préparer une zone de réception confortable pour le moment, inéluctable, où elle lâchera prise.

Elle tombera et je la rattraperai. Avec plaisir.

Je me suis débrouillée toute seule pour organiser les funérailles de Brian. Il est enterré sous une simple stèle en granite avec son nom, ses dates de naissance et de décès. Et, peut-être par faiblesse mais aussi parce qu'il était mort pour Sophie, parce qu'il savait, pendant cette scène dans la cuisine, quelle décision j'allais devoir prendre, j'ai fait ajouter un dernier mot. Le plus bel hommage qu'on puisse rendre à un homme. Sous son nom, j'ai fait graver : Papa.

Peut-être qu'un jour Sophie se rendra sur sa tombe. Et peut-être qu'en voyant ce mot, elle pourra se souvenir de son amour et lui pardonner ses erreurs. Les parents ne sont pas parfaits, vous savez. Nous faisons tous de notre mieux.

J'ai dû démissionner de la police. D.D. et Bobby n'ont pas encore établi de lien entre moi et les meurtres de Shane Lyons et John Stephen Purcell, mais il reste ce petit détail : je me suis évadée de prison et j'ai agressé un collègue. Mon avocat a plaidé que j'agissais sous le coup d'un stress émotionnel intense, consécutif à l'enlèvement de mon enfant par mon supérieur, et que je ne devrais pas être tenue pour responsable de mes actes. Cargill a toujours bon espoir que le procureur, soucieux de ne pas trop entacher l'image de la police d'État, acceptera une qualification des faits ne m'exposant qu'à une condamnation avec sursis, voire, au pire, à une assignation à résidence.

Quoi qu'il en soit, je me rends bien compte que ma carrière de policière appartient au passé. Sincèrement, une femme qui a fait ce que j'ai fait ne devrait pas assurer la protection de ses concitoyens avec une arme. Et puis, je ne sais pas. Peut-être que quelque chose ne tourne pas rond chez moi, peut-être qu'il me manque un sens des limites à ne jamais dépasser et que ça explique pourquoi, quand d'autres mères auraient imploré qu'on leur rende leur enfant, je me suis armée jusqu'aux dents pour traquer ses ravisseurs.

Parfois, l'image que me renvoie le miroir me fait peur. Mes traits sont trop durs et même moi je me rends compte que je n'ai pas souri depuis longtemps. Les hommes ne m'invitent pas à sortir. Les inconnus n'engagent pas la conversation avec moi dans le métro.

Bobby Dodge a raison : il n'y a pas à se réjouir d'avoir donné la mort. C'est un mal nécessaire qui vous dépouille d'une partie de vous-même et d'un lien avec l'humanité qu'on ne retrouve plus jamais.

Mais n'allez pas vous apitoyer sur mon sort.

Je viens d'être embauchée par une entreprise de sécurité et je gagne mieux ma vie tout en travaillant à des horaires plus confortables. Quand il a découvert mon histoire dans le journal, mon futur patron a décroché son téléphone pour me proposer un poste. Il me considère comme un des meilleurs stratèges qu'il ait jamais rencontrés, doué d'une capacité hors du commun à prévoir les obstacles et anticiper le coup suivant. Ces compétences sont très recherchées, surtout à notre époque ; j'ai déjà été promue deux fois.

Maintenant, je dépose Sophie tous les matins à l'école. Je pars travailler. Mme Ennis passe la chercher à trois heures. Je les retrouve à six. On dîne ensemble et je rentre avec Sophie.

On s'occupe de l'appartement, on fait les devoirs. Et à neuf heures, au lit. Dans la même chambre. Aucune de nous ne dort beaucoup et, même si trois mois ont passé, nous ne sommes pas encore prêtes à affronter le noir.

Nous restons presque toute la nuit blotties l'une contre l'autre, Gertrude au chaud entre nous.

Sophie aime poser sa tête sur mon épaule, ses doigts écartés sur la paume de ma main.

« Je t'aime, maman », me dit-elle tous les soirs que Dieu fait.

Et je lui dis, la joue posée sur le sommet de sa chevelure brune : « Je t'aime encore plus fort, chérie. Encore plus fort. »

NOTE ET REMERCIEMENTS DE L'AUTEUR

Avec tout le respect que je dois au commandant D.D. Warren, ce que je préfère quand je me lance dans un nouveau roman, ce n'est pas tant de retrouver mes personnages récurrents que de chercher de nouvelles manières originales de commettre des atrocités. Et aussi, il faut le dire, de passer de sacrés chouettes moments avec des membres des forces de l'ordre qui me rappellent pourquoi il vaudrait mieux que je reste dans le droit chemin et que cette petite carrière d'écrivain continue à marcher pour moi.

Pour ce roman, j'ai réalisé le rêve de toute une vie en me rendant au centre de recherche anthropologique de l'université du Tennessee, plus connu sous le nom de « ferme des corps ». Je dois beaucoup au docteur Lee Jantz ; c'est une des personnes les plus intelligentes que je connaisse et elle exerce une des professions les plus fascinantes au monde. À partir du simple examen d'un tas d'ossements incinérés, elle est capable de vous dire en moins de trente secondes pratiquement tout ce qu'il y a à savoir sur un individu, y compris son sexe, son âge, ses maladies chroniques ou la marque de son fil dentaire. J'ai vécu avec elle beaucoup de moments dont j'aurais voulu me servir dans le livre, mais je me suis dit que personne ne me croirait.

Ceux de mes lecteurs qui s'intéressent à toutes ces questions morbides que sont le processus de décomposition, l'identification des restes squelettiques ou le rôle joué par les insectes après la mort, devraient toutes affaires cessantes jeter un œil à *La Ferme des corps*, cosigné par le docteur Bill

Bass, fondateur du centre, et Jon Jefferson. Vous trouverez aussi sur ma page Facebook des photos de ce petit voyage d'étude fort instructif.

C'est ici le moment de préciser que les anthropologues sont des experts, tandis que moi je ne fais que pianoter sur un clavier : autrement dit, toutes les erreurs dans ce roman sont de mon seul fait. Pour votre gouverne, sachez d'ailleurs que jamais je ne me permettrais d'accuser le docteur Jantz (détentrice d'un tee-shirt qui proclame *Évitez de m'énerver, je ne sais plus où mettre les cadavres*) d'avoir commis la moindre erreur.

Je dois aussi beaucoup à Cassondra Murray, de la Canine Rescue and Recovery Task Force du Kentucky, pour les informations qu'elle m'a données sur le dressage des chiens de recherche de cadavres et la vie du maître-chien bénévole. J'ignorais totalement que la plupart des équipes cynophiles étaient bénévoles. Ces personnes et leurs chiens accomplissent un travail admirable ; leur dévouement et leur sens du sacrifice méritent toute notre gratitude.

Là encore, toutes les erreurs sont de mon fait, n'y songez même pas !

Viennent ensuite l'agent Penny Frechette, ainsi que plusieurs de ses collègues policières qui ont préféré garder l'anonymat. J'ai apprécié le temps que j'ai passé avec ces femmes, la franchise de leur propos et ma première patrouille en tant qu'observatrice. Qu'est-ce que j'étais nerveuse ! La policière, non. Les lecteurs qui s'intéressent aux procédures policières doivent être avertis que j'ai pioché dans les pratiques de différents services pour imaginer les conditions de travail de Tessa Leoni, qui ne sont donc pas nécessairement représentatives de la vie d'un policier d'État dans le Massachusetts. La police d'État du Massachusetts est une institution éminemment efficace et respectable, et je salue la patience dont elle fait preuve avec les auteurs de polars qui ne se privent pas de recourir à la licence romanesque.

Au chapitre des expériences mémorables quoique éprouvantes, je dois aussi remercier le commissaire Gerard Horgan et son adjoint Brian Dacey, tous deux employés au bureau du shérif de Suffolk County, pour la belle journée qu'ils m'ont permis de passer à la maison d'arrêt. Ce n'est pas tous les jours que je me rends à Boston pour le plaisir d'être incarcérée, mais ce fut riche d'enseignements (par exemple : s'en tenir aux crimes fictifs, parce que je peux vous dire que je ne tiendrais pas une journée derrière les barreaux). On m'a fait visiter un établissement de premier ordre. Et moi, comme de bien entendu, j'en ai fait le théâtre de nouvelles scènes de violence parce que, hé, c'est ce que je fais de mieux.

Toute ma gratitude va aussi à Wayne Rock pour ses conseils sur les aspects juridiques et les éclairages qu'il m'a apportés sur la police municipale de Boston. Ancien enquêteur dans cette maison, il répond toujours à mes questions avec beaucoup de patience et n'a plus l'air étonné quand j'attaque en demandant : *Alors voilà, je voudrais tuer un type, mais sans que ce soit ma faute. Quelle est la meilleure méthode ?* Merci, Wayne !

Je suis aussi redevable à Scott Hale, dont la famille travaille dans la marine marchande depuis trois générations. Il a accepté de me faire profiter de ses lumières sur la question, alors même qu'il savait que j'allais tuer le personnage du marin. Merci, Scott !

Et pour clore le chapitre des recherches, je dois une reconnaissance éternelle à C.J. Lyons, remarquable médecin et elle-même auteur de polars, pour ses conseils médicaux. Il faut se rendre à l'évidence : tout le monde ne répondra pas à des courriels ayant par exemple pour objet « Besoin conseils en vue mutilation ». Merci, C.J. !

Mais l'écriture d'un roman ne se résume pas à des visites guidées de prison et autres virées avec des policiers et il me faut donc aussi remercier David J. Hallett et Scott C. Ferrari ; ils ont écrasé toute la concurrence par leur généreux don à notre refuge pour animaux abandonnés et ont ainsi gagné le droit pour Skyler et Kelli, leurs terriers irlandais à poil doux, de figurer dans le roman. J'espère que vous avez apprécié leur talentueuse apparition ; merci de votre soutien au refuge.

Comme je ne pouvais pas laisser les animaux s'amuser tout seuls, félicitations à Heather Blood, lauréate du sixième tirage au sort annuel Kill a Friend, Maim a Buddy ; elle a donné le nom d'Erica Reed à un personnage de ce livre. Bravo aussi à la Canadienne Donna Watters, qui a remporté le tirage au sort international Kill a Fried, Maim a Mate et sacrifié sa sœur, Kim Watters, dans le roman.

J'espère que votre immortalité littéraire vous fait plaisir. Et pour tous ceux qui espèrent entrer dans la danse : www.lisagardner.com.

Il va de soi que je n'y serais jamais arrivée sans ma famille. Depuis ma fille adorée, qui me demandait tous les jours si j'avais enfin sauvé la petite fille, jusqu'à mon mari ; d'une patience d'ange, il est maintenant tellement habitué à avoir une épouse qui part se promener en prison qu'il ne me demande même plus à quelle heure je vais rentrer. Ça, c'est de l'amour, je peux vous le dire.

Enfin, dans les rangs de l'écurie Gardner : mon précieux agent, Meg Ruley ; ma brillante éditrice, Kate Miciak ; et toute l'équipe éditoriale de Random House. Je n'ai aucune idée du nombre de personnes talentueuses et consciencieuses qu'il faut pour produire un roman. Je suis redevable à chacune d'elles. Merci d'être à mes côtés et d'accomplir ce miracle.

Ce livre est affectueusement dédié à la mémoire de mon oncle et de ma tante Darrell et Donna Holloway, qui nous ont appris à rire, à aimer et bien sûr à jouer aux cartes.

Merci aussi à Richard Myles, alias oncle Dick, dont la passion des grands livres, des beaux jardins et des Manhattan bien dosés restera dans les mémoires.

Nous vous aimons, et nous nous souvenons.

DU MÊME AUTEUR

Aux Éditions Albin Michel

DISPARUE, 2008.
SAUVER SA PEAU, 2009.
LA MAISON D'À CÔTÉ, 2010.
DERNIERS ADIEUX, 2011.
LES MORSURES DU PASSÉ, 2012.

« *SPECIAL SUSPENSE* »

MATT ALEXANDER
Requiem pour les artistes
STEPHEN AMIDON
Sortie de route
RICHARD BACHMAN
La Peau sur les os
Chantier
Rage
Marche ou crève
CLIVE BARKER
Le Jeu de la Damnation
INGRID BLACK
Sept jours pour mourir
GILES BLUNT
Le Témoin privilégié
GERALD A. BROWNE
19 Purchase Street
Stone 588
Adieu Sibérie
ROBERT BUCHARD
Parole d'homme
Meurtres à Missoula
JOHN CAMP
Trajectoire de fou
CAROLINE CARVER
Carrefour sanglant
JOHN CASE
Genesis
PATRICK CAUVIN
Le Sang des roses
Jardin fatal
MARCIA CLARK
Mauvaises fréquentations
JEAN-FRANÇOIS COATMEUR
La Nuit rouge
Yesterday
Narcose
La Danse des masques
Des feux sous la cendre
La Porte de l'enfer
Tous nos soleils sont morts
La Fille de Baal
Une écharde au cœur
CAROLINE B. COONEY
Une femme traquée
HUBERT CORBIN
Week-end sauvage
Nécropsie
Droit de traque
PHILIPPE COUSIN
Le Pacte Pretorius
DEBORAH CROMBIE
Le passé ne meurt jamais
Une affaire très personnelle
Chambre noire
Une eau froide comme la pierre
Les larmes de diamant
La Loi du sang
VINCENT CROUZET
Rouge intense
JAMES CRUMLEY
La Danse de l'ours
JACK CURTIS
Le Parlement des corbeaux
ROBERT DALEY
La nuit tombe sur Manhattan
GARY DEVON
Désirs inavouables
Nuit de noces
WILLIAM DICKINSON
Des diamants pour Mrs Clark
Mrs Clark et les enfants du diable
De l'autre côté de la nuit
MARJORIE DORNER
Plan fixe
FRÉDÉRIC H. FAJARDIE
Le Loup d'écume
FROMENTAL/LANDON
Le Système de l'homme-mort

STEPHEN GALLAGHER
Mort sur catalogue

LISA GARDNER
Disparue
Sauver sa peau
La maison d'à côté
Derniers adieux
Les Morsures du passé

CHRISTIAN GERNIGON
La Queue du Scorpion
Le Sommeil de l'ours
Berlinstrasse
Les Yeux du soupçon

JOSHUA GILDER
Le Deuxième Visage

JOHN GILSTRAP
Nathan

MICHELE GIUTTARI
Souviens-toi que tu dois mourir
La Loge des Innocents

JEAN-CHRISTOPHE GRANGÉ
Le Vol des cigognes
Les Rivières pourpres
Le Concile de pierre

SYLVIE GRANOTIER
Double Je
Le passé n'oublie jamais
Cette fille est dangereuse
Belle à tuer
Tuer n'est pas jouer
La Rigole du diable

AMY GUTMAN
Anniversaire fatal

JAMES W. HALL
En plein jour
Bleu Floride
Marée rouge
Court-circuit

JEAN-CLAUDE HÉBERLÉ
La Deuxième Vie de Ray Sullivan

CARL HIAASEN
Cousu main

JACK HIGGINS
Confessionnal

MARY HIGGINS CLARK
La Nuit du Renard
La Clinique du Docteur H.
Un cri dans la nuit
La Maison du guet
Le Démon du passé
Ne pleure pas, ma belle
Dors ma jolie
Le Fantôme de Lady Margaret
Recherche jeune femme aimant danser
Nous n'irons plus au bois
Un jour tu verras...
Souviens-toi
Ce que vivent les roses
La Maison du clair de lune
Ni vue ni connue
Tu m'appartiens
Et nous nous reverrons...
Avant de te dire adieu
Dans la rue où vit celle que j'aime
Toi que j'aimais tant
Le Billet gagnant
Une seconde chance
La nuit est mon royaume
Rien ne vaut la douceur du foyer
Deux petites filles en bleu
Cette chanson que je n'oublierai jamais
Où es-tu maintenant ?
Je t'ai donné mon cœur
L'ombre de ton sourire
Quand reviendras-tu ?
Les Années perdues
Une chanson douce

CHUCK HOGAN
Face à face

KAY HOOPER
Ombres volées

PHILIPPE HUET
La Nuit des docks

GWEN HUNTER
La Malédiction des bayous

PETER JAMES
Vérité

TOM KAKONIS

Chicane au Michigan
Double Mise

MICHAEL KIMBALL

Un cercueil pour les Caïmans

LAURIE R. KING

Un talent mortel

STEPHEN KING

Cujo
Charlie

JOSEPH KLEMPNER

Le Grand Chelem
Un hiver à Flat Lake
Mon nom est Jillian Gray
Préjudice irréparable

DEAN R. KOONTZ

Chasse à mort
Les Étrangers

AMANDA KYLE WILLIAMS

Celui que tu cherches

NOËLLE LORIOT

Le tueur est parmi nous
Le Domaine du Prince
L'Inculpé
Prière d'insérer
Meurtrière bourgeoisie

ANDREW LYONS

La Tentation des ténèbres

PATRICIA MACDONALD

Un étranger dans la maison
Petite Sœur
Sans retour
La Double Mort de Linda
Une femme sous surveillance
Expiation
Personnes disparues
Dernier refuge
Un coupable trop parfait
Origine suspecte
La Fille sans visage
J'ai épousé un inconnu
Rapt de nuit
Une mère sous influence
Une nuit, sur la mer
Le Poids des mensonges
La Sœur de l'ombre

JULIETTE MANET

Le Disciple du Mal

PHILLIP M. MARGOLIN

La Rose noire
Les Heures noires
Le Dernier Homme innocent
Justice barbare
L'Avocat de Portland
Un lien très compromettant
Sleeping Beauty
Le Cadavre du lac

DAVID MARTIN

Un si beau mensonge

LISA MISCIONE

L'Ange de feu
La Peur de l'ombre

MIKAËL OLLIVIER

Trois souris aveugles
L'Inhumaine Nuit des nuits
Noces de glace
La Promesse du feu

ALAIN PARIS

Impact
Opération Gomorrhe

DAVID PASCOE

Fugitive

RICHARD NORTH PATTERSON

Projection privée

THOMAS PERRY

Une fille de rêve
Chien qui dort

STEPHEN PETERS

Central Park

JOHN PHILPIN/PATRICIA SIERRA

Plumes de sang
Tunnel de nuit

NICHOLAS PROFFITT

L'Exécuteur du Mékong

PETER ROBINSON

Qui sème la violence…
Saison sèche
Froid comme la tombe

Beau monstre
L'été qui ne s'achève jamais
Ne jouez pas avec le feu
Étrange affaire
Coup au cœur
L'Amie du diable
Toutes les couleurs des ténèbres
Bad Boy
Le Silence de Grace

DAVID ROSENFELT
Une affaire trop vite classée

FRANCIS RYCK
Le Nuage et la Foudre
Le Piège

RYCK EDO
Mauvais sort

LEONARD SANDERS
Dans la vallée des ombres

TOM SAVAGE
Le Meurtre de la Saint-Valentin

JOYCE ANNE SCHNEIDER
Baignade interdite

THIERRY SERFATY
Le Gène de la révolte

JENNY SILER
Argent facile

BROOKS STANWOOD
Jogging

VIVECA STEN
La Reine de la Baltique

WHITLEY STRIEBER
Billy

MAUD TABACHNIK
Le Cinquième Jour
Mauvais Frère
Douze heures pour mourir
J'ai regardé le diable en face
Le chien qui riait
Ne vous retournez pas

LAURA WILSON
Une mort absurde

THE ADAMS ROUND TABLE PRÉSENTE
Meurtres en cavale
Meurtres entre amis
Meurtres en famille

Composition Nord Compo
Impression : Marquis Imprimeur en octobre 2013
Éditions Albin Michel
22, rue Huyghens, 75014 Paris
www.albin-michel.fr